LE ROY

Rose Tremain, née en 1
d'East Anglia. Elle y avai
seurs figurait le romanc
vieille maison non loin de Norwich, dans la région où se situe en partie *Le Don du roi*. Francophile acharnée, elle a passé un an à la Sorbonne alors qu'elle achevait ses études, et a vécu ensuite un certain temps à Ribérac, en Dordogne, ce qui lui a permis de perfectionner son français.

Auteur de plusieurs romans et recueils de nouvelles, elle a, pour son cinquième roman, *Le Don du roi*, remporté le Prix littéraire annuel du *Sunday Express* et a été sélectionnée pour le Prix Booker. Le succès du *Don du roi* et du *Royaume interdit* auprès de la critique anglo-saxonne et du public et celui de ses livres précédents l'ont placée au tout premier rang des grandes romancières anglaises d'aujourd'hui.

Rose Tremain écrit également pour la radio, la télévision et la presse.

Le Don du roi et *Le Royaume interdit*, publiés en France aux Éditions de Fallois en 1993 et 1994, ont fait connaître et apprécier cet auteur du public français et de la critique unanime. *Le Royaume interdit* a obtenu le Prix Femina étranger 1994.

En 1995, *Le Don du roi* a été adapté à l'écran dans une mise en scène de Michael Hoffman, et, en 1996, *Le Royaume interdit* a été tourné par la télévision anglaise.

Rose Tremain est également l'auteur de *Lettre à sœur Bénédicte*.

Paru dans Le Livre de Poche :

LE DON DU ROI

ROSE TREMAIN

Le Royaume interdit

ROMAN TRADUIT DE L'ANGLAIS
PAR JEAN BOURDIER

ÉDITIONS DE FALLOIS

Titre original :

SACRED COUNTRY

Je vis sans m'habiter
Moi-même, de sorte que
Je meurs de ne pas mourir.

SAINT JEAN DE LA CROIX

Semble, madame ? Non, cela est. « Semble »,
je ne connais pas.

Hamlet, acte I, scène II

Entre l'idée
Et la réalité,
Entre le mouvement
Et l'acte
Retombe l'Ombre.

T.S. ELIOT

A la mémoire de Bernie Schweid

PREMIÈRE PARTIE

CHAPITRE I

1952

Les deux minutes de silence

Le 15 février 1952 à deux heures de l'après-midi, la nation observa deux minutes de silence en l'honneur de son Roi décédé. C'était le jour de ses funérailles.

La circulation s'arrêta. Les téléphones cessèrent de sonner. Les ondes de radio ne diffusaient qu'un son neutre et assourdi. Sur les marchés forains, la vente des bas nylon s'était interrompue. Au Ritz, le service du déjeuner était momentanément suspendu. Les serveurs se tenaient au garde-à-vous, la serviette pliée sur le bras.

Pour certains, surpris dans un autobus à l'arrêt, devant une machine devenue brusquement silencieuse ou devant un kiosque à musique dont la fanfare s'était tue, ce silence était lourd d'éternité. Beaucoup de gens pleuraient, et ils ne pleuraient pas seulement sur le Roi, mais sur eux-mêmes et sur l'Angleterre. Ils pleuraient sur le lent et atroce passage du temps.

Sur les fermes du Suffolk, une neige légère et à demi fondue commençait à tomber, comme du sel saupoudrant la campagne.

Les Ward se tenaient dans un champ, serrés les uns contre les autres. Sonny Ward n'avait pu savoir, la grande aiguille étant tombée de sa montre, à quel moment précis commencer les deux minutes de silence. Sa femme, Estelle, ne tenait pas à faire rester la famille dehors, dans la froidure. Elle avait proposé qu'ils restent dans la maison avec un bon feu pour leur tenir chaud et la radio pour leur dire que faire, mais Sonny avait refusé ; ils devaient se tenir directement sous les cieux, pour que leurs prières prennent la route la plus directe. Il affirmait que les Anglais devaient élever la voix en faveur de leur malheureux Roi, ne serait-ce que pour lui éviter de bégayer en arrivant au Ciel.

Ils se retrouvaient donc tous groupés en rond dans un champ de pommes de terre : Sonny et Estelle, leur fille Mary et leur tout jeune fils Tim. Sonny leur trouvait l'air pathétique. Pathétique et miséreux. Et l'idée que la période de silence de sa famille n'était sans doute pas tout à fait synchronisée avec celle de l'ensemble de la nation devait le préoccuper longtemps encore. Il avait demandé à son voisin, Ernie Loomis, de lui dire quand commencer, mais Loomis avait oublié. Sonny s'était demandé s'il n'y aurait pas quelque signe — un mot écrit dans le ciel ou une sirène sonnant à Lowestoft — pour lui indiquer le moment, mais rien n'était venu. Aussi, lorsque la petite aiguille de sa montre était venue recouvrir le chiffre deux, avait-il posé sa houe et avait-il dit :

— Bon. C'est maintenant que nous allons faire silence.

Et ils avaient fait silence.

La neige tombait en poudre sur leurs épaules.

C'était un silence inséré dans un autre silence qui existait déjà, mais nul, à l'exception de Mary, ne savait que son souvenir allait durer toute une vie.

Mary Ward avait six ans. Elle avait de petits pieds, de petites mains et un visage rond et plat qui, pour sa mère, évoquait une fleur de tournesol. Ses cheveux châtains et raides étaient maintenus en arrière par une barrette en écaille. Des lunettes rondes corrigeaient sa vision défectueuse. Ce jour-là, elle portait un manteau de tweed trop court pour elle, des moufles pourpres, des bottes en caoutchouc et une écharpe de laine décorée de moulins à vent et de paysans hollandais tricotés en bleu. La regardant cligner des yeux d'un air absent au milieu de la neige fondue, son père jugea la vision affligeante.

On lui avait dit de penser au roi George et de prier pour lui. Tout ce qu'elle pouvait se rappeler du Roi était sa tête, coupée à l'encolure sur le timbre à deux pence. Elle commença donc à prier pour le timbre, mais ces prières ne tardèrent pas à se diluer et à s'évaporer, et elle se mit à tourner la tête de tous côtés, cherchant des yeux, sur les terres labourées, Marguerite, sa pintade apprivoisée.

Estelle avait, le matin même, cousu par inadvertance une mèche de sa lourde chevelure brune à un morceau de soie de parachute qu'elle avait posé sur sa machine à coudre. En voyant ce qu'elle avait fait, elle s'était mise à hurler. C'était grotesque. C'était comme un crime commis contre sa propre personne. Et, bien que se contraignant maintenant au silence, elle pouvait encore entendre ses hurlements quelque part dans le lointain. Elle avait courbé la tête, mais elle put voir Sonny relever la sienne pour regarder d'abord Mary puis la regarder elle-même. Alors, au lieu de voir le Roi mort allongé, très élégant dans son uniforme d'officier de marine, elle se vit elle-même, telle qu'elle était à ce moment précis, dominant de toute sa stature le plat paysage, belle malgré sa chevelure massacrée, l'incarnation d'un mystère, une femme projetée toujours plus loin dans l'infini glacial du temps. Elle joignit les paumes pour retrouver le calme.

— Pour le thé, murmura-t-elle, j'essaierai cette nouvelle recette de crêpes.

Elle croyait son murmure silencieux, mais tel n'était pas le cas. Estelle avait parfois du mal à faire la différence entre les pensées et les mots réellement proférés.

Sonny fit claquer contre sa cuisse sa vieille casquette usée et se mit à tousser.

— Tais-toi, Estelle ! fit-il entre deux quintes de toux. Sinon, il faudra reprendre le silence à son début.

Estelle posa ses mains sur ses lèvres et ferma les yeux. Quand la toux de Sonny se fut calmée, il jeta un regard à Tim. Tim, son trésor. Timmy, son garçon. L'enfant s'était assis dans un sillon et tentait de délacer ses petites bottes. Il avait déjà réussi à en retirer une, entraînant avec elle la chaussette grise et mettant à nu son pied. Sonny regardait ce petit pied si souple et tendre qu'il semblait dépourvu d'os. Tim le plongea dans la boue en jetant au loin sa botte comme un simple jouet.

— Tim ! souffla Mary. Tiens-toi tranquille !

— Tais-toi, fille ! fit Sonny.

— Je n'entends pas le moindre silence, intervint Estelle.

— On recommence tout, ordonna Sonny.

Du coup, Mary commença à se demander combien de minutes cela allait durer. Seraient-ils toujours là, comme cela, à la tombée de la nuit ?

Puis l'idée qu'ils puissent tous rester là, à attendre dans ce champ, avec la neige s'installant peu à peu sur eux et les recouvrant de blanc, finit par donner à Mary un étrange sentiment d'exaltation, comme si allait lui arriver une chose qui n'était jamais advenue à personne dans toute l'histoire du Suffolk et même du monde.

Elle tenta de dire une autre prière pour le Roi, mais les mots s'envolèrent comme de petits morceaux de papier. Elle essuya ses lunettes du revers de sa moufle. Elle regarda un à un les membres de sa famille, enfin immobiles mais moins qu'il n'eût convenu, moins que les hommes en plumet gardant le cercueil du Roi, moins que des joncs dans un lac. Puis, entendant près de la ferme le cri familier de sa pintade, elle pensa soudain : j'ai une nouvelle à t'annoncer, Marguerite, j'ai un secret à te révéler, ma chérie. Je ne suis pas Mary. C'est une erreur. Je ne suis pas une fille. Je suis un garçon.

C'est alors et ainsi que commença le long voyage de Mary Ward.

Il commença dans un moment de silence désordonné, dont nul ne parvenait à déterminer la durée, car, tout comme il n'avait su quand le faire commencer, Sonny ne pouvait dire à quel instant il devait prendre fin. Il laissa tout simplement sa famille attendre ainsi, sous la neige, et cette attente fut longue.

Le concours du plus beau bébé

En avril de cette année, le gel fit perdre onze agneaux à Sonny. La colère avait toujours l'effet de le rendre sourd. Plus il était furieux, plus fort il criait.

Durant la guerre une balle avait arraché une partie de son oreille gauche. Il avait vu un petit morceau de lui-même partir en flottant sur les eaux du Rhin. Il ne lui restait qu'un fragment de cartilage qui ressemblait à du corail mou. Dans ses accès de rage sourde, Sonny déchirait le corail avec son pouce, faisant couler du sang le long de son cou.

Sonny porta les agneaux gelés chez son voisin, Ernie Loomis, afin que celui-ci les découpe et les mette dans sa chambre froide. Dans la ferme de Sonny, rien ne devait se gaspiller. Et Sonny ne pouvait supporter la négligence dont commençait à faire preuve Estelle dans la maison, des étourderies telles qu'il lui arrivait parfois d'oublier ce qu'elle avait entre les mains. Il avait envie de la frapper lorsque cela se produisait, de la gifler pour la réveiller. Le jour où elle avait cousu ses cheveux au morceau de soie, il lui avait fait défaire la couture, point par point avec une lame de rasoir, jusqu'à ce que le dernier cheveu soit parti.

Dans un cadre d'argent sur la cheminée de la cuisine, Estelle conservait une photographie de sa mère. Celle-ci avait été professeur de piano. La photographie la montrait telle qu'elle était en 1935, un an avant de se tuer à bord d'un planeur. Elle appartenait à la Ligue Féminine pour la Santé et la Beauté, et c'était cette image qui demeurait dans l'esprit d'Estelle — celle d'une femme bien saine, radieuse, aux beaux cheveux brillants et au doux sourire.

— Les planeurs, tu sais, avait dit un jour Estelle à Mary, avec ce chuchotement qu'elle utilisait dès qu'elle parlait de sa mère, sont aussi, en fait, de très belles choses.

Et elle laissait entendre à Mary, même après que celle-ci eut commencé à porter des lunettes, qu'elle avait quelque ressemblance avec la grand-mère Livia.

— Je pense, murmurait Estelle, qu'en grandissant tu deviendras tout à fait comme elle.

Mary aimait beaucoup la photographie de sa grand-mère. Celle-ci paraissait calme et paisible, et Mary était tout à fait sûre qu'elle n'élevait jamais la voix. Et quand Mary pensait à la mort de sa grand-mère dans le planeur, elle n'imaginait pas celui-ci s'écrasant dans un bois ou plongeant sur un village ; elle le voyait en rêve dérivant dans un ciel blanc où, tache blanche sur fond blanc, il finissait par se fondre et se dissoudre. Mais elle n'était jamais parvenue à imaginer qu'en grandissant elle allait ressembler à sa grand-mère Livia. Elle savait qu'elle ne deviendrait jamais belle et ne ferait jamais partie de la Ligue Féminine, quoi que puisse bien être une Ligue Féminine. Et, depuis le jour des deux minutes de silence, elle savait qu'elle ne serait même pas une femme. Elle n'en parla pas à sa mère, et, naturellement, elle n'en parla pas à son père, car, depuis l'âge de trois ans, elle ne lui avait plus jamais rien dit. Elle n'en parla même pas à Miss McRae, son institutrice. Elle avait décidé que c'était un secret. Elle l'avait juste chuchoté un jour à Marguerite, et Marguerite avait ouvert le bec pour glousser.

Après la mort des agneaux survint un peu de beau temps. En mai, la communauté de Swaithey organisa sa fête annuelle dans un champ à l'extérieur du village, bien ombragé par un alignement de châtaigniers. Ces fêtes avaient toujours comme principale attraction un concours quelconque : le meilleur ensemble floral, le déguisement d'enfant le plus original, le plus beau légume, le chien le plus obéissant, le danseur le plus talentueux. Les prix étaient généreux : une douzaine de bouteilles de bière forte, un abonnement d'un an à *Radio Fun* ou à *Flix*, un sac de charbon. Cette année-là, le concours visait à découvrir le plus beau bébé de Swaithey. Les coupons de participation étaient à trois pence, et le prix inconnu.

L'idée d'un prix inconnu séduisait l'imagination tourmentée d'Estelle. Le terme « inconnu » semblait promettre une chose de valeur : une visite à la Tour de Londres, une écharpe de prix, une rencontre avec Mr Churchill. Estelle n'avait aucun bébé à présenter, mais elle se refusait à voir ce précieux « prix inconnu » lui échapper totalement. Elle acheta un coupon de participation et alla le porter à son amie Irene Simmonds.

Irene vivait seule avec sa fille illégitime, Pearl. Le père avait été un Irlandais qui travaillait « dans l'imprimerie » à Dublin.

— Il avait le goût de l'encre de couleur, avait dit Irene à Estelle.

Mais ce goût s'était vite évanoui, et pas le moindre mot, imprimé ou manuscrit, n'était venu de Dublin en réponse aux lettres d'Irene. Celle-ci était une femme à l'esprit pratique. Elle avait un vaste sourire, un corps bien dodu et un cœur tendre. Pendant longtemps, elle rêva du typographe irlandais, mais elle ne le montra jamais. Tout ce qu'elle manifestait, c'était sa dévotion à Pearl.

Quand Estelle arriva avec le coupon à trois pence, Irene nourrissait sa fille. Ses seins blancs étaient plus gros que la tête du bébé. Ils auraient pu nourrir toute une tribu. La petite vie de Pearl se déroulait dans une suave et laiteuse nébuleuse.

Estelle s'assit auprès d'Irene et posa le coupon sur la table de la cuisine.

— Ce qui est inconnu, proclama-t-elle, a toujours toutes les chances d'être meilleur.

Irene remplit le coupon avec cette écriture méticuleuse qu'elle avait perfectionnée pour tenter de gagner le cœur du typographe. « Participant : Pearl Simmonds, née le 22 avril 1951. » Pendant ce temps, Estelle avait pris Pearl sur ses genoux et l'examinait, en tentant de se mettre à la place d'un juge au Concours du plus beau bébé de Swaithey. Pearl avait les cheveux pâles comme de la citronnade, de grands yeux d'un bleu liquide. Sa bouche avait la joliesse et la douceur de celle d'Irene.

— Il faut que tu gagnes, chérubine, lui enjoignit Estelle. Tu portes tous nos espoirs.

Sonny refusa d'aller à la fête. Il n'avait ni temps ni argent à consacrer à ces vétilles.

Estelle s'y rendit dans la carriole avec Mary et Tim. La journée était chaude. Un record pour mai, disait la radio. Les fleurs des champs blanchissaient le bord des petits chemins. Mary portait une robe nouvelle, faite d'une vieille nippe qu'Estelle avait, à la main, ornée de smocks. Dans la carriole, Mary se prit à détester la sensation des fronces sur sa peau et commença à les maltraiter.

Ils firent halte au cottage d'Irene. Pearl dormait dans une corbeille en osier, enveloppée dans son châle de baptême. Ils déposèrent la corbeille sur quelques sacs qui sentaient l'orge. Au bout d'un moment, Pearl commença à ronfler. A l'exception de son père, Mary n'avait jamais entendu personne ronfler, et encore moins un bébé.

— Pourquoi fait-elle cela ? demanda-t-elle à Irene.

— Oh ! fit celle-ci. Elle a toujours été une ronfleuse, depuis le début.

Mary se mit à genoux dans la carriole et entra en contemplation devant Pearl. Ce ronflement la fascinait au point de lui faire oublier les smocks.

Le concours du plus beau bébé se tenait dans une

vaste tente verdâtre ayant appartenu à l'armée. Les mères devaient s'asseoir en ligne sur des chaises en bois dur et présenter leurs bébés au passage des juges. Sur les trente-six participants, cinq seraient sélectionnés pour un second tour. Il y aurait un vainqueur et quatre prix de consolation. Durant tout le trajet en carriole, Estelle pensa à ce terme de « consolation » en se disant qu'elle ne l'aimait pas du tout. Ce qui devait consoler ne tenait jamais ses promesses.

L'après-midi devint de plus en plus chaud, comme si tout juin et tout juillet s'étaient concentrés en une seule journée. A la tombola, Estelle gagna un gâteau au chocolat qui commença à fondre. Elle commanda donc à Mary et à Tim de le manger. Aucun souffle de vent ne venait faire flotter les bannières improvisées au-dessus des tentes.

Vers deux heures, Irene emmena Pearl à l'ombre des châtaigniers pour lui donner un peu de sirop et changer ses couches. Mary demanda à l'accompagner. La chaleur et le frottement des smocks lui avaient occasionné de telles démangeaisons à la poitrine qu'elle s'était grattée jusqu'au sang, dont de petites taches apparaissaient entre les fronces. Elle voulait les montrer à Irene. Quand elle était avec Irene, Mary avait l'impression de se trouver dans une sorte de refuge qu'elle aurait construit elle-même. Tout y était calme. Personne n'y criait.

Irene examina le sang sur les fronces. Elle défit la robe de Mary et tamponna les égratignures avec les chiffons humides qu'elle avait apportés pour nettoyer Pearl.

— Il faut des heures de travail pour faire des smocks, Mary, fit-elle remarquer.

— Je sais, dit Mary.

Elles ne se dirent rien de plus. A genoux près de Mary dans l'herbe fraîche, Irene lui rattacha sa robe. Puis elle se redressa et regarda la fillette. Les verres des lunettes de Mary étaient sales et embués, et ses maigres cheveux, trempés par la sueur, formaient une sorte de casque autour de sa tête. Irene se rendit compte qu'elle se retenait pour ne pas pleurer.

— Bien, dit-elle. Maintenant, il faut que nous fassions toute belle notre Pearl.

Elle tendit à Mary un lange propre que la fillette étendit soigneusement sur l'herbe, le lissant méticuleusement avant de le plier. Irene retira à Pearl sa couche mouillée et la déposa sur le lange blanc. Elle sortit de son sac une boîte de talc et poudra le derrière de Pearl jusqu'à ce qu'il soit bien sec et comme velouté. Mary regardait. Il y avait quelque chose en Pearl qui la fascinait. C'était comme si elle assistait à une projection, Pearl étant le spectacle et elle-même le spectateur assis dans le noir. Mary retira ses lunettes. Sans celles-ci, il lui semblait qu'il y avait deux Pearl, ou presque deux, couchées à l'ombre des châtaigniers, et Mary s'entendit penser tout haut, comme le faisait si souvent sa mère.

— S'il y en avait deux, dit-elle à Irene, il y en aurait une pour toi et une pour moi.

— Deux quoi, Mary ?

Mais Mary s'interrompit et remit ses lunettes en place.

— Oh ! fit-elle. Je ne sais pas ce que je voulais dire. Je crois que je pensais à la pâtisserie que Maman a gagnée, parce que tu n'en as pas mangé du tout.

— Il fait chaud, dit Irene en fixant le lange de Pearl à l'aide d'une épingle à nourrice. Cela va être étouffant, dans cette tente.

Les mères se pressaient sous la tente. Il y avait beaucoup plus de mères que de chaises, aussi certaines durent-elles rester debout, déjà épuisées par cet après-midi brûlant et par le poids de leurs bébés. Ce fut à peine si on put entendre, au milieu des cris et des pleurs des bébés, les déclarations préliminaires des juges. Lady Elliot, du manoir de Swaithey, très élégante avec son foulard Jacqmar, proclama qu'elle n'avait jamais vu une telle assemblée d'adorables nourrissons.

— Maintenant, dit-elle, les autres juges et moi-même allons passer parmi vous, et, à notre second passage, nous remettrons des rosettes aux cinq finalistes.

L'idée des rosettes suscita des rires qui eurent pour effet de faire taire les bébés. Estelle, avec Mary et Tim à ses côtés, se tenait près d'une des ouvertures de la tente, priant à la fois pour qu'une petite brise se lève et pour que la récompense inconnue soit attribuée à Irene. Mary gardait les yeux fermés. Elle se sentait soudain envahie d'une rage mêlée de chagrin. Elle aurait voulu qu'en fin de compte il n'y eût pas de concours.

Les juges regardèrent à peine Pearl, et la seule chose que récolta Irene fut une bouffée de parfum français au passage de Lady Elliot.

Le concours fut remporté par une certaine Mrs Nora Flynn. La récompense inconnue se mua en une auge de maçon et une truelle. Mrs Nora Flynn posa son bébé, Sally Mahonia, dans l'auge, comme un chou primé.

Sur le chemin du retour, dans la carriole, Irene semblait paisible, comme si rien n'avait existé de cette journée. Timmy restait silencieux, encore tout pâle d'un après-midi qui s'était déroulé comme dans un rêve, où il avait été tiraillé de tous côtés sans rien voir de précis. Estelle fit remarquer d'un ton amer qu'on pouvait difficilement présenter comme des choses inconnues une auge de maçon et une truelle.

Mary, elle, déclara :

— Je n'ai pas applaudi quand Sally Mahonia a gagné. Je n'ai pas applaudi du tout.

Puis, lasse de se gratter la poitrine, de manger du gâteau au chocolat et de vouloir voir Pearl reconnue comme le plus beau bébé de Swaithey, elle s'endormit sur les genoux d'Irene.

Pearl, qu'aucune pensée de cette sorte ne venait visiter, dormait à côté d'elle sur les sacs d'orge, en ronflant doucement.

Mary :

Je puis faire remonter très loin mes souvenirs, presque jusqu'au moment de ma naissance.

Je puis me revoir dans le lit de mes parents, coincée entre eux deux. C'était un lit de fer qui se creusait au milieu. Ils me mettaient dans le creux, et la force de gravité les faisait tomber vers moi.

Notre terre était couverte de pierres. Dès que je sus marcher, on me donna un petit seau sur lequel était peint un poisson volant et on me dit de ramasser les pierres. Mon père ouvrait la marche avec un grand seau qui, rapidement, devenait si lourd qu'il arrivait à peine à le porter. Je crois qu'il pensait tout le temps à ces pierres, et qu'il s'efforçait de m'y faire penser tout le temps moi aussi. J'étais censée emporter mon petit seau partout où j'allais et penser aux pierres.

Je puis me rappeler m'être perdue dans un champ tout plat. C'était l'hiver, et l'obscurité était tombée autour de moi, me cachant de toute part et étouffant ma voix. La seule chose que je pouvais voir était mon seau, qui luisait un peu, et la seule chose que je pouvais entendre était le vent dans les sapins. Je me mis à marcher vers le vent en appelant mon père. J'arrivai droit au milieu des arbres. Ils soupiraient et soupiraient. J'entourai de mes bras l'un des troncs rugueux et restai là, à attendre. Je pensais que Jésus allait peut-être arriver à travers bois en portant une lanterne.

Ce furent mes parents qui survinrent avec des torches et me trouvèrent. Ma mère sanglotait. Mon père me souleva dans ses bras et m'enveloppa de sa vieille veste qui sentait le grain. Il me dit :

— Mary, pourquoi n'es-tu pas restée où tu étais ?

— Mon seau est resté dans le champ, lui dis-je.

Et mon père répondit :

— Ne t'occupe pas du seau. C'est toi qui comptes.

Mais, quand j'eus trois ans, je cessai d'être celle qui comptait. Tim était né et mon père répétait que son arrivée était un miracle. Je demandai à ma mère si j'avais été moi aussi un miracle et elle me dit :

— Oh ! Les hommes sont comme cela, surtout les fermiers. Ne fais pas attention.

Mais, après l'arrivée de Timmy, tout changea. C'était lui que mon père et ma mère mettaient dans le creux de leur lit pour tomber ensuite sur lui. Quand je m'en aperçus, je les prévins que j'allais tuer Timmy à coups de pied, que j'allais lui écraser la tête. Alors, mon père commença à penser que le Mal était en moi. Quand j'essayais de lui dire quelque chose, il m'interrompait :

— Ne me parle pas, Mary. Ne me parle pas.

Alors, je cessai complètement de lui parler. Quand nous allions amasser des pierres ensemble, nous parcourions tous les sillons d'un bout à l'autre dans les deux sens, hermétiquement enfermés en nous-mêmes, totalement séparés l'un de l'autre par l'esprit.

Ma vision commença à devenir défectueuse peu après la naissance de Timmy. Des lueurs venaient danser au coin de mon œil. Les oiseaux passant au lointain devenaient invisibles. Les gens se séparaient et devenaient doubles.

Je tentai de dire à ma mère combien toutes ces choses se faisaient bizarres. Elle passait par l'une de ces périodes où elle avait besoin de constamment toucher quelque chose. Ce qu'elle préférait toucher était le volant de sa machine à coudre, que son long pouce blanc caressait sans cesse, comme s'il ne pouvait s'en détacher. Quand je lui parlai des gens devenant doubles, elle me mit brusquement la main sur la bouche et me dit :

— *Tais-toi !* Je suis superstitieuse.

Ce fut donc mon institutrice à l'école du village, Miss McRae, qui découvrit mon défaut de vision.

Elle prévint ma mère :

— Mary ne peut voir le tableau noir, Mrs Ward.

Ce qui était vrai : le tableau m'apparaissait comme une sorte de chute d'eau.

J'allai avec ma mère de Swaithey à Leiston en autocar pour consulter un oculiste. A un moment, le car dut s'arrêter pour laisser quelques canards traverser la route. Je me précipitai vers la vitre du conducteur pour tenter d'apercevoir les canards, mais tout ce que je pus distinguer, ce fut cinq taches confuses se déplaçant comme des chenilles.

Une semaine plus tard, j'eus mes lunettes. Lorsque je les mis, Timmy se mit à rire de moi, et je le frappai sur l'oreille. J'espérais l'avoir frappé assez fort pour que sa vision devienne également défectueuse.

— Comment sont-elles ? me demanda mon père d'un ton acerbe en tenant Timmy contre lui.

— Elles sont un miracle, dis-je.

Miss McRae semblait entièrement faite d'écorce rugueuse.

Son dos était rigide et mince comme un peigne. Son nez était aigu. Ses longues mains étaient dures, sèches et couvertes de taches de rousseur.

Tous les enfants de l'école avaient eu, à première vue, peur de Miss McRae. Il leur semblait que, s'ils s'approchaient d'elle, ils allaient s'écorcher. Mais, quand elle se mettait à parler, sa voix à l'accent écossais apportait dans la classe un sentiment de paix et tout le monde demeurait tranquille et silencieux. Chaque jour, elle commençait par nous raconter une chose qu'elle avait faite lorsqu'elle était petite fille, comme si elle avait su qu'elle nous semblait une personne n'ayant jamais été enfant. Les premiers mots que je l'ai entendu dire étaient :

— Quand j'étais petite, j'habitais dans un phare.

Après cela, j'ai commencé à aimer Miss McRae et à lui confier quelques-unes des choses que je me refusais à dire à mon père.

Cet été-là, quelque temps après le concours du plus beau bébé, Miss McRae nous dit :

— Lundi, je veux que chacun d'entre vous apporte quelque chose en classe. Je veux que vous apportiez quelque chose qui soit important ou précieux pour vous, ou qui soit simplement joli et que vous aimiez. Et je veux que vous me disiez et que vous disiez aux autres élèves pourquoi vous aimez cette chose ou pourquoi elle vous est précieuse. Ce peut être n'importe quoi. Personne ne doit avoir peur de paraître bête. Le tout est que vous soyez capable de dire pourquoi vous avez fait ce choix.

En revenant de l'école, je commençai à réfléchir à ce que j'allais bien pouvoir choisir. Quand j'étais née, ma mère m'avait donné une chaîne et un médaillon en argent. A l'intérieur du médaillon, il y avait une mèche des cheveux de Grand-mère Livia, et ma mère m'avait dit peu auparavant que je devais toujours chérir ce médaillon et, si je le portais un jour, le toucher toutes les dix minutes pour bien m'assurer que je l'avais encore au cou. Il m'arrivait de le regarder. Cela me faisait me demander ce que Grand-mère Livia portait au cou lorsqu'elle était montée dans le planeur. Je pensais que c'était le genre de choses qu'apprécierait Miss McRae et j'entendais déjà ses commentaires approbateurs. Mais ce médaillon ne m'était pas vraiment précieux. Et si une chose ne vous est pas précieuse, elle ne vous l'est pas et c'est ainsi. Celle-là n'allait pas devenir subitement précieuse entre le vendredi et le lundi.

En arrivant à la maison, je regardai autour de moi dans ma chambre pour voir si je n'y trouvais pas une chose précieuse que j'aurais oubliée. Mais il n'y avait presque rien dans ma chambre : juste mon lit, qui provenait de la vente du mobilier d'un petit hôpital, une table avec une lampe et une énorme et vieille armoire dans laquelle je gardais ma boîte à bonbons, mon livre de lecture et mes bottes. Le couvercle de la boîte représentait un chalet suisse, et elle contenait à ce moment-là cinquante grammes de bonbons au citron et trois caramels Macintosh. Je la sortis de l'armoire, l'ouvris et glissai un bonbon au citron dans ma bouche. Je pensais que son acidité allait peut-être me faire me souvenir de quelque chose de précieux, mais la seule idée qui me vint fut que nul ne m'avait jamais dit *où* se rendait Grand-mère Livia dans ce planeur. Allait-elle simplement à Ipswich ou devait-elle voler jusqu'à la mer Tyrrhénienne ?

Le dimanche soir, après avoir regardé en vain dans la corbeille à couture de ma mère, dans sa boîte à boutons et dans tous les recoins de la maison où aurait pu se cacher une chose importante, je décidai que je ne pouvais aller à l'école le lendemain. J'irais très loin de la ferme. Je trouverais un champ de foin attendant d'être fauché et je m'y installerais pour réfléchir à ma future existence de garçon. Je chercherais sur moi des signes de mutation. Je pourrais aussi monter dans un arbre et rester là, hors de portée des gens et des choses, de toutes les pierres jonchant les champs.

Pour mon déjeuner, ma mère m'avait préparé des sandwiches aux cornichons et un thermos de citronnade. L'hiver, le thermos contenait du thé, et le goût de celui-ci continuait tout l'été à imprégner le récipient, donnant à la citronnade une saveur étrangement fade.

Au bas du chemin, au lieu de tourner à gauche, vers Swaithey et l'école, je tournai à droite et me mis à courir. Je continuai ainsi jusqu'à ce que j'eusse dépassé les champs qui nous appartenaient, puis je m'arrêtai sous un poteau indicateur et m'assis. Malgré l'heure matinale, il faisait très chaud. Je bus un peu de ma citronnade. Puis, au bout de cinq minutes environ, je me levai et entrepris de refaire à toutes jambes le chemin déjà parcouru. J'avais trouvé ma chose précieuse.

J'arrivai en retard en classe. J'avais eu, en chemin, quelques ennuis avec Irene, qui me disait :

— Mais à quoi penses tu, Mary Ward ? Où as-tu la tête ?

— Je t'en prie, Irene, suppliais-je. *Je t'en prie.*

Je me trouvais dans la maison de Mr Harker, où Irene travaillait. Mr Harker avait transformé sa cave en un atelier où il fabriquait des battes de cricket.

L'odeur du bois et de l'huile emplissait toutes les pièces. Sur la porte d'entrée, un écriteau annonçait : « Les Battes Harker ».

— C'est seulement pour une demi-heure, insistai-je.

— Non, dit Irene. Et maintenant, file à l'école !

Mais je l'eus quand même à la fin : Pearl, ma chose précieuse.

Je la portais comme un grand vase, mes deux bras autour d'elle. Miss McRae retira ses lunettes, fronça les sourcils et me dit :

— Pour l'amour du Ciel, Mary...

Une bonne partie des élèves se mirent à pouffer. J'ouvris mon pupitre et y déposai Pearl, la tête posée sur mon livre d'arithmétique. Je me fis sourde et imperméable aux rires des autres.

Pearl me regarda. Elle paraissait effrayée. Je ne crois pas qu'elle s'était jamais trouvée dans un pupitre auparavant. Je lui donnai une petite règle en bois pour qu'elle puisse jouer, mais elle s'en donna un coup sur le nez et se mit à pleurer.

— Mon Dieu, mon Dieu, dit Miss McRae, tout cela n'est pas normal, Mary. Voudrais-tu bien me dire ce que fait ce bébé dans ma classe ?

Je dus prendre Pearl dans mes bras pour qu'elle s'arrête de pleurer. Le garçon qui était assis à côté de moi, Billy Bateman, riait si fort qu'il dut demander à sortir. Je regardai sur son pupitre et vit qu'il avait apporté un album de timbres, tout mutilé et partant en lambeaux comme s'il remontait au déluge. Quand je serai un garçon, pensai-je alors, je serai un peu mieux que celui-là.

— Mary ? demanda Miss McRae.

Je sentis mon cœur bondir sous ma blouse en tissu synthétique. J'avais soif et je me trouvais envahie d'une tristesse très particulière. Je crus que j'allais pleurer, ce que je ne faisais jamais. Mais, parfois, vous pleurez du visage sans que votre esprit y participe. Votre esprit est ailleurs et vous regarde. C'était ce qui se passait. C'était mon visage qui se sentait triste.

Le problème était que je ne savais pas quoi dire à propos de Pearl. Je ne comprenais pas pourquoi elle était importante pour moi, si ce n'était que je la trouvais très belle et ne voyais toujours pas pourquoi elle n'avait pas remporté ce concours.

Je la tenais maladroitement. Quand Timmy était né, ma mère avait tenté de me montrer comment on tenait un bébé, mais je n'avais pas voulu écouter. Il fallait que je dise quelque chose avant que Pearl ne me glisse des bras.

— Ce bébé est-il ta chose précieuse, Mary ? demanda gentiment Miss McRae.

Je hochai la tête.

— Je vois, ma chérie, fit-elle. Eh bien, dans ce cas, peut-être pourras-tu dire à la classe pourquoi ?

Pearl, à ce moment, laissa tomber sa tête sur mon épaule, comme si elle voulait s'endormir et commencer à ronfler. Elle gardait la main sur ma joue et s'y accrochait.

— Elle s'appelle Pearl, dis-je. J'allais apporter un médaillon avec des cheveux de ma grand-mère.

— Oui, ma chérie ?

— Mais...

— Oui ?

— Il n'était pas précieux.

— Non ?

— Non. Il ne l'était pas.

— Mais Pearl l'est ?

— Oui.

— Et tu pourrais nous dire pourquoi, Mary ?

— Certaines choses sont précieuses.

— C'est parfaitement vrai.

— Mais vous ne pouvez pas l'expliquer convenablement. Ma mère ne pourrait pas non plus. Si vous lui aviez demandé d'apporter quelque chose, elle aurait peut-être apporté sa machine à coudre.

Miss McRae attendait. Au bout d'un moment, elle comprit que je ne pourrais rien dire de plus, et elle hocha gravement la tête. Mon visage était devenu écarlate. J'avais l'impression que j'allais exploser et que mes organes intérieurs allaient asperger tout mon pupitre et tout l'album de timbres de Billy Bateman. Je demandai si je pouvais m'asseoir et Miss McRae m'en donna l'autorisation. Je m'assis donc et regardai l'élève suivante se lever avec son trésor. C'était ma soi-disant amie Judy Weaver. Elle avait apporté une affreuse petite poupée couleur saumon déguisée en fée. J'avais déjà vu cette poupée sur le rebord de fenêtre de la salle de bains de ses parents. Elle était destinée à recouvrir le rouleau de papier toilette. Vous enfiliez les maigres jambes de la poupée dans le tube en carton du rouleau, et sa jupe vaporeuse venait recouvrir le papier, le dissimulant aux regards.

Après cette journée des Choses Précieuses, je ne voulus plus de Judy Weaver comme amie. Je ne voulais plus d'amis. Aucun.

Le Jodleur Bleu

La famille Loomis vivait à Swaithey depuis quatre générations. Sa boucherie, Arthur Loomis et Fils, avait ouvert en 1861. Une photographie fanée du vieil Arthur, portant un long tablier et tenant un plateau de gibier harmonieusement paré, était toujours accrochée dans la vitrine au-dessus des rôtis de porc, des lapins écorchés et des terrines de tripes. Souriant et rebondi, arborant une grosse moustache, il avait l'air d'un homme s'engraissant pour l'éternité. Toutes les générations de fils qui l'avaient suivi et avaient maintenu l'affaire en activité avaient entendu Arthur Loomis leur parler dans leur sommeil. Il semblait que chacun d'entre eux fût appelé à faire sa connaissance le moment venu. Ernie Loomis, le propriétaire du moment, né douze ans après la mort d'Arthur, était en mesure de décrire sa voix :

— Douce et lente, disait-il. Douce et bienveillante.

Derrière la boutique, il y avait la chambre froide, et derrière celle-ci, dérobé aux regards par un haut mur, se trouvait l'abattoir. Un système de poulies soulevait les animaux par le train arrière et leur sang s'écoulait par un conduit débouchant dans un réservoir situé sous la prairie où, durant l'été, paissaient les victimes.

Dans un coin de ce pré vivait le frère d'Ernie Loomis, Pete. Il habitait dans un trolleybus transformé et recouvert d'un toit de chaume. Entre son living-room et sa minuscule cuisine, il y avait une petite plaque portant ces mots : *Sonnez pour obtenir l'arrêt.* Peu de gens, hors de sa famille, connaissaient Pete Loomis. Il travaillait à l'abattoir ou dans les pâturages, mais jamais dans la boutique. L'iris de son œil gauche avait tendance à s'égarer, ce qui lui permettait rarement de regarder quelqu'un droit dans les yeux. Mais, au moment de tuer une bête, ses yeux s'alignaient d'eux-mêmes, et il tranchait les gorges avec précision. Il n'avait ni femme ni enfant. Il avait passé un certain temps dans le sud des Etats-Unis. On parlait d'un crime commis longtemps auparavant. A la mercerie du village, où il achetait ses sous-vêtements, les demoiselles Cunningham le décrivaient comme « un homme très peu ordinaire ».

Cependant, sa présence était une bénédiction pour Ernie. Ernie n'avait jamais aimé l'abattoir. Son art s'exerçait sur la viande morte. Il était apprécié de la bonne société de l'East Suffolk. Sa voix était douce, comme celle de son ancêtre, et ses doigts légers. Il était diligent, ordonné et propre. Chaque matin, il se levait à cinq heures, il apportait à sa femme, Grace, une tasse de thé et il déposait un baiser sur son front encore moite de sommeil. A six heures, il était à son étal, et à huit, il relevait les stores de sa boutique. Toute la journée, tandis qu'Ernie passait de l'étal au comptoir, Grace restait assise dans une petite cage vitrée, avec sa caisse enregistreuse et son livre de comptes. Quand il n'y avait personne dans la boutique, Ernie lui parlait à travers la vitre.

Ernie et Grace avaient un seul enfant, Walter. A seize ans, celui-ci ressemblait plus à Pete qu'à Ernie. Il avait un regard rêveur. Ses cheveux étaient épais et noirs, comme ceux de Pete. Il avait les joues très colorées. Son orthographe était déplorable et son écriture laborieuse. Enfant, il avait grandi trop vite, et il en avait ressenti les douloureux effets dans chacun de ses os. Cela avait fini par cesser, et il espérait qu'il n'y aurait pas de nouvelle poussée de ce genre. Il laissait ses membres se détendre.

Il avait lui-même remarqué qu'il avait une belle voix — si belle qu'il s'étonnait qu'elle pût lui appartenir. Il chantait en travaillant, aidant parfois ses parents dans la boutique, mais, le plus souvent, nettoyant les étables à porcs, nourrissant les poules ou assistant Pete à l'abattoir. Il ne connaissait pas les paroles de beaucoup de chansons, mais seulement de celles qu'il avait entendues pendant son enfance : de vieilles ballades éculées comme *The Minstrel Boy* ou *Barbara Allen* et quelques-unes de ces chansons de l'époque de la guerre que sa mère aimait tant, *Ida, sweet as apple cider, Love is the sweetest thing, When they sound the last all-clear.*

Son oncle Pete lui apprenait à jouer du banjo. Tous deux s'installaient dans le trolleybus de Pete, plaquant des accords rudimentaires. Ensuite, Walter chantait. Il arrivait qu'à la nuit tombée les vaches paissant dans le pré se rassemblent, flanc contre flanc, autour de l'ancien bus, attirées par la lumière bleuâtre de la lampe Tilley et par la mélodie.

Walter s'éprenait facilement des choses et des gens. Et, lorsqu'il s'en était épris, nul ne pouvait l'en détourner. Désespérés par son lamentable travail scolaire et ses difficultés de croissance, Ernie et Grace se consolaient en évoquant ce trait de caractère. Chaque soir, avant de gagner sa chambre, il laissait sa mère l'embrasser et son père lui donner une tape amicale sur l'épaule. Il leur disait combien il était fier que le nom de Loomis fût connu dans la moitié du pays et du fait que la boutique lui reviendrait un jour. Mais, en son for intérieur, il avait du mal à imaginer la chose. Il lui manquait à la fois l'habileté de son père avec un couteau et le talent de sa mère pour les additions. Et c'était au-dehors qu'il était le plus heureux.

— Toi et moi, lui avait dit un beau soir Pete, nous sommes des « hillbillies », des va-nu-pieds des collines, Walter.

Et Walter avait souri largement, savourant la consonance du mot.

Un soir d'été où il pleuvait à torrents, Pete se saoula au whisky. Il était couché sur le plancher du bus, la tête appuyée contre une chaise. Son œil gauche vagabondait, comme à la recherche d'un souvenir. Il commença à parler de Memphis, dans le Tennessee.

— J'étais jardinier à Memphis en 38, dit-il. Jardinier d'église.

— Qu'est-ce qu'un jardinier d'église ? demanda Walter.

— Quelqu'un qui s'occupe du jardin d'une église. Celle-là était baptiste. Avec trois pelouses, deux parterres et tout un tas de roses. Et ce qui sortait de cette église, c'était de la musique.

— Quel genre de musique ?

— Du gospel. Une merveille, mon garçon. Cela me faisait passer des frissons partout.

Pete dit alors à Walter qu'il n'aurait jamais quitté Memphis sans une chose qui s'était produite là-bas. Il lui dit que le bonheur régnait au Tennessee, malgré la dépression et la crise. Les Noirs étaient fidèles. Les chiens étaient fidèles. Les saisons elles-mêmes étaient fidèles. Le printemps arrivait en un après-midi. L'hiver éclatait comme un orage.

— Et l'automne, Walter. L'automne où l'on se prélasse en rêvant. Et c'est de ce rêve que sort la musique.

Il demanda alors à Walter de se lever et de se mettre à la recherche d'un vieux disque parmi la collection de 78 tours aux pochettes de papier brun qu'il gardait dans un coffre de bois, avec un édredon et quelques pièges à taupes.

— Jimmie Rodgers ! annonça Pete. Le Serre-Freins Chantant, le Jodleur Bleu ! Tu colles cela sur le phono et tu écoutes...

Walter trouva le disque. Il sortit le phonographe de Pete et le remonta. Il aimait la façon dont le lourd bras argenté tournait sur lui-même pour aller placer l'aiguille sur le disque. Il s'assit et attendit que le bruit de celle-ci sur la cire cède la place à la mélodie. L'air était entraînant, avec un rythme un peu saccadé. La chanson s'appelait *The Yodelling Cow-boy.* Pete claquait la langue en mesure. Walter, courbé sur le phonographe, regardait le disque tourner. Les paroles lui plaisaient :

Ma vie de cow-boy est heureuse et libre
Et la loi des hommes ne m'enchaîne pas.

Il prenait plaisir à imaginer des cavaliers chevauchant dans cet automne si cher à Pete sans personne pour porter atteinte à leur bonheur et à leur liberté. Il imaginait la lumière dorée les enveloppant et les chiens fidèles à leurs talons. Mais ce fut la maîtrise avec laquelle Jimmie Rodgers jodlait qui le toucha le plus. On eût dit que la voix du chanteur se dédoublait littéralement pour envoyer la mélodie très haut dans le ciel.

— Eh bien ? demanda Pete en se versant le reste du whisky.

— J'aime cette façon de jodler, dit Walter.

— Qu'est-ce que je t'avais dit ? Ce Rodgers, il n'avait pas son pareil pour cela ! Mets l'autre face, petit.

Sur l'autre face, il y avait *Frankie and Johnny,* chanson fort triste racontant une trahison amoureuse. Le rythme était plus lent, et le chanteur jodlait avec une sorte de sanglot dans la voix. Les paroles étaient faciles à retenir : « C'était son homme, mais il l'a trahie. » Lorsqu'ils firent passer le disque pour la seconde fois, Pete et Walter se mirent à chanter à l'unisson : « C'était son homme, mais il l'a trahie. »

Pete secouait d'un côté puis de l'autre sa tête pleine de whisky comme s'il se désespérait du comportement de Johnny, et des larmes coulaient lentement sur ses joues. Il semblait sur le point de s'effondrer et de dormir, mais il eut un ultime sursaut et continua à parler.

— Je l'ai vu chanter une fois, ce vieux jodleur, dit-il à Walter, et je n'oublierai jamais la manière dont il parlait entre ses chansons. Il disait juste des choses, comme cela. Ce qui lui passait par la tête. Il disait aux gens qui étaient avec lui sur scène : « Vas-y à fond, Mémée ! », puis, au bout d'un moment, il nous regardait, nous, dans le public, et lançait : « Hey, hey, hey, ça va venir, maintenant... » Il était connu pour cela. C'était sa marque de fabrique : « Hey, hey, hey, ça va venir, maintenant... » Dieu sait ce qu'il voulait dire au juste par là, mais quand il sortait cela, le public se mettait à applaudir, tu vois, Walter ? Tu imagines cela ? Tout le monde claquant dans ses mains ?

Walter remit le disque dans sa pochette fatiguée et referma le phonographe. La pluie avait cessé et il pouvait voir le reflet d'un rayon de lune sur les vitres du bus. Le corps de Pete avait fini par céder à la force de gravité, et sa tête reposait sur le plancher poussiéreux. Walter se sentait léger, comme si son poids terrestre s'était enfui vers le ciel nocturne avec la voix de Jimmie Rodgers. Il songea à traîner Pete jusque sur son lit, mais il était trop lourd pour lui.

Il resta simplement assis là, sur sa chaise, à se faire des promesses. Il apprendrait seul à jodler. Il s'entraînerait dans les champs ou dans les étables à porcs, là où nul ne pourrait l'entendre. Il ferait des économies pour s'acheter une guitare. Il ne chanterait plus de ces chansons stupides du temps de la guerre. Dorénavant, il apprendrait la musique hillbilly. Il s'efforcerait d'en trouver l'âme et de se prélasser en rêvant, comme Pete l'avait dit, dans l'automne du Tennessee.

CHAPITRE II

1954

La cave de Harker

Dans la cave d'Edward Harker, la lumière était couleur d'ambre. Il travaillait sous toute une rangée de lampes pivotantes aux abat-jour de parchemin. Le seul point brillant de l'endroit était une bulle lumineuse installée à la base de la grosse loupe avec laquelle il examinait le grain du bois de saule dont il faisait ses battes de cricket.

Harker était fort exigeant en ce qui concernait la lumière. Une lueur grise ou bleuâtre l'offusquait. Les jours où d'informes nuages blancs venaient recouvrir le village, il ne sortait pas. Il envoyait Irene faire ses courses. Il se refusait même à regarder par le soupirail qui aérait la cave.

Les lampes projetaient de longues ombres. Celles des soirées passées, des chaises longues et des tableaux d'affichage, des amis disparus. Harker était un sentimental. Il officiait à l'établi, comme à un autel consacré au passé.

Il avait soixante et un ans. Sa chevelure était fournie mais presque blanche. Il avait le visage étroit, avec un long nez inquisiteur. Il éternuait fréquemment, en déplaçant la sciure qui recouvrait toutes les surfaces libres et qu'on ne balayait jamais. Sa seule coquetterie résidait dans le port quotidien d'un nœud papillon. Bien qu'il ne parlât que rarement de Dieu et de l'univers, il cultivait une foi inébranlable en la réincarnation des âmes. Il était pratiquement certain d'avoir été, trois siècles auparavant, un luthier à la cour du roi Christian IV de Danemark. Au cours de cette incarnation, il avait été persécuté d'une façon qu'il trouvait à la fois absurde et condamnable. Il n'en racontait l'histoire qu'aux gens qu'il estimait capables d'en comprendre la signification.

Ses battes de cricket étaient des œuvres d'art. Il se plaisait à penser à elles comme à des sculptures déguisées ou encore, parfois, comme à des instruments de musique. Il n'y en avait pas deux qui fussent exactement semblables, mais toutes, pourtant, portaient l'empreinte de Harker. Toutes neuves, elles semblaient déjà subtilement façonnées par l'usage et le temps. Leur son, en frappant la balle, avait une douceur apaisante et caractéristique. Les produits de cette industrie d'un seul homme étaient connus dans tous les comtés où l'on jouait sérieusement au cricket. Certains joueurs venaient même d'aussi loin que le Yorkshire pour faire prendre leurs mesures.

Marié une fois et depuis longtemps divorcé, Harker avait atteint dans sa vie ce qu'il appelait un « plateau », d'où il pouvait voir en avant comme en arrière. Il n'entendait pas en être délogé. Toute entorse de quelque importance à sa routine personnelle lui semblait inimaginable. Il disait à ses rares amis que les seuls événements un peu significatifs l'attendant encore étaient sa mort et sa renaissance. Il se sentait une affinité avec les créatures pourchassées, les espèces en voie de disparition. Il aimait les bois. Il se demandait s'il ne pourrait pas revenir sous la forme d'un renard.

Puis, durant l'automne de 1954, un changement se produisit en lui. Toujours dans sa cage, semblant s'absorber à son établi, au milieu des ombres familières, il se sentait comme taraudé par un ver, celui de l'inattention, d'abord minuscule, puis grossissant régulièrement et s'agitant de façon de plus en plus inconfortable chaque jour. Pendant des années, ses mains, la rangée de lampes, le bois, l'établi, des bidons d'huile n'avaient semblé former qu'un tout, l'ensemble d'une nature morte. Et voilà que, presque imperceptiblement, son esprit quittait ce tableau, et s'en éloignait pour aller se loger dans les étages supérieurs. Avec Irene.

La conscience de ce fait le choqua. Il se fit honte. Il se mit à se lever et à commencer son travail plus tôt, de façon à ne pas voir Irene quand elle arrivait à neuf heures. Il ferma à clé la porte de la cave. Il éteignit toutes ses lampes sauf une. Il ressortit ses livres de calligraphie et redessina le logo Harker. Il restait assis très tranquille à son bureau. Rester immobile était sa méthode pour prétendre à Irene et à lui-même qu'il n'était pas là du tout. C'était seulement lorsqu'il entendait Irene passer l'aspirateur qu'il s'autorisait à émettre délibérément un léger son. Il se fredonnait des accords de Bach. Bach incarnait l'ordre et le calme, tandis que l'aspirateur d'Irene représentait l'anarchie ronflant sur ses tapis.

Quand l'hiver arriva et que les cieux se recouvrirent de cette couche de nuages plate et grise qu'il détestait, il décida d'aller passer un mois à l'étranger, à Marseille, et d'y prendre une chambre avec balcon dans un hôtel tranquille. Il s'installerait sur le balcon en sirotant du Pernod et, au soleil, il se guérirait de ses pensées vagabondes. Il téléphona à l'agence Cook. Il retint un passage sur le ferry et un wagon-lit de Boulogne à Marseille. Il s'acheta un panama.

Irene en était venue progressivement à penser que c'était Pearl qui indisposait Mr Harker. On pouvait comprendre qu'un homme sans enfants, vivant en célibataire, ne tienne pas à avoir dans sa maison une fillette de trois ans, avec ses galopades, les chansons qu'elle se chantait à elle-même et les traces de doigts qu'elle laissait sur les meubles. Mais il n'y avait rien qu'elle puisse y faire. L'école ne prendrait pas Pearl avant qu'elle ait quatre ans, et Irene se refusait à la laisser seule à la maison. Ses voisins étaient âgés et l'existence même de Pearl ne suscitait que leur désapprobation. Il y avait bien Estelle, mais la ferme était loin de Swaithey, et, d'autre part, Estelle avait dit à Irene qu'elle « se retirait ». Elle n'avait rien voulu préciser de plus. Elle s'était bornée à proclamer qu'elle se retirait dans l'ombre. Et elle avait fait cette déclaration d'un ton léger, joyeux, comme si elle vantait, à la radio, les mérites d'une nouvelle boisson fraîche.

Terriblement affectée par le « retrait » d'Estelle et l'isolement dans lequel semblait vouloir s'enfermer Mr Harker, Irene décida qu'elle devait parler à celui-ci. Elle allait lui expliquer que, si Pearl la suivait pendant qu'elle faisait le ménage dans la maison, elle lui avait interdit de toucher à quoi que ce soit, que la fillette jouait tranquillement avec ses poupées et qu'il lui était interdit de leur chanter des chansons. Elle supplierait, si c'était nécessaire, Mr Harker de ne pas la renvoyer, en lui rappelant que, quelques mois plus tard, Pearl irait à l'école. Avant cette conversation, elle aurait fait reluire toute l'argenterie avant de l'étaler sur un plateau recouvert d'une serviette, afin de bien montrer l'excellence de son travail.

Une quinzaine de jours avant la date fixée par Harker pour son voyage à Marseille — en vue duquel il s'était acheté, outre le panama, quelques coûteux sous-vêtements de coton et un exemplaire de *Wisden 1953* pour lire sur son balcon —, Irene lui laissa un mot sur la table de la cuisine. L'orthographe en était incertaine, et Irene, en se relisant, se dit qu'il était bien difficile d'écrire les choses, alors que les dire était aussi simple que de rire.

Le mot était le suivant :

« Cher Mr Harker,

« J'aimerais, s'il vous plaît, vous parler demain. Si vous voulez monter à la cuisine à onze heures. Je ferais du thé. Bien à vous.

Irene Simmonds. »

Chez elle, elle prépara un gâteau Battenberg rose et jaune, qu'elle disposa sur une serviette brodée afin de mieux le mettre en valeur. Elle lava les cheveux de Pearl et les attacha avec un ruban bleu. Elle coupa les ongles de l'enfant et s'assura qu'elle avait les mains propres.

Comme onze heures approchaient, son cœur, qu'elle imaginait sous la forme d'une sorte de chou-fleur, se mit à battre très fort sous son tablier. Perdre ce travail reviendrait à perdre tout au monde.

Elle installa le service à thé. Elle trouva un couteau à gâteau en argent qu'elle disposa à côté du Battenberg. Elle ne savait pas si Mr Harker préférait son thé fort ou léger. Elle assit Pearl à la table avec un bavoir autour du cou. Elle lui donna un peu de citronnade et lui enjoignit de rester tranquille comme une souris. Elle brossa de la main son tablier et tapota ses cheveux, permanentés par elle-même. Puis elle attendit.

Mr Harker monta de la cave en fredonnant quelques mesures de Bach. Irene jugea cela de bon augure. Elle sourit de son plus beau sourire, large et entouré de fossettes, et attira l'attention de Mr Harker sur le gâteau. Elle vit qu'il paraissait soulagé qu'il ne fût question, pour le moment, que d'un gâteau. Il déclara que, depuis la guerre, plus personne ne savait faire de Battenberg.

Irene versa le thé et ils s'assirent. Au mur, les aiguilles de la pendule électrique avançaient par saccades sur le cadran de plastique rond. Pearl annonça à Mr Harker qu'elle allait être tranquille comme une souris. Il leva les yeux de sa tasse pour regarder l'enfant. Celle-ci le contempla d'un air grave. Bien que Harker ait maintes fois vu Pearl avant de s'exiler volontairement dans la cave, il avait l'impression de ne l'avoir encore jamais vraiment remarquée Il n'était pas grand connaisseur en enfants, n'en ayant rencontré que fort peu, mais il pouvait dire immédiatement qu'il s'agissait là d'une remarquablement belle petite fille, jolie au-delà de toute description, avec ce genre de grâce surprenante que les enfants semblent posséder dans les portraits de Gainsborough.

Il prit une bouchée de sa part de Battenberg. Il vit le bras potelé d'Irene s'étendre devant lui avec un mouchoir pour essuyer une miette sur la joue de Pearl. Il détourna les yeux. Il tenta de se concentrer sur son gâteau, mais celui-ci lui laissait dans la bouche un goût sucré qui lui évoquait curieusement le parfum d'Irene et ce que son esprit rebelle ne pouvait s'empêcher d'imaginer être la saveur de son corps. Il avala sa dernière bouchée, qu'il arrosa de thé pour en chasser le goût. Il s'essuya fermement la bouche. Sa décision était prise. Harker, s'ordonna-t-il, débarrasse-toi de cette femme !

Il la regarda alors, contemplant son large visage à la peau nette et lisse, ses énormes seins sous la blouse bien repassée.

— Irene, dit-il. Pearl pourrait-elle aller jouer ailleurs quelques instants ?

— Mr Harker... commença Irene.

— Juste une minute ou deux, le temps que nous réglions nos affaires.

Irene défit le bavoir de Pearl et lui dit d'aller s'asseoir dans l'escalier.

Dès que la fillette fut sortie, Harker reprit :

— Il y a quelque temps déjà que je voulais vous parler, Irene.

Il prononça ces paroles avec une telle gravité qu'Irene ressentit comme un coup au cœur.

— Si c'est à propos de Pearl, fit-elle...

— De Pearl ?

— Oui. Je sais que cela vous importune que je l'emmène avec moi à mon travail, Mr Harker, mais je ne puis vraiment pas faire autrement. Il n'y a personne à qui je puisse la confier. Vraiment personne. C'est pourquoi je vous ai écrit ce mot. Je sais que vous n'aimez pas qu'elle soit ici, à vous déranger...

— Oh, ce n'est pas exactement cela..., fit Harker.

— Elle va aller à l'école au printemps, dès qu'elle

aura quatre ans. Il n'y a plus longtemps à attendre. Et c'est une enfant sage. Elle m'obéit. Elle joue avec ses poupées, mais en silence. Sans chanter.

— J'en suis sûr.

— Et s'il fallait que je m'en aille... Vous connaissez ma situation, monsieur. Vous savez combien ce serait dur pour moi.

— Je suis navré, dit fermement Harker.

— Il n'y a personne d'autre à Swaithey pour me donner du travail.

L'agitation que manifestait Irene semblait, aux yeux de Harker, décupler sa présence dans la pièce et lui donnait l'impression qu'il allait en être étouffé. Dis-lui de partir, Harker, se commanda-t-il, dis-lui de partir tout de suite et fais-le maintenant. L'excitation qu'il ressentait dans la région de son bas-ventre le faisait brûler de honte, et, quand il tenta de parler, il découvrit qu'il avait la bouche totalement sèche.

— Je n'ai rien à dire à ce sujet, fit-il. Je suis désolé. Je pars pour la France dans une quinzaine et je vous paierai pour les quatre semaines où je serai absent. Puis, il faudra que nous en restions là.

Irene s'était pourtant juré de ne pas pleurer. Lorsqu'elle se leva et commença à débarrasser la table, ses larmes se mirent à couler sur la serviette brodée. Elle se retourna pour regarder Mr Harker. Elle fut surprise de le trouver encore assis à la table. Elle avait pensé qu'il se serait esquivé vers sa chère cave.

— Puis-je vous demander, dit-elle d'un ton douloureux, si Pearl est la raison de votre décision ?

Harker cligna des yeux. Son esprit semblait ailleurs.

— Si Pearl est la raison ? répéta-t-il.

— Oui.

— Oh, oui, j'en ai bien peur, fit Harker, rassemblant comme il le pouvait ses pensées. Voyez-vous, mon travail est une besogne de solitaire, exigeant une grande concentration. Tout changement de climat dans la maison lui est préjudiciable. Ce n'est pas votre faute, Irene. Ce n'est pas votre faute, et je suis désolé. Mais il n'y a pas à en sortir.

Pourtant, il restait toujours assis à table.

Irene pensa que le fait était tout à fait curieux : il était assis, tout raide, comme s'il avait eu peur de bouger.

Irene tordit la serpillière et, distraite, s'en essuya le visage. Cela sentait le chou, le savon en paillettes et la misère à venir.

Le dictionnaire de Livia

Grâce à ses lunettes, Mary vivait dans un monde nouveau. Les contours auparavant flous étaient devenus nets. Délivré par les lunettes de son combat permanent pour simplement distinguer les choses, son esprit était maintenant dominé par une curiosité universelle. La passion de Miss McRae pour la géographie lui apportait des mots qui lui semblaient venir de très loin : isthme, glacier, fjord, delta, atoll. Elle savait dessiner les formations nuageuses et connaissait leurs noms : cumulus, stratus, cirrus. Elle apprit qu'une stalactite était un glaçon empli de minéraux suspendu au plafond d'une caverne, et que ses projections, gelant sur le sol au-dessous d'elle, formaient un monticule, puis une colonne, que l'on appelait une stalagmite.

Parfois, stalactites et stalagmites se rejoignaient. Alors, il semblait à quiconque pénétrait dans la caverne que des piliers y avaient été construits pour soutenir le plafond.

— Et cela, proclamait Miss McRae d'un ton grandiose, est une chose tout à fait extraordinaire ! Les jeux de la Nature sont parfois merveilleux, mes enfants.

Les dessins d'atolls et de nuages exécutés par Mary étaient affichés aux murs de la classe. Leur vigueur et leur netteté avaient un moment amené Miss McRae à se demander si Mary n'avait pas en elle un talent artistique qu'il eût fallu cultiver. Mais elle ne tarda pas à voir que Mary éprouvait pour son travail de classe une passion si féroce qu'elle était jalouse de quiconque faisait mieux qu'elle. Et ce, même en mathématiques. Lors des interrogations en classe, sa main se levait aussitôt à toutes les questions. Elle avait appris ses tables avant tout le monde, et c'était avec un soin presque maladif qu'elle faisait ses opérations, le visage presque collé sur le papier.

Un jour, elle apporta en classe un livre qui avait appartenu à sa grand-mère. Elle le montra à Miss McRae dans la cour de récréation gelée. C'était un *Dictionnaire des inventions*.

— J'avais toujours pensé que le monde était fini, Miss McRae, dit Mary.

— Fini, ma chérie ?

— Oui. Il y a longtemps. Vous ne le pensiez pas ?

— Eh bien...

— Mais regardez un peu. « Machine à coudre : Thomas Saint. Britannique. 1792. Revolver : Samuel Colt. Américain. 1835. Thermomètre : Galilée. Italien. 1597. » Alors, avant eux, ces choses-là n'existaient pas du tout ?

— C'est parfaitement vrai, Mary. Et cela veut aussi dire, bien sûr, qu'il y a encore beaucoup de choses à venir, des choses que nous ne sommes pas capables d'imaginer maintenant.

— Oui.

Mary parut un moment passionnée, puis soudain anxieuse.

— Je ne crois pas que ma mère sache tout cela, dit-elle.

— Je pense que si, ma chérie.

— Non. Je suis sûre du contraire. Même si elle sait qu'il peut y avoir encore des choses nouvelles, elle ne sait pas qu'avant Thomas Saint, 1792, il n'y avait pas une seule machine à coudre sur la terre.

Miss McRae regarda Mary. Depuis le matin où celle-ci avait amené en classe le bébé d'Irene Simmonds, elle l'avait toujours considérée comme un être étrange, exceptionnel, dont on ne pouvait vraiment prévoir l'avenir. Elle posa sur la tête de Mary une main protectrice dans son gant de laine grise et lui dit :

— Maintenant, va vite jouer, ma chérie ! Il fait trop froid pour rester sans bouger.

Mary s'éloigna en courant, serrant contre elle son petit *Dictionnaire des inventions*. Miss McRae la regarda attendre son tour à la balançoire. Elle ne parlait à aucun des autres enfants, et aucun ne lui parlait. Quand elle monta sur la balançoire, elle ne s'y assit pas comme le faisaient la plupart des filles, mais se mit debout, poussant son corps toujours plus haut dans le ciel gris. Son visage était fermé, sans peur et sans expression. Les chaînes de la balançoire gémissaient contre leurs fixations. Mary montait plus haut, toujours plus haut.

Il y avait aussi une balançoire à la ferme. Elle était accrochée à la branche d'un pin d'Ecosse. C'était Sonny qui l'avait faite pour Tim, avec un pneu de tracteur et un morceau de corde. Il avait fait à cette corde deux nœuds totalement superflus pour la plus grande sécurité du petit garçon. Il lui arrivait, quand soufflait le vent d'est, de regarder l'arbre comme on regarde un ennemi mortel.

Timmy s'asseyait dans le pneu comme dans un seau, agitant faiblement les jambes, l'une après l'autre. Il croyait que le pneu allait commencer à se balancer simplement parce qu'il s'y était installé. Quand il voyait que rien n'arrivait, il voulait qu'on le pousse. Si personne ne venait le pousser, il se mettait à pleurnicher. Mary aurait voulu le voir mort. Avec ses yeux globuleux, la façon dont il gloussait en pleurant et ses grosses joues souillées par les larmes, il ressemblait à une grenouille. Chaque jour, Mary priait pour qu'il retourne à l'état de têtard, puis de larve, puis de rien du tout.

Il y avait un grand espace entre la branche basse

du pin et sa plus haute ramure. Quand Mary se balançait, debout sur le pneu, c'était cet espace qu'elle visait. Elle pensait que là devait se présenter une épreuve. Il y en aurait d'autres, mais celle-là serait la première. Si elle parvenait à faire monter le pneu dans cet espace avec assez de force et de vitesse pour effectuer un tour complet autour de la branche basse, tout ce qu'elle demanderait serait certainement exaucé. Et, en particulier, elle pourrait devenir un garçon. C'était juste une question de temps, celui d'attendre le moment où elle pourrait s'inventer elle-même et surprendre tout le monde avec sa découverte, comme Patrick Miller, Britannique, 1788, qui avait inventé la roue à aubes.

Avant lui, personne n'avait jamais rêvé d'un bateau avec des roues, tout comme nul ne pouvait encore rêver d'une Mary Ward n'étant pas une fille. Mais, comme l'avait dit Miss McRae, il y avait « encore beaucoup de choses à venir, des choses que nous ne sommes pas capables d'imaginer maintenant ». Un jour, elle serait dans un dictionnaire. Mais le pneu ne voulait pas aller assez haut. Il ne voulait même pas atteindre le point où Mary se serait trouvée à la verticale, la tête en bas.

Mary se demanda si elle avait peur. « Tu n'as pas peur, se répondit-elle. Tu as besoin d'un peu plus d'entraînement. »

Un samedi matin, alors que le ciel était d'un bleu éclatant entre les branches du pin, Mary était assise sur l'herbe, caressant du doigt le cou de Marguerite. Elle attendait que Timmy descende de la balançoire. On était en décembre, et, pourtant, la prairie semblait étinceler de lumière. D'une lumière qui donnait presque la migraine à Mary. Elle cria à Timmy de lui céder un peu la balançoire.

— Elle est à moi, répondit-il.

Il s'y balançait très mollement, comme dans un hamac.

— Bientôt, il deviendra une larve, confia Mary à Marguerite.

La pintade ouvrit ses ailes raccourcies et les fit battre. Mary put sentir une sorte de frisson parcourir le corps de l'oiseau, qui échappa à l'étreinte de Mary et amorça une petite course vers le pneu où Timmy continuait à se balancer. Le petit garçon voulut lui envoyer un coup de pied, et l'une de ses bottes en caoutchouc s'envola et alla atterrir près de la pintade, qui se mit à crier. Timmy rejeta la tête en arrière et éclata d'un rire bête. Alors, Marguerite fit une chose que Mary ne lui avait jamais vu faire auparavant ; elle s'envola pour aller se poser dans l'arbre.

Timmy continuait à faire entendre son rire strident. Plus amusé par la perspective d'importuner l'oiseau favori de sa sœur que par celle de continuer à se balancer, il descendit du pneu et se mit à courir en rond autour de l'endroit où était perchée Marguerite en agitant les bras et lançant des cris d'oiseau.

Mary se leva et commença à se diriger vers la balançoire. Elle pouvait entendre, au loin, leur père les appelant pour le dîner. Timmy, lui, semblait ne pas entendre. Mary se dit qu'il sombrait dans la stupidité totale. A force de dormir dans le creux du grand lit, il avait le cerveau qui se transformait en gelée.

Mary monta sur la balançoire et appela Marguerite. La pintade avait l'air curieux, là-haut. Elle était de ces oiseaux qui oublient, la plupart du temps, qu'ils peuvent voler et ne s'y exercent donc jamais.

— Descends, Marguerite, cria Mary.

La pintade s'agitait nerveusement. Puis elle se mit à courir sur sa branche et décolla. Elle commença à descendre en piqué, tout en continuant de caqueter. Du coin de l'œil, Mary vit Sonny arriver en hurlant. Marguerite s'était posée sur la tête de Timmy et lui avait donné un violent coup de bec sur l'oreille. Mary retint si fort son souffle que tout devint rouge devant ses yeux. Le balancement du pneu cessa. Elle vit Sonny courir comme un fou vers son fils et balayer Marguerite d'un revers de sa casquette. Marguerite voleta, atterrit lourdement sur une taupinière et courut vers la cour de la ferme comme une poule. Sonny souleva Timmy dans ses bras et, en jurant, entreprit de lui panser l'oreille avec son mouchoir. Timmy ne cessait de hurler à pleins poumons. Il va hurler jusqu'à en mourir, se dit Mary. Il retourne à l'époque où rien n'était inventé, ni la roue à aubes ni le revolver.

Mary :

Mon père attrapa Marguerite, la prit sous son bras et la mit dans un sac. Puis il attacha l'extrémité du sac avec une ficelle.

Il disait que Marguerite était ensorcelée. Que, par ma jalousie, j'avais rendu sauvage un oiseau normalement docile. Il disait que Dieu allait me punir d'une façon que je ne pouvais imaginer.

Dieu me punissait déjà d'une façon que je pouvais imaginer, car mon père donna Marguerite aux Loomis afin qu'elle soit tuée, plumée et servie à quelque dîner.

Ce qu'il voulait, c'était me faire pleurer. Quand ses crises de rage le rendaient sourd, c'était la seule chose qui lui rendît l'ouïe.

Je ne voulus pas lui rendre l'ouïe. Je dînai, puis j'allai vomir dans la cour. Ma mère me regardait par la fenêtre de la cuisine. Son regard était tout en lambeaux. Ce matin-là, elle s'était mise à travailler à un patchwork, et sa table à couture était couverte de modèles en carton et de morceaux de vieux rideaux. Je songeai qu'il serait temps que quelqu'un se mette à la raccommoder elle aussi.

Je tournai le dos à la cour, à mon tas de vomissures et au regard de ma mère. Je pris le chemin et commençai à marcher vers Swaithey. Je n'osais pas penser à Marguerite, à ses petites pattes grêles et à ses flancs tachetés. Je la rangeai dans le passé. Une partie du passé est visible, et une autre ne l'est pas, et j'espérais que la partie contenant Marguerite allait rester cachée. Mais la souffrance m'inspirait quelques pensées. Je me disais que si je souffrais beaucoup, il allait me pousser une peau d'homme. Et que si je souffrais en refusant de pleurer, tout ce qui était enfermé en moi allait produire un pénis. Cela ne demandait qu'un peu de temps.

Après la belle et claire journée que nous avions eue, l'air était devenu d'un froid impitoyable. Je voyais le clocher de l'église de Swaithey et le soleil qui s'évanouissait derrière lui, laissant très vite place à l'obscurité. En géographie, Miss McRae nous avait dit qu'en Australie le jour correspondait à notre nuit. En marchant vers Swaithey, j'imaginais le soleil arrivant là-bas et faisant cligner des yeux les ours, réveillés en sursaut dans les gommiers.

J'allais chez Irene. Là, j'espérais pouvoir trouver une petite retraite bien à moi. J'espérais que Pearl serait éveillée. J'espérais aussi qu'Irene saurait pourquoi j'étais venue sans que j'aie besoin de le lui expliquer.

Je me sentais incapable de prononcer le nom de Marguerite.

Il faisait à peu près nuit quand j'arrivai là-bas. Il y avait déjà des étoiles dans le ciel. Je me rappelais Miss McRae nous disant : « C'est ce qu'on appelle l'univers, mes enfants », mais je n'avais toujours pas compris si l'univers disparaissait complètement durant la journée, ou s'il s'en allait simplement flotter au-dessus de l'Australie comme un gros ballon dirigeable. Ma mère était incapable de regarder les étoiles. Elles lui rappelaient les nuits où, petite fille, elle était couchée seule dans son lit.

Il y avait de la lumière dans le vestibule d'Irene. Quand je frappai, j'entendis Pearl se précipiter vers la boîte aux lettres et tenter de l'ouvrir pour regarder au-dehors. Selon ma mère, il n'y avait pas beaucoup de gens qui venaient voir Irene et sa fille. Les gens de Swaithey ne pouvaient se résoudre à leur témoigner la moindre compassion. A part Mr Harker.

Irene m'emmena dans la cuisine. J'assis Pearl sur mon genou et l'aidai à faire sa petite poupée de laine. Elle utilisait des fils de laine jaunes et roses qu'elle ajustait autour d'un morceau de corde.

Irene attendait. Elle me versa une tasse de thé et posa un beignet sur une assiette, tentant de m'entraîner à parler, comme quelqu'un pourrait essayer d'attirer un ours hors de son gommier.

Au bout d'un long moment de silence, elle me dit qu'elle allait me faire un lit sur le plancher de la chambre de Pearl. Je lui dis : « Merci, Irene » d'une voix bien nette et bien claire, et, quand elle redescendit, je lui racontai en toute hâte, pour en avoir fini le plus vite possible, ce qui s'était passé. Je ne pleurais pas. Je me sentais simplement transie. Je serrais Pearl contre moi pour qu'elle me tienne chaud.

Irene vint s'accroupir auprès de ma chaise et me caressa les cheveux.

Elle me dit que mon père n'était pas responsable des crises de rage qui le prenaient. Le fait d'avoir perdu la moitié de son oreille en Allemagne l'avait diminué, comme des milliers d'autres hommes l'avaient été durant la guerre.

— Au fond de lui-même, dit-elle, il est bon.

— Il est bon pour Timmy, répliquai-je. C'est tout.

— Veux-tu que je prenne Pearl pendant que tu bois ton thé ? demanda-t-elle.

— Non, dis-je. Nous sommes en train de faire la poupée de laine.

La chambre de Pearl était toute petite. Mon lit consistait en trois coussins de divan alignés à côté du lit d'enfant. Irene me donna en plus un édredon vert et un bon oreiller. Mon souper fut une tartine de confiture.

Je fis une sorte de rêve éveillé dans lequel mon père arrivait avec le cheval et la carriole et me ramenait à la maison dans un froid glacial. Je croyais entendre le son des roues, mais il ne retentit finalement que dans mon imagination.

Je me trouvais très bien là, sur le plancher. J'aurais voulu y rester très longtemps et ne pas rentrer à la maison. Pour endormir Pearl, je lui racontai une histoire à propos de Joseph Montgolfier, Français, 1782, inventeur du ballon à air chaud. Dans mon histoire, Montgolfier parcourait le ciel en ballon, cherchant l'univers et ne le trouvant pas, parce que son engin se déplaçait aussi vite que le soleil. A la place, il découvrait l'Australie et décidait d'y rester, et, durant sa première nuit dans la jungle australienne, entouré de kangourous et de perroquets caquetant et bavardant dans un langage qu'il ne pouvait comprendre, il regardait le ciel et voyait soudain l'univers. Il pensait alors : « Oh, *sacrebleu* [1], c'est trop loin. On est mieux en Australie. »

Pearl ne comprit pas un mot de cette histoire, mais elle s'endormit, et c'était là le but recherché : qu'elle s'endorme et qu'elle commence à ronfler, pour que je puisse l'écouter, allongée là, comme on écoute la mer, sans penser à rien d'autre.

Dans la matinée, Irene me dit que Mr Harker la congédiait et partait pour la France.

— Je ne sais pas pourquoi je te dis cela, Mary, fit-elle.

Je lui dis que j'allais emmener Pearl à l'école avec moi. Elle pourrait faire sa poupée de laine sous le bureau de Miss McRae et s'occuper de nos vers à soie.

Irene me dit que Miss McRae ne permettrait jamais cela, mais je lui répondis :

— Miss McRae a l'air d'être faite en bois dur, mais à l'intérieur, c'est tendre.

Irene continuait à secouer la tête. Alors je lui dis ce que je n'avais jamais dit ni à mon père ni à ma mère, que j'étais la meilleure élève de Miss McRae, que mes dessins étaient affichés aux murs de la classe et que je n'avais aucun ami.

1. En français dans le texte.

— Bien, fit Irene. Ce ne serait que pour les matinées...

Ainsi, dès le lendemain, j'emmenai Pearl à l'école avec moi tandis qu'Irene se rendait chez Mr Harker pour commencer à tout astiquer en vue de son retour de France. Je dis à Miss McRae que ce n'était qu'un arrangement provisoire, que Pearl pourrait s'occuper des vers à soie et que si on ne l'admettait pas dans la classe, je ne pourrais pas venir à l'école. Miss McRae secoua la tête de droite à gauche, comme Irene l'avait fait, tant et si bien que de petites épingles à cheveux se mirent à tomber de son chignon gris. Mais, ensuite, elle alla chercher une petite chaise et un bureau et y installa Pearl.

— Heureusement pour toi, Mary, dit-elle, je suis née dans un phare. Sans cela, je ne serais pas la personne que je suis.

Je restai chez Irene pendant une semaine. Mon père vint la voir pendant que j'étais à l'école et lui dit, en lui donnant dix shillings pour ma nourriture, que c'était la meilleure solution.

Dans ma vie à venir, je me rappellerai parfois ma semaine chez Irene, au moment où je n'arrivais pas à prononcer les syllabes du nom de Marguerite.

Je me rappellerai les sensations de mon corps tentant de sécréter une peau d'homme entre les coussins du divan et l'édredon vert.

Je me rappellerai l'amour de Pearl pour les vers à soie.

Je me rappellerai les tartines de confiture.

Je me rappellerai Irene, à la porte de la chambre, disant :

— Bonne nuit, mes colombes, et rêvez de princes charmants...

CHAPITRE III

1955

« *Le dernier Loomis* »

Apprendre à jodler était beaucoup plus terrible que Walter ne l'avait imaginé.

Pete disait que ce chant était né dans les montagnes ; là où un homme peut entendre son propre écho, et qu'il était bien dommage qu'il n'y eût pas de montagnes dans le Suffolk.

Walter tenta d'apprendre le procédé tout seul, en imitant Jimmie Rodgers. Puis, sur la radio de ses parents, il entendit un chanteur canadien nommé Hank Snow, et connu comme le « Yodelling Ranger », qui parvenait aux mêmes effets sonores.

— Cela me confirme dans ce que je fais, dit-il à Pete.

Les clients de la boucherie Loomis captaient parfois à l'improviste un échantillon des expériences sonores de Walter en provenance de l'abattoir. Cela mettait très mal à l'aise, en particulier, les demoiselles Cunningham.

— Tu sais, Amy, disait l'une des sœurs à l'autre, je crois que Loomis s'est mis à tuer ses bêtes d'une autre manière ; leurs cris semblent presque humains.

La besogne était si dure qu'on aurait pu se demander s'il n'allait pas y laisser la vie. C'était comme essayer de faire pétiller une eau plate. Pete avait du mal à croire que tout cela était simplement sorti d'une soirée de pluie et d'alcool. Il conseilla à Walter de ne pas trop forcer. Il se rendait compte que l'adolescent était pris d'une fièvre qui se refusait à baisser, que son visage et sa nuque se congestionnaient à l'extrême.

— Vas-y doucement, lui disait-il, ou tu vas te faire éclater la tête.

Mais c'était compter sans l'obstination de Walter lorsqu'il s'éprenait de quelque chose.

— Je ne peux pas, répondait-il. Pas tant que je n'aurai pas attrapé le truc.

Mais il ne l'attrapait pas. Pas encore. Il arrivait à maîtriser à peu près une petite trille d'arrière-gorge, mais les effets grandioses auxquels Rodgers et Snow parvenaient sans effort apparent restaient hors de sa portée. Il pouvait les entendre à l'intérieur de lui-même. Parfois, dans sa fièvre, il avait l'impression de les voir, comme une lumière bondissant au sommet des arbres.

Puis il entendit une nouvelle chanson à la radio, *Rose Marie,* chantée par Slim Whitman.

Pete prévint Ernie :

— Cette chanson va être la mort de ton garçon.

Grace, de son côté, disait à son fils :

— Nous n'avons chacun qu'une voix, Walter, et tu es en train d'abîmer la tienne.

Mais il avait déjà acheté le disque. Il usa quatre aiguilles de phono à le faire jouer sans cesse. L'aisance avec laquelle chantait ce vieux Slim Whitman évoquait pour lui le bruit d'une chute d'eau. Il rêvait de montagnes. Les histoires de tempêtes de neige de Pete lui revenaient en mémoire, et il priait pour que l'une d'elles survienne et le rafraîchisse un peu. Le matin venu, sa fièvre était si forte qu'il n'arrivait plus à bouger.

Ce matin-là, il ne parvint pas non plus à parler. Aucun son ne vint en réponse aux questions du médecin. La douleur, dans sa gorge, était si effroyable qu'il avait l'impression qu'on lui avait fiché un pic à glace dans la glotte. Il voulut demander à sa mère de le retirer, mais il se rendit compte qu'il était incapable d'émettre la moindre parole.

On l'embarqua dans la Morris Minor du médecin, une couverture enroulée autour de lui. Sur le chemin de l'hôpital, il perdit le compte des saisons et pensa que l'automne était arrivé. Cet automne où, selon Pete, on se prélassait en rêvant. Ce rêve devait avoir une forme, mais Walter ne parvenait pas à se rappeler laquelle. Il avait peur que ne viennent la mort et le silence pour toujours. Il se battit avec sa couverture, comme si la mort et le silence s'y cachaient. La Morris du médecin ne cessait de faire des embardées. Avoir Walter à l'arrière était comme transporter un taureau malade.

Ce n'était pas l'automne. C'était toujours le début du printemps, gris et froid.

Dans sa chambre d'hôpital, cloué à son lit par un drap humide, Walter vit le vieil Arthur Loomis venir à son chevet et s'y asseoir. Il portait son tablier. Son visage rutilait de santé et sa barbe était bien drue et bien luisante.

— Walter, dit-il, je suis heureux que nous ayons cette occasion de nous parler.

Il semblait attendre une réponse de Walter, mais celui-ci ne pouvait articuler une seule parole.

Arthur caressa sa moustache. Ses yeux étaient marron et doux comme ceux d'un lapin.

— Je pense, poursuivit-il, que c'est le moment de te souvenir que tu es seul de ta génération, le seul Loomis.

Walter tenta de tourner la tête vers Arthur, mais il lui sembla que son ancêtre tenait le manche du pic à glace qui le clouait au lit.

Il plongea dans un sommeil brûlant, que venaient emplir les paroles de *Rose Marie* :

Si fort que j'essaie, je ne puis t'oublier.
Parfois je souhaiterais ne t'avoir pas rencontrée.

Ces paroles semblaient le projeter vers une vie future où tout le reste — sa mère, l'abattoir, le sang, les animaux et le ciel — appartiendrait au passé. Quand il sortit de ce sommeil, il voulut le dire à Arthur, mais il découvrit alors que la voix de celui-ci, si souvent décrite par Ernie comme « lente et douce », « douce et gentille », s'était faite, avec lui, ferme et péremptoire :

« ... connus dans tout l'East Suffolk, mon garçon. Fournisseurs de quelques-unes des meilleures tables. Une affaire de famille. Avec le nom de Loomis inscrit en bleu et or sur la vitrine. Et aussi en bleu et or sur l'auvent. Sur les factures. Dans l'esprit de la clientèle... »

— Je sais, tenta de dire Walter.

— Voilà ce qu'il en est, déclara Arthur. Tu es le dernier des Loomis et tu ne dois pas déserter la viande.

Sur quoi Arthur se leva et s'en alla sans un mot de plus.

Pour la première fois depuis longtemps, Walter eut froid, et, de ce moment, la fièvre commença à baisser.

Il trouva bien pratique, après cela, de ne pas pouvoir parler. Il ne voulait pas qu'on lui pose de questions ni qu'on lui demande de promesses. En silence, il considéra son avenir, et vit qu'il ne serait peut-être pas en mesure de devenir un chanteur hillbilly. Jodler était au-delà de ses forces. Il s'était presque tué en essayant de le faire. Et, sans cette forme particulière de chant, il n'aurait droit qu'à une Amérique imaginaire, et non à un vrai Tennessee avec ses nègres et ses chiens fidèles. Tout cela n'était qu'illusion.

Il revint chez lui, et sa mère lui confectionna des potages avec des os à moelle. Ses joues rouges étaient devenues grisâtres et son front blafard. Il restait couché dans sa chambre et entendait, au-dessous, les bruits du magasin, le son mat du hachoir et le cliquetis de la caisse enregistreuse.

Avec le temps, comme si la véritable apparition du printemps était venue lui huiler les cordes vocales, la douleur se mit à diminuer et sa voix commença à revenir, d'abord peu à peu et sans qu'il tienne à se faire vraiment entendre.

La première manifestation extérieure en survint une fin d'après-midi, au bord de la rivière, sous un ciel qu'on eût dit fait d'écailles de poisson. Sa mère l'avait envoyé cueillir du cresson. La rivière parvenait dans les pâturages des Loomis après avoir traversé des champs que possédait Sonny Ward.

Estelle était là. Elle était assise sur le pont de planches que Sonny avait construit de ses propres mains en une seule journée, un seau plein de cresson posé à côté d'elle. Elle avait les pieds dans l'eau et tenait ses souliers à la main.

Walter lui fit signe. Elle leva la tête, mais n'eut aucun mouvement pour lui répondre. Alors, instinctivement, il parla et entendit soudain sa propre voix, presque aussi forte qu'elle l'était avant l'épisode *Rose Marie*.

— Bonjour, Mrs Ward ! lança-t-il.

Mais Estelle ne répondit pas, et Walter se demanda si, lorsqu'il avait entendu sa propre voix, il n'avait pas rêvé. Il était sur le point d'essayer de nouveau quand il vit Estelle se lever et s'éloigner, laissant son seau de cresson derrière elle.

Un peu plus tard, au moment du thé, Grace lui dit :

— Tu ne nous surprends pas, Walter. Tu as été malade assez longtemps, et tu ne sais pas ce qui se dit au village.

Estelle :

Ils disent : Sonny est un brave homme.

Ils disent : l'Angleterre est un bon endroit pour vivre.

Ils disent : je ne sais pas de quoi tu as peur, Estelle.

Je puis le leur dire. Quand j'avais quatorze ans, Livia m'a emmenée voir une pièce de théâtre. Vers la fin, un homme pelait un oignon. Il tentait de trouver l'oignon sous toutes les couches qu'il enlevait. Il arrivait au cœur, et il n'y avait rien. C'est absurde, disait-il, il n'y a rien du tout.

Irene pense qu'elle a trouvé l'oignon. L'oignon est le vieux Harker. Il y a de quoi mourir de rire.

Il monte de la cave. Tout dur, dit-elle. Etonnant pour son âge. Elle débranche l'aspirateur. « C'est merveilleux, Estelle, dit-elle. J'avais oublié combien c'était merveilleux. »

De quoi mourir de rire.

Si c'était facile de mourir ! S'il suffisait de dire : au revoir et tout le reste. J'ai essayé, une nuit. Sonny est couché sur le côté, me faisant face. Je mets mon visage contre sa bouche et je respire son souffle, comme du gaz moutarde. Car j'ai souvent pensé que le souffle d'une personne que vous n'aimez ni ne respectez plus peut vous tuer comme un poison, et c'est vrai. Mais il vous tue lentement. Si lentement que vous ne remarquez que rarement que vous êtes en train de mourir.

J'essaie de dire à Irene comment, autrefois, je caressais son oreille blessée avec mes doigts et avec mes lèvres. J'essaie de lui rappeler, dans sa béatitude, que ces choses-là sont comme la lumière du soleil et qu'elles disparaissent. Cela peut arriver à midi ou cela peut arriver tard. Et, quand c'est arrivé, ce qui était possible ne l'est plus et ne le sera jamais plus.

— Je n'ai jamais rencontré, dit-elle, un oiseau de mauvais augure comme toi, Estelle.

Et je dis : attends un peu, Irene, et tu verras si tout ne s'en va pas d'une seconde à l'autre. Attends un peu. Cela peut se produire quand tu es dans l'escalier, en combinaison, ou quand tu es couchée dans le noir. Tu ne peux prédire ni le lieu ni le moment. C'est seulement après que tu pourras dire, de façon définitive : c'était à ce moment-là.

— Je me sens revivre, maintenant, dit-elle. Et c'est l'important.

Je ris, mais elle a raison : c'est ce que nous cherchons. Contre toute évidence. Une recherche désespérée. En nous raccrochant à n'importe quoi, même à une batte de cricket. Ma mère a trouvé la vie dans un avion silencieux maintenu en l'air par les courants. Elle l'avait cherchée dans sa maison, à son piano, à son miroir, dans le lit de mon père, mais rien de cela n'a subsisté quand la chose s'est enfin produite. Elle disait :

— Ce n'est pas seulement être vivant que nous voulons. C'est l'*expérience* d'être vivant.

— Tu es tout pour moi, Estelle, me dit encore parfois Sonny.

C'est alors que je sais que son souffle me tue. On ne peut être tout pour quelqu'un et rester encore en vie. Je vais à ma machine à coudre. Pour moi, c'est un objet sans défaut, conçu par un esprit qui ne se mentait pas à lui-même. Sa manette est polie par mon toucher. Je laisse alors retomber mes cheveux, soustrayant ainsi Sonny à mon regard. Mary survient et me regarde fixement. Son regard change. Il devient de plus en plus dur. Parce que c'est elle qu'il punit. Vous ne pouvez punir ce qui est tout pour vous ; vous punissez autre chose. Alors, le regard de Mary me demande : tu n'es même pas désolée ? Tu n'es pas honteuse ? Et je me cache de plus en plus d'elle. Je la laisse aller chez Irene ou partout où elle a besoin d'aller pour survivre. Je ne regarde pas. Parfois, je sors de la maison et je joue à imaginer que je m'en vais pour toujours, transportant un seau vide comme si c'était une valise bourrée de tout ce qui m'est nécessaire.

Je vais à la rivière. Je reconstitue le passé : les causes et les effets. Les causes si fugitives et si vaines, les effets si infinis.

Je suis née dans un village très ordonné. Avec des barrières autour de toutes choses, des plantes grimpantes au-dessus des portes, une église en pierres de taille. Quand j'étais enfant, ma mère y jouait de l'orgue. Une femme organiste, c'était rare à l'époque.

C'est à l'église que j'ai rencontré Sonny. Pendant des semaines, il est venu et m'a regardée, sans jamais me parler. Il tenait sa casquette entre ses mains. Il se tenait comme quelqu'un dans une queue, attendant son tour.

J'avais eu un autre fiancé avant la guerre, un jeune homme qui pensait que regarder quelqu'un était vulgaire et impoli. C'était un naturaliste qui s'habillait de velours vert et de cachemire jaune et qui achetait ses bottes à Londres. Il réservait sa passion aux phalènes. Ses baisers étaient faibles et discrets. Il répétait :

— Je n'abuserai jamais de vous, Estelle. C'est hors de question.

Et je répondais :

— Merci. C'est plein d'attention de votre part et tout à fait rassurant.

Son nom était Miles, mais il aimait qu'on l'appelle Milo. Certaines personnes sont ainsi ; elles se rendent ridicules par un seul petit détail de leur propre choix. Il a été tué dans les Ardennes, et il est enterré quelque part en Belgique. Je l'ai souvent imaginé tombant en poussière comme une phalène. Pour moi, les phalènes semblent déjà *faites* de poussière, mais Milo, lui, était sorti du sol d'Angleterre et il ne voulait certainement pas mourir là où il l'a fait. Je n'ai jamais porté son deuil. Son odeur était celle d'une boutique de tailleur, et on aurait pu faire du raccommodage précieux avec ses cheveux fins et soyeux.

Lorsque Sonny eut attendu assez longtemps, que je me retournai pour le regarder et qu'il se décida à venir vers moi, je compris que rien n'était hors de question. Il m'a emmenée dans sa vieille carriole, l'a arrêtée à l'ombre et a exploré mes formes de ses mains.

— J'ai attendu toute ma vie une belle femme, m'a-t-il dit.

J'étais son oignon. Il ne savait pas qu'il n'y avait rien au centre ?

Comme je venais d'un village élégant, il pensait que je ne comprenais rien à la campagne. Il pensait que j'étais aussi aveugle à ce sujet que les gens qui venaient, dans leurs Austin, pique-niquer en famille sur des couvertures et cueillir des brassées de fleurs sauvages pour les mettre dans des vases. L'idée de fleurs dans un vase lui répugnait.

— Pour vivre à la campagne, disait-il, il faut y avoir son cœur. Il faut en avoir la connaissance.

Je ne lui dis pas que Livia avait eu un talent particulier pour arranger les fleurs.

Il me montra quelques-unes de ces choses mystérieuses dont les conducteurs d'Austin ne connaissaient pas l'existence : les vesses-de-loup comestibles, les chanterelles, les prunelles, les racines de fenouil et l'ail sauvage. Il n'était jamais monté dans une Austin, mais il savait reconnaître l'empreinte d'un blaireau et l'appel des oiseaux. Il ne s'intéressait pas particulièrement aux phalènes.

Il grimpa dans ma chambre par la fenêtre mansardée, alors que mon père sirotait du Wincarnis, assis tout seul devant le feu. Il fit ce qu'il avait esquissé dans la carriole, et je le fis aussi. Et, comme je le rappelle à Irene, cette chose, à l'usage, devient comme une sorte de drogue. Vous désirez, vous désirez sans cesse, et votre cerveau tourne en une pâte de guimauve, votre sexe en un tapis de velours et vos membres en des branches de saule, se pliant à la moindre caresse. Vous désirez, vous désirez sans cesse. Jusqu'au jour où vous ne voulez plus. Là, vous êtes guérie et délivrée, mais vous restez quand même prisonnière et vous n'avez plus rien.

Au bout d'un mois, j'étais enceinte de Mary. Sonny et moi nous mariâmes dans l'église en pierres de taille. J'avais un bouquet de lis qui sentait le passé. On nous lança des pétales de rose. Même dans l'église, le sentiment du désir était là, au moment où nous nous sommes agenouillés.

J'allai m'installer dans la ferme de Sonny, laissant mon père tout seul avec sa bouteille de Wincarnis et son *Daily Telegraph*.

Dans le lit, Sonny posa son oreille blessée sur mon ventre et dit :

— Prie pour que ce soit un garçon. Prie, prie, prie.

Je me demande maintenant, tout en marchant le long de la rivière, ce que peut savoir, parmi toutes les choses étranges et fugitives qui peuvent surgir et disparaître, un enfant qui n'est pas encore né. Ce qu'il peut entendre à travers le mur de la matrice. Mary comprenait-elle que ce n'était pas elle qu'on voulait me voir désirer, mais quelqu'un d'autre, un enfant né de l'imagination de Sonny ?

Je me rappelle qu'un jour elle se perdit. Alors que sa vie venait à peine de commencer, elle se perdit. Elle s'égara dans un bois et finit par s'accrocher à un arbre, comme si celui-ci devait la sauver.

Nous mîmes un long moment à la trouver. Je pensais qu'elle s'était noyée dans un fossé et je m'étais mise à pleurer. Sonny me dit :

— Toute ta beauté s'en va, Estelle, quand tu commences à pleurer. Ta ressemblance avec Ava Gardner disparaît complètement.

Alors, je vais à la rivière et je me regarde dans son eau. Je contemple mon visage et les friselis de l'eau, qui l'ignorent et poursuivent leur chemin. La rivière a un but, celui de dépasser les herbes et les roseaux pour gagner l'eau salée, alors que moi, je n'ai plus ni but ni désir. Et les jours où il fait beau et où l'eau étincelle, j'ai une pensée, triste, je crois, pour cette fille dans *Hamlet*, qui, contrairement à ce que je fais, ne retourne pas chez elle se laver les cheveux.

« *Légère, légère...* »

Ce fut peu avant Noël que Mary fut inscrite au cours de danse de Miss Vista, le samedi matin. Ce cours se déroulait dans la baraque des Guides de Swaithey, qui ressemblait à une cabane de pionnier avec ses parois de planches passées à la créosote et son toit en tôle. Le plancher était recouvert d'un linoléum ciré chaque semaine, et qui faisait des bruits étranges, drôles mais vulgaires comme des pets, sous les pas des danseurs.

Cela avait été l'idée de Sonny. Il avait dit à Estelle :

— Cette enfant ne reste jamais tranquille. Regarde-la.

Mary avait trouvé dans un fossé une vieille balle de tennis, devenue verte d'être restée au milieu des herbes mouillées. Elle l'avait fait sécher sur le fourneau pour qu'elle puisse rebondir de nouveau, et, depuis, elle ne s'en séparait plus. Elle la lançait devant elle et courait après, la projetait en l'air et la rattrapait, la jetait contre les arbres, la faisait rebondir et rouler. Elle dormait avec la balle serrée dans sa main.

Estelle l'observait. Les mouvements de Mary étaient brutaux et saccadés. Plus déconcertantes encore semblaient ses idées. Elle lançait haut et loin la balle, et tentait de la battre à la course. Elle ne cessait de recommencer ce manège, se refusant à accepter que la chose était impossible. C'était comme si elle avait voulu, en fait, être cette balle de tennis verte lancée de tous côtés.

— A son âge, fit remarquer Sonny, elle pourrait avoir un peu de grâce.

— Je sais, dit Estelle. Mais la grâce n'est pas dans l'air ambiant. Ce n'est pas quelque chose qu'on peut respirer.

— On ne la respire pas, mais on l'apprend.

— Oui. Mais je me demande comment.

— Par l'exemple.

Ils inscrivirent Mary chez Miss Vista.

Estelle se souvenait de ses propres leçons de danse lorsqu'elle était enfant, dans la bibliothèque d'une résidence privée, les rubans dans un rayon de soleil, le piano jouant avec la pédale douce, Livia regardant, assise sur une chaise à dossier droit. Estelle pensait qu'elle faisait à Mary un cadeau de valeur — une tranche de son propre passé.

Mary demanda s'il y aurait des garçons, en même temps que des filles, au cours de danse. Estelle dit que c'était fort possible.

Mais il n'y avait pas de garçons. Et les filles répétaient un spectacle de Noël que Miss Vista avait intitulé « La douceur des prés ». Les danseuses avaient été divisées en trois groupes, l'un figurant les boutons d'or, un autre le mouron rouge et le troisième les chardons.

— Bienvenue parmi nous, Mary, dit Miss Vista. Tu vas aller rejoindre les chardons. Fais simplement ce que font les autres.

Il faisait froid dans la baraque des Guides. Miss Vista dansait avec son manteau et des fourreaux de laine tricotée autour des mollets. Les fillettes ne portaient que leurs tricots de corps et leurs petites culottes sous les vaporeuses draperies jaunes et rouges des boutons d'or et du mouron, et les jupettes de filet blanc des chardons. De sa bouche avide et barbouillée de rouge à lèvres orange, Miss Vista lançait ses instructions d'un ton passionné, tout en tournant, les bras levés, autour de la salle, engoncée dans son manteau d'hiver :

— Courbez-vous, les boutons d'or ! Le vent se lève. Cédez, cédez devant le vent ! Vous ne pouvez rien faire d'autre. Mais vous, les chardons, vous vous dressez ! Le vent vous porte. Vous êtes légers, légers ! D'abord tous ensemble, en bouquet. Puis on se sépare... C'est cela, Mary, toute seule. Portée par le vent. Légère, légère, légère !

Mary avait cru qu'il y aurait des règles pour danser. Miss McRae disait souvent que tout avait des règles, dans la vie, même si, parfois, on ne pouvait les voir de prime abord.

— Dans ce cas, ce sont des règles internes, Mary, cachées mais quand même présentes, ma chérie.

Pourtant, au cours de Miss Vista, on se contentait de déambuler en faisant mine d'être des plantes. On ne vous disait pas quoi faire de vos pieds ou de vos bras. On pouvait savoir, en regardant les jambes de Miss Vista, qu'elle avait autrefois appris quelques règles. Elle avait tout simplement décidé de ne pas les transmettre.

Mary en fut révoltée. Elle se mit à mépriser Miss Vista. Elle aurait voulu lui jeter sa balle de tennis verte au visage. Elle aurait voulu qu'un véritable vent survienne et la balaie très loin, jusque dans le noir univers.

Quand elle dit à ses parents que Miss Vista ne lui apprenait pas à danser, ils lui répondirent qu'elle pouvait au moins apprendre à « mieux se mouvoir ».

Ils avaient dépensé de l'argent pour lui acheter des chaussons de danse. Les porter était comme porter des gants aux pieds. On pouvait sentir chaque aspérité du terrain sous les pas, chaque pierre. Mary contemplait ses jambes roses, avec, au bout, les chaussons roses, et les prenait en pitié, comme si elles avaient appartenu à une autre fille, une autre fille fourvoyée à qui on aurait fait croire qu'elle pouvait danser. Comme elle portait sa jupette de chardon, elle se rappela la couverture de papier toilette en forme de poupée que Judy Weaver avait apportée en classe comme étant son « objet précieux ». Elle ôta vivement les chaussons et la jupette et les fit disparaître hors de sa vue. Puis elle s'étendit sur son lit, sa balle de tennis en équilibre sur la poitrine. Elle méditait un plan.

Comme la date de la représentation de Noël approchait, Miss Vista se fit plus attentive aux mouvements d'ensemble. Elle pressait les boutons d'or de se courber à l'unisson, le mouron d'opérer de concert. Seuls les chardons étaient autorisés à se disperser et à prendre leur essor, car telle était leur nature. Mais elle insistait sur la nécessité, pour eux, de devenir immatériels, comme s'ils n'avaient plus ni corps ni pieds.

— Légères, légères, les filles ! implorait Miss

Vista. Des plumes ! Des rêves ! Des grains de poussière !

Et les chardons se répandaient dans la salle en sautant de toutes parts, culbutant parfois ou se heurtant malencontreusement aux murs.

Ses efforts pour rendre tout ce petit monde aérien donnaient chaud à Miss Vista, qui ôtait son manteau, sous lequel elle portait une tunique romaine orange et un cardigan de laine. Mary se déplaçait à grands pas rapides. Elle réussissait à transformer le désordre régnant déjà dans la baraque en chaos absolu par le simple fait de retirer ses lunettes. Ainsi, Miss Vista n'était plus seulement dépouillée de son manteau mais de sa personne tout entière. Mary sentait un énorme rire monter en elle. Un rire semblable à un hurlement.

Les parents arrivèrent pour la représentation et s'assirent sur deux rangées de chaises de bois. Les cheveux d'Estelle étaient encore graisseux des bains d'huile qu'elle leur administrait régulièrement pour tenter de leur redonner leur éclat. Sonny se tenait assis la tête courbée, comme un pénitent. Estelle regardait le linoléum et se souvenait du parquet de bois clair de la bibliothèque où elle avait appris à danser.

Quand les chardons se rassemblèrent derrière le mince rideau prêt à se lever, Mary quitta le groupe et retourna au vestiaire. Elle retira ses chaussons roses et mit ses bottes en caoutchouc. Elle imaginait que chacune des bottes était un cylindre en carton et que ses jambes étaient les membres en plastique couleur saumon de la poupée de Judy Weaver. Elle fit bouffer sa jupette autour des bottes et se dit : maintenant, je suis une couverture de papier toilette.

Elle rejoignit le groupe, qui frissonnait derrière le rideau. Il est impossible d'avoir le pas léger avec des bottes en caoutchouc. Les chardons se retournèrent d'un seul et même mouvement pour regarder Mary. Ils eurent le souffle coupé, et, serrés les uns contre les autres, se mirent à frissonner de plus belle. Certains, la main sur la bouche, étouffaient péniblement un fou rire.

La musique des chardons retentit, et ceux-ci entrèrent en scène, aériens comme il se devait. Mary suivait à pas de géant. Le craquement de ses bottes en caoutchouc semblait assourdissant. Les boutons d'or perdirent le souffle. Le mouron tout entier se recroquevilla de honte. Des deux rangées de sièges occupées par les parents montèrent des murmures et des chuchotements qui ressemblaient à des voix dans un rêve. Puis, Mary sentit la main de Miss Vista se poser sur son bras. Elle cessa de danser, et, en souriant, se laissa conduire hors de scène. Elle ne pouvait distinguer ses parents. Ils formaient une masse toute brouillée. Ce qu'elle voyait, c'était deux Miss Vista, toutes deux d'aspect fragile et aucune ne sachant danser.

Après cet incident, Sonny déclara :

— Nous devons la surveiller constamment, Estelle. Jour et nuit. Maintenant, nul ne sait ce qu'elle peut faire.

Effectivement, *nul* ne savait. Mary ne savait pas elle-même.

Lorsqu'ils rentrèrent à la maison, Sonny gifla huit fois Mary sur l'oreille, du plat de la main.

Elle se couvrit l'oreille de sa moufle grise. Elle pensait que le cartilage allait se transformer en corail. Silencieusement, elle disait à son père : quand je serai un homme, je te tuerai.

Estelle ne tenta ni de la protéger ni de la consoler. Elle alla simplement regarder ses poules dans leur enclos. Timmy la suivit et mit la main dans la sienne.

L'après-midi de Noël, Sonny et Estelle allèrent au lit. Ils empestaient le porto bon marché qu'ils avaient bu avec le pudding. Sonny avait un bras autour du cou de sa femme, et une main sur l'un de ses seins, qu'il malaxait comme une liasse de billets de banque. Il dit à Mary et à Timmy d'aller jouer dehors et de ne pas revenir avant la tombée de la nuit.

Mary lança la balle verte à Timmy. Elle la lui lança à plusieurs reprises, mais pas une seule fois il ne la rattrapa. Elle pensa que c'était pour cela qu'Estelle sombrait dans le désespoir, parce que Timmy ne pouvait pas attraper une balle, parce qu'il marchait avec les doigts devant les yeux, parce qu'il n'arrivait à rien à l'école.

— Tu es à peine humain, lui dit-elle, alors qu'il laissait une fois de plus tomber la balle. Tu es en train de tuer notre mère.

Il commença à pleurer et à courir vers la maison, mais Mary, se souvenant de l'odeur de porto dans l'haleine de ses parents ainsi que de leur regard, courut après lui et l'attrapa. Il se débattit dans ses bras. Elle détestait le tenir. Elle le jeta sur le pneu qui tenait lieu de balançoire et le poussa jusqu'à ce que le soleil soit couché derrière la haie. Tout en le poussant, elle faisait le compte des choses que Timmy n'arrivait pas à faire lui-même et qui finissaient par amener Estelle à s'enfermer dans un monde à part. Il ne pouvait nouer ses lacets de souliers, il ne pouvait lire le mot le plus simple, il ne pouvait rester trois nuits de suite sans mouiller son lit, il ne pouvait apprendre ses tables d'addition ou de soustraction, il ne pouvait se rappeler le plus petit poème, il ne pouvait manger sans se salir et il ne pouvait nourrir les poules sans jeter le grain au vent. Son cas était désespéré. Il vaudrait mieux qu'un matin, dans son lit saturé d'urine, il ne se réveille pas. Il aurait une jolie petite tombe bien nette, avec un ange de pierre agenouillé au-dessus de lui, pour veiller à ce qu'il reste où il était. Estelle le pleurerait. Elle lui apporterait des fleurs. Elle viendrait regarder l'ange. Puis elle se rétablirait. On ne l'entendrait plus penser à haute voix et on ne la verrait plus assise, en transe, à caresser sa machine à coudre. Elle n'irait plus à la rivière. Elle reviendrait de là où elle s'était exilée.

Mary décida de tuer Timmy cette nuit-là, la nuit de Noël 1955.

Elle se tint éveillée en frappant régulièrement son oreille, encore meurtrie par les gifles de Sonny.

La tête lui faisait mal. Elle aurait voulu que tout soit fini. Je sais maintenant, pensa-t-elle, pourquoi Grand-mère Livia est partie dans ce planeur ; elle était lasse de tout sauf du ciel.

Quand elle entendit Sonny commencer à ronfler, elle descendit pieds nus l'escalier et pénétra dans la cuisine glaciale. Elle ouvrit la porte de la souillarde et y prit le pulvérisateur à insectes qu'on gardait là en vue de l'été et de ses mouches. Le produit s'appelait Flit. Elle aimait ce nom. Elle pensa que c'était comme cela qu'on tuait : avec une arme et avec un mot. En se servant des deux à la fois.

Elle remonta l'escalier. Elle n'avait pas peur, mais elle se sentait fatiguée, si fatiguée qu'elle en avait les jambes lourdes.

Elle s'agenouilla près de la porte de la petite chambre de Timmy, qu'elle ouvrit juste assez pour y passer son bras et pointer le pulvérisateur de Flit vers le lit. Pour se protéger, elle avait apporté un mouchoir, qu'elle plaqua contre son nez et sa bouche.

Elle commença à pomper. Le pulvérisateur émettait un étrange gargouillement, mais aucun son ne venait de l'intérieur de la chambre. La mort par le Flit était une mort douce. On respirait le poison à la senteur suave et on dormait. Et le lendemain, on ne se réveillait pas.

Sonny s'était éveillé à minuit avec une migraine et une soif intense. Se rendant à la salle de bains, il découvrit Mary accroupie devant la porte de Timmy.

— Que fais-tu ? demanda-t-il.

— Rien, dit Mary.

Mais Sonny pouvait sentir le Flit. Il poussa Mary de côté, entra dans la chambre de Timmy et vit son fils, qui dormait paisiblement sous un nuage empoisonné.

Il appela Estelle, qui se précipita, dans sa chemise de nuit tachée, saisit Timmy et l'amena devant la fenêtre de la chambre pour lui faire respirer l'air glacial de cette nuit de Noël. Elle ne regarda ni Mary ni Sonny et ferma la porte.

Sonny se mit à l'œuvre avec ses mains. Il abaissa le pantalon de pyjama de Mary et se mit à la frapper sur les fesses et l'arrière des cuisses.

Comme elle ne pleurait pas et n'émettait aucun son, il la frappa à l'oreille, cette même oreille qu'il avait déjà prise pour cible après la représentation de Miss Vista. La force de ce coup précipita Mary au sol. Sonny la releva en la tirant par les bras, la frappa encore et encore, jusqu'à ce qu'il n'ait plus la force de la remettre sur ses pieds.

Il la laissa gisant sur le plancher et s'en alla boire verre d'eau sur verre d'eau dans la salle de bains.

Mary ne se souvenait plus de rien. Elle gisait en tas. Elle se disait qu'elle était très profond sous la terre, là où personne ne viendrait la chercher.

Des sons allaient et venaient dans sa tête. L'un d'eux était la voix de Miss Vista murmurant : « Légères, les enfants. Légères, légères ! »

CHAPITRE IV

1957

Mary :

Mon grand-père — le mari de Livia — s'appelait Thomas Cord. Pour nous, c'était Grand-papa Cord. Il était pâle, petit et passionné d'histoire. Il s'adonnait au Wincarnis. Quand il parlait, il fermait les yeux, comme si voir et parler en même temps étaient trop difficiles pour lui. Il aimait quatre choses au monde. L'une d'elles était sa très regrettée Livia. Une autre était le visage et la voix d'une actrice nommée Mary Martin.

Il écrivait des proverbes et des préceptes à l'encre verte sur de petites cartes qu'il épinglait au chambranle des portes. Certaines étaient en latin. Sa favorite était : « *Ama et fac quod vis*. » Il s'arrêtait parfois devant celle-là et disait : « Vrai. On ne peut plus vrai. » L'écriture de certaines formules était un peu effacée. Grand-papa Cord disait :

— L'encre verte disparaît, Mary. Comme peut disparaître la sagesse. Quand un proverbe s'efface, il est peut-être temps de le supprimer. Ou peut-être pas.

Il vivait à dix-huit kilomètres de notre ferme, dans un village nommé Gresham Tears. Sa maison, carrée et sombre, était construite en pierres et en briques. C'était là que ma mère avait vécu enfant. De part et d'autre de la grille d'entrée, il y avait deux grands houx dont Grand-papa Cord taillait le feuillage en cône. L'adresse était Holly House [1], Greasham Tears, Suffolk, et il la trouvait merveilleuse. C'était la troisième chose qu'il aimait dans sa vie.

J'avais pensé que je ne connaîtrais jamais vraiment Grand-papa Cord. J'avais pensé que je ne le verrais jamais que lors de courtes visites, qu'il me verserait de la bière de gingembre, me parlerait du roi Ethelred le Sans-Conseil [2] et puis qu'il mourrait. Mais je me trompais. Au cours de l'été 1957, on m'envoya vivre avec lui. Je quittai la ferme et mon adresse devint : Holly House, Gresham Tears, Suffolk. Je pris tous mes vêtements, mes livres scolaires, mon *Dictionnaire des inventions* et ma balle de tennis verte. Mon père me dit :

— Nous t'envoyons pour tes études. Grand-papa Cord te fera passer en secondaire.

Le premier soir, Grand-papa Cord me montra un programme de théâtre pour une opérette appelée *South Pacific.* Il comportait une photographie de Mary Martin, et il me demanda :

— Qu'en penses-tu ?

Je pensais que, sur les photographies, les gens avaient l'air mort, qu'ils ressemblaient à leurs propres ancêtres, depuis longtemps disparus, mais je dis que le nom de Mary Martin était parfait et que, dorénavant, je m'appellerais ainsi. Et cela eut le don d'amuser Grand-papa Cord. Il se frappa le genou et s'exclama :

— On ne m'avait pas dit que tu avais de l'humour !

Il commença donc à m'appeler Mary Martin. Et, au bout d'une semaine, je lui dis :

— J'aime beaucoup, ce nom de Mary Martin, Grand-papa Cord, mais il est quand même assez long. Alors, je pense que tu pourrais m'appeler simplement Martin.

1. La Maison du Houx. *(N.d.T.)*
2. Ethelred the Redeless ou the Unready, roi de l'Angleterre saxonne de 978 à 1016. *(N.d.T.)*

— Martin tout court ? demanda-t-il.

— Oui.

— Très bien. Un peu bizarre, mais qu'est-ce que cela fait ? Et tu m'appelles Cord, Martin. « Grand-papa » me donne l'impression d'être centenaire. Marché conclu ?

Marché conclu. Nous nous serrâmes la main. La peau, sur la main de Cord, était rêche comme un ruban de décoration. Il ferma les yeux et déclara :

— Parole de scout, comme on dit !

Je me mis à penser à nous comme à une société : Martin et Cord, associés. Nous étions une société de rêveurs. Cord se spécialisait dans le passé, le passé lointain d'Ethelred le Sans-Conseil, le passé un peu moins lointain de la bataille de Marston Moor, et le passé proche de Livia jouant du Liszt drapée dans un châle de Madagascar. Mon secteur était l'avenir, l'avenir immédiat tournant autour de moi — le lycée de Weston et la disparition de Miss McRae — et l'avenir qui me guettait de plus loin, attendant son heure — l'avenir de Martin Ward. Cord me fournissait en encre verte — la seule qu'il achetât — et je m'en servais pour écrire mon nouveau nom des centaines de fois, avec des calligraphies différentes.

Nul ne m'avait dit la véritable raison de mon départ de la ferme, mais je la connaissais.

Irene, qui vivait maintenant avec Pearl chez Mr Harker, m'avait prévenue à deux reprises :

— Il viendra peut-être un jour, Mary, où ta mère devra s'en aller un certain temps.

J'avais compris. On m'avait envoyée chez Cord parce que ce jour était arrivé. Parce que je ne pouvais rester seule à la ferme avec mon père et Timmy.

Je ne voulais pas penser à l'endroit où allait Estelle. De l'autre côté de Leiston, il y avait un endroit appelé l'asile de Mountview devant lequel nous étions parfois passés en allant à la mer dans la camionnette de Sonny. Une fois, j'avais murmuré à Timmy que c'était une poubelle dans laquelle on mettait les garçons qui n'arrivaient pas à apprendre leur table de multiplication [1]. Au lieu de se mettre à trembler de peur comme je l'avais espéré, il avait regardé la maison, qui était un ancien château transformé, avec des murailles rouges et des tourelles, et il avait demandé quelle partie était vraiment la poubelle. Et nous avions tous ri. Y compris Estelle. C'était la seule fois, si j'ai bonne mémoire, que nous avions ri tous ensemble — comme une vraie famille circulant dans une Austin avec un panier de pique-nique.

Mais, maintenant, je voyais en rêve Estelle dans une poubelle métallique que l'on agitait et que l'on faisait rouler dans tous les sens. Dans ces rêves, j'étais un chevalier. J'avais une armure. Je luttais contre la poubelle et finissais par l'arrêter. Je mettais alors ma mère sur mon grand cheval gris et nous partions au galop. Le rêve ne précisait jamais où j'allais ou si je déposais ma mère quelque part. Je partais simplement au galop et je me réveillais dans la maison de Cord, dans ma chambre tapissée d'un papier représentant des scènes de canotage. Je disais alors aux canotiers :

— Je refuse de penser à ce qui arrive.

Puis je mettais mes lunettes, ouvrais l'un des livres d'histoire que m'avait donnés Cord et lisais des phrases comme : « Thomas Wolsey était le fils d'un boucher et marchand de bétail d'Ipswich » ou : « La vie était souvent courte dans les époques médiévales », en attendant que ma journée commence.

Cord, lui, commençait sa journée par une séance de yoga. Il se servait pour cela d'un tapis de bain usé jusqu'à la corde. Le yoga était la quatrième des choses qu'il aimait dans la vie. Il l'avait appris à Ceylan, chez un homme appelé Varindra. Selon lui, Varindra lui avait appris à mettre le monde à l'écart et à

1. « Loony bin » (poubelle à dingues) est le terme désignant un asile d'aliénés en anglais argotique. *(N.d.T.)*

évoluer à l'intérieur au lieu de constamment évoluer à l'extérieur. Il disait que cette façon d'« évoluer à l'intérieur » lui avait permis de rester en vie lorsque était arrivée la nouvelle de l'accident de planeur. Je ne comprenais pas ce qu'« évoluer à l'intérieur » voulait dire, et Cord me disait alors :

— Ce n'est pas étonnant, Martin. Pas à ton âge. Mais plus tard, quand tu seras vraiment dans la vie, tu comprendras.

— Tu veux dire quand je serai Martin Ward ?

— Tu *es* Martin Ward, disait alors Cord.

Je vais le lui dire un jour, pensais-je. Il dira quelque chose comme : « John Davis fit trois autres tentatives pour trouver le passage du Nord-Ouest, mais il ne remarqua pas le détroit d'Hudson et se trouva repoussé par les glaces » et je dirai : « J'ai fait trois tentatives pour dire à quelqu'un que je ne suis pas vraiment une fille. » Ou bien il dira : « La vie à bord d'une caraque était extrêmement dure », et je dirai : « La vie en tant que Mary est extrêmement confuse. » Et, lorsque ce serait dit, nous ne serions plus simplement une société de rêveurs, mais une société de mise en œuvre.

Je faisais confiance à Cord. Je commençais à aimer me trouver avec lui, si vieux qu'il fût. Je pensais qu'il m'approuverait lorsque je lui dirais que j'étais, à l'intérieur de moi-même, un garçon.

Je me trompais sur beaucoup de choses. Je pensais que tout l'été se passerait, à Holly House, sans que des nouvelles d'Estelle viennent troubler notre existence. Je pensais que nous continuerions simplement à étudier notre histoire, à écouter nos émissions de radio favorites et à boire du Wincarnis et de la bière de gingembre. Je pensais qu'on nous *permettrait* de nous mettre à l'écart du monde sans avoir les talents du vieux Varindra, à Ceylan en 1924. Mais, un matin, après nous avoir fait frire du bacon et du pain, Cord me dit :

— Ecoute-moi, Martin, nous allons aller voir ta

mère aujourd'hui, et je suppose qu'il va nous falloir du courage.

— Elle est à Mountview ? demandai-je.

— Oui. C'est exact. Mais pas pour longtemps, j'espère.

— Jusqu'à ce que.

— Oui. Juste jusqu'à ce que. Et cela viendra assez vite.

Je pensai à la poubelle que je voyais en rêve.

C'était, à Gresham Tears, un radieux matin d'août. Les galets des maisons en face de la nôtre brillaient comme si on les avait passés au cirage. La Hillman Minx de Cord nous attendait devant la porte pour nous conduire à Mountview. Je me dis que les noms étaient souvent attribués en dépit du bon sens : Minx [1] pour une petite voiture poussive, Mountview pour un endroit n'ayant aucune montagne à proximité.

Je montai dans ma chambre pour me préparer. Tout en contemplant le papier mural avec les canotiers, je me dis que je ne serais pas capable d'entrer dans une pièce pleine de fous et d'y trouver ma mère. Je déchirai une page de mon cahier d'histoire, en face d'un très mauvais dessin représentant Vasco de Gama et lui écrivis une lettre :

« Chère Mère,

« Je t'écris cela en toute hâte, car nous devons partir dans cinq minutes pour aller te voir.

« J'espère que tu vas mieux. J'espère que tout le monde est gentil avec toi. J'espère que tu as pu avoir ta machine à coudre.

« Je suis très bien avec Grand-papa Cord. J'apprends les explorateurs, y compris Hakluyt. Il est allé en Russie et il a dit : "Les rues et leurs routes ne sont pas pavées de pierres comme les nôtres." Le soir, je bois de la bière de gingembre.

« J'espère que tu vas mieux. Je veux que tu ailles

1. Coquine, chipie. *(N.d.T.)*

mieux maintenant, dès ce moment, et que tu ne sois plus là quand nous arriverons.

« Baisers de Mary. »

Je n'avais pas employé le nom de Martin. Miss McRae m'avait dit un jour :

— Vivre dans un phare m'a appris que toute la sagesse ne vient pas toujours des autres, Mary. Une partie vient de soi-même, si on sait l'entendre.

Mais j'étais vêtue en Martin, avec ma chemise en tissu synthétique aéré, mon short gris et mes souliers de tennis passés au blanc. Je fourrai la lettre dans la poche de mon short, nous montâmes dans la Minx et nous démarrâmes. Nous chantâmes tout le long du chemin. Nous chantions les chansons que nous avions entendu interpréter à la radio par Brenda Lee. Quelqu'un nous avait rapporté un bruit selon lequel Brenda Lee était une enfant de mon âge ou plus jeune encore, mais nous n'en avions rien cru.

Quand nous tournâmes dans la grande allée de Mountview, Cord me dit :

— Drôle d'affaire, hein, Martin ?

— Est-ce que cela a été autrefois la maison de quelqu'un ? demandai-je.

— Oh, oui, fit Cord. Manoir jacobite, 1618. Des paons sur la pelouse, du pigeon ramier froid au petit déjeuner, et tout ce genre de bêtises. C'est devenu un hôpital pendant la guerre de 14-18. Il y eut alors beaucoup de bruit, j'imagine, les paons et les soldats blessés criant ensemble.

De plus près, on pouvait voir qu'il s'agissait d'un asile et non d'une résidence particulière à cause de la grande cheminée, semblable à une cheminée d'usine, qui avait été construite derrière la maison, des petites baraques préfabriquées installées sur les pelouses et des pancartes diverses : « Parc à voitures », « Blanchisserie » et « Pas de visiteurs au-delà de cette zone ».

Cord tremblait. Il répétait sans cesse :

— Drôle d'affaire. Sale affaire.

On pouvait voir tout de suite qu'il aurait préféré ne pas être là, mais déjà de retour à Gresham Tears, en train de se verser un verre de Wincarnis. Son visage pâle avait pris la couleur d'une sauce à la crème, et ses yeux lourdement cernés faisaient penser à des pruneaux dans cette crème. Il me tenait la main. Je trouvais, quant à moi, que c'était plus que nous ne pouvions supporter.

Nous entrâmes et attendîmes un moment, debout sur le parquet bien ciré. Il y avait une odeur de Dettol et une autre senteur, insinuante, suave, vivante — et horrible, comme un relent de cerveaux. Des gens passaient devant nous en semblant ne pas nous voir. Ou, s'ils nous voyaient, ils détournaient la tête. Nous ne savions pas où aller, ni quelle contenance prendre. Je pensais que nous aurions dû retourner à la voiture, nous y asseoir pour réfléchir, et peut-être repartir en faisant mine de n'être jamais venus là. Mais, à un moment, Cord se dirigea vers une personne habillée en blanc et lui parla d'une voix ferme, comme s'il était Hakluyt demandant la route de Moscou. A la suite de l'homme en question, nous traversâmes une immense salle, avec, au plafond, des moulures ressemblant à des stalactites en formation. Sous ces stalactites étaient assis des hommes et des femmes, tous graves et silencieux, attendant que les premières projections de glace leur tombent dessus. Ce devaient être leurs cerveaux qu'on sentait ainsi, sous l'odeur du Dettol.

L'homme en blanc marchait très vite, et Cord et moi devions courir derrière lui. Cord détestait courir plus que tout au monde.

Nous empruntâmes à toute allure un long corridor dallé de pierre, puis montâmes quelques marches recouvertes d'un tapis en fibre de coco. Par les fenêtres de l'escalier, on pouvait voir la grande cheminée, qui crachait de la fumée noire. Puis nous arrivâmes sur un palier et devant toute une série de portes avec des numéros. Je savais que ma mère allait être là, derrière l'une de ces portes, et je sortis donc ma lettre, prête à la remettre à Cord pour qu'il la donne à ma mère. Mais il tenait toujours ma main serrée dans la sienne. Je tentai de la libérer, mais c'était difficile. Puis, Cord lâcha deux pets, de peur et de fatigue, et je me dis que je ne pouvais l'abandonner pendant qu'il pétait. Je devais me conduire de façon digne de Martin.

Ma mère était assise sur une chaise. Ses cheveux étaient maintenus en arrière par une bande élastique. Elle avait une expression un peu minaudière et coquine, comme si elle vendait des sous-vêtements affriolants. Elle tricotait vaguement. Sa pelote de laine avait roulé sur le sol, jusque sous son lit. Quand elle nous vit, elle sourit et plaqua son tricot contre ses seins, comme si elle voulait les cacher.

Sa chambre avait des rideaux orange. Le sol était en linoléum et la chaise en matière plastique. Nous dûmes nous asseoir, Cord et moi, côte à côte sur le lit, qui était très étroit, et nous sourîmes à Estelle, qui nous sourit à son tour. Cord sortit un mouchoir, s'essuya le visage et se frotta les yeux.

— Comment te sens-tu, Est ? demanda-t-il au bout d'un moment.

Il l'appelait habituellement « Est », ou parfois « Stelle », ou parfois encore « Ma fille ».

— Je vais parfaitement bien, Papa, comme tu peux le voir, dit-elle. On s'occupe beaucoup de moi, en particulier pour les ombres que je voyais et pour mes inquiétudes à propos de l'oignon.

— Bien, dit Cord. C'est ce que nous voulions entendre. Hein, Martin ?

J'opinai du chef.

— Qu'est-ce que tu tricotes, mère ? demandai-je.

Elle baissa les yeux vers le tricot gris qu'elle tenait toujours contre ses seins.

— Oh ! fit-elle. J'ai oublié ce que c'est. Ce que sont les choses n'a aucune importance, n'est-ce pas ?

— Non, non, dit Cord. Absolument aucune.

Nous continuions à sourire. J'étais heureuse que

nous fussions seuls avec Estelle, et non avec tous ces autres gens qui attendaient sous les stalactites.

— La nourriture est convenable ? demanda Cord.

Estelle haussa les épaules et le sourire déserta son visage.

— Les repas sont une farce, dit-elle.

— Ce n'est pas bon ? De la nourriture pour bébés ?

— Les gens.

— Quoi donc, Stelle ?

— Une farce. Une farce complète. Mais je ne regarde pas. Je ferme les yeux.

— Ce n'est pas beau à voir, je suppose ?

— Je ne les vois pas. Je ferme les yeux. Je fais mon tricot. C'est bien mieux.

Cela me faisait penser à la représentation de la Nativité que nous avions donnée à l'école, où j'étais l'ange Gabriel et où Billy Bateman était le premier berger, avec un torchon maintenu sur la tête par un élastique. Il s'était complètement emmêlé dans son texte. Je disais : « N'ayez pas peur, ô bergers ! », et il aurait dû répondre : « Qu'es-tu venu nous dire, bon ange ? » Mais il demanda : « Sommes-nous loin de Bethléem ? » Alors, je dis : « Je vous apporte de merveilleuses nouvelles. » Billy aurait dû demander à ce moment : « Quelles sont-elles ? » A la place, il déclara « J'ai peur que quelques-uns de nos moutons ne meurent de froid. » Je dus donc m'écarter du texte et lui dire : « Laisse tomber tes moutons. Je répète que je t'apporte des nouvelles. » Mais, à la représentation, il y avait un public pour rire et pour applaudir, alors qu'à Mountview, il n'y avait rien de tel.

Je trouvai dans la poche de mon short, à côté de la lettre que j'avais préparée, un caramel, dont je retirai lentement l'enveloppe avant de le mettre dans ma bouche. Ma mère me regardait fixement.

— Je suis désolée, Mary, dit-elle soudain. Vraiment désolée.

Puis elle arracha la bande élastique qui retenait

ses cheveux et laissa ceux-ci lui recouvrir le visage. Elle se mit à s'en frotter le nez et la bouche.

— Ne fais pas cela, Est, dit Cord.

Le tricot tomba à terre, et Estelle commença à se balancer d'avant en arrière. On pouvait voir qu'elle pleurait derrière l'écran de ses cheveux.

Cord pleurait lui aussi. Les larmes ruisselaient sur ses joues.

— Oh, mon Dieu, Stelle ! dit-il.

Il se leva et tenta d'écarter les cheveux du visage de ma mère, tout en lui répétant :

— Cela ne sera pas long, Stelle. Dès que tu iras mieux, ma fille...

Et moi, je pensais que je ne reviendrais jamais là. Jamais ! Je ne remettrais pas les pieds à Mountview de toute ma vie.

Je me précipitai hors de la chambre et pris en courant le corridor. Je courais comme un véritable athlète, plus vite qu'un garçon. Je ne m'arrêtai qu'après avoir atteint la voiture, rendue brûlante par le soleil mais à laquelle je m'accrochai jusqu'au retour de Cord.

Sur le chemin du retour, nous ne trouvions pas grand-chose à nous dire.

Je sortis ma tête par la portière pour respirer l'air frais et les odeurs de foin coupé et de fleurs de moutarde.

Comme nous approchions de Gresham Tears, Cord proposa que nous chantions une chanson. Nous essayâmes *Wake up, Little Susie,* mais nous ne connaissions pas bien les paroles.

Oh, Sandra !

Cet été-là, Walter Loomis tomba amoureux pour la première fois.

Il rencontra l'objet de sa flamme à une séance de cinéma qui se tenait dans la baraque des Guides. Le film était *Capitaine Hornblower,* avec Gregory Peck et Virginia Mayo. Le nom de l'aimée était Sandra. Walter, en la voyant, souhaita être Gregory Peck et pouvoir être, comme lui, capable de lever un sourcil sans bouger l'autre.

Elle portait une jupe de flanelle et un ceinturon. Ses cheveux étaient couleur queue-de-vache. Elle dit à Walter que son ambition était de devenir sténographe, mais qu'en attendant, elle travaillait chez les demoiselles Cunnigham, où elle vendait du fil à coudre et des élastiques pour petites culottes. Elle déclara aimer le canotage.

N'ayant encore jamais aimé que ses parents et Pete, Walter manquait tout à fait d'entraînement. Il ne savait si ce qu'il ressentait était bien ce qu'il était censé ressentir. Il se demandait s'il ne devrait pas écrire à un journal pour demander conseil, mais il ne savait lequel choisir. Il déclara à Pete :

— Je me sens comme si j'étais plein d'autre chose que de moi, comme si j'étais la baleine qui a avalé un homme.

Une fête foraine vint s'installer à Leiston. Walter se rendit à la mercerie Cunningham et trouva Sandra en train de ranger les bobines de fil de soie en un parfait arc-en-ciel. C'était une jeune fille qui aimait l'ordre. Son père était un tisserand qui faisait des pompons et des franges pour Harrods à Londres et pour la Reine à Sandringham. Sandra avait hérité ses longues mains soigneuses et son goût pour le travail méticuleux. Walter n'était pas son type. Quand il parut devant elle avec sa chemise sans col pour l'inviter à se rendre avec lui à la fête de Leiston, elle leva le regard de ses bobines, sourit et dit :

— Non, merci. Je crois pas que j'irai. Merci.

Walter alla tout seul à Leiston. Il loua une autotamponneuse et tamponna quelques filles en riant très fort, mais elles l'envoyèrent promener sans façons. Il prit place sur un manège de chevaux de bois et tourna en pensant aux cheveux marron de

Sandra volant au vent et à ses pieds s'agitant dans leurs socquettes blanches.

Il alla voir une diseuse de bonne aventure. Celle-ci chaussa des lunettes aux montures à paillettes et examina les grosses mains rouges de Walter.

— Je vois une recherche, déclara-t-elle. Très longue et difficile. Et je vois une rivière.

— La personne que j'aime fait du canotage, dit Walter. Est-ce que cela pourrait être cela ?

La diseuse de bonne aventure fronça les sourcils. Ou, du moins, en esquissa le geste, car elle n'avait plus de sourcils ; ils avaient été remplacés par un mince trait de crayon. Avant qu'elle ait eu le temps de répondre, Walter demanda :

— Pouvez-vous jeter des sorts ?

La diseuse de bonne aventure s'appelait Madame Cleo. Elle avait payé vingt-neuf livres et sept shillings une série de dents parfaites. Elle aimait donc à sourire pour bien les montrer. Elle sourit à Walter et lui dit qu'elle ne jetait que de bons sorts, d'excellents sorts, jamais de mauvais, et qu'un sort coûtait deux guinées.

Walter sortit son argent et commença à le compter.

Madame Cleo retira ses lunettes à paillettes et fit glisser son châle de ses épaules, découvrant le sommet de ses seins, comprimés dans un corsage recouvert de fausses perles. Walter comprit. Terrifié, il inspira profondément. L'impression d'avoir avalé un homme devint telle qu'il crut s'étrangler et périr. Il laissa Madame Cleo lui caresser la joue de son ongle écarlate. Il la regarda se lever et placer la pancarte « Fermé » sur la porte de sa caravane. Il ne protesta pas, ne s'enfuit pas et ne se posa pas même la moindre question. Il la laissa le conduire, comme un agneau à l'abattoir, dans son boudoir peint en rose et seulement éclairé par deux bougies brûlant dans des soucoupes.

Le lit était moelleux et sentait la soie artificielle. Madame Cleo avait un diamant synthétique enchâssé dans le nombril et une rose tatouée sur la cuisse.

Walter raconta à Pete ce qu'il avait fait à la fête. Pete éclata d'un rire tonitruant.

— Tu sais, demanda-t-il, quel est le véritable nom de Cleo ? Gladys.

— Cela m'est égal, fit Walter.

— Gladys Higgins.

— Cela m'est toujours égal.

Pete lui donna une sorte d'onguent qui sentait le goudron.

— Si elle t'a jeté un sort, dit-il, frotte-toi avec cela.

Se frottant chaque soir de l'onguent, Walter se remit à rêver de Sandra. Il lui plaçait une fausse pierre dans le nombril et une rose tatouée sur l'une de ses cuisses blanches. Il se voyait étendu avec elle sous le comptoir, à la mercerie Cunningham.

Puis, durant les aubes estivales, avant d'aller travailler à l'abattoir, il lui écrivit une chanson. Il n'en avait pas encore trouvé l'air, mais il savait que cela lui viendrait et qu'à ce moment pourraient aussi resurgir ses espoirs d'un lointain avenir au Tennessee, même s'il n'arrivait pas à jodler. Sandra serait son inspiration et, avec cette pensée au cœur, il arriverait bien à composer de la musique.

Sa chanson était triste. Ecrite sur un bloc de papier à l'en-tête de la boucherie « Arthur Loomis et fils », elle s'intitulait *Oh, Sandra*, et ne comportait dans l'immédiat qu'un couplet et un refrain.

Je suis un garçon de vingt et un ans.
Avant de te voir, je croyais avoir fait mon temps,
Je croyais que ma vie n'était pas une affaire
Et que toujours je resterais solitaire.

Oh, Sandra,
Pour toi je traverserai la toundra
Car je veux faire ton bonheur
Même au prix de tous mes pleurs.

Il était fier de ce texte, qu'il récita à Pete. Celui-ci sourit et dit :

— Difficile à faire rimer, Sandra. Mais ce n'est pas un mauvais début.

Comme naguère, ils passaient leurs soirées dans l'ancien bus, à chercher un air. L'été tirait à sa fin, et l'obscurité venait de plus en plus tôt les envelopper. Walter regardait le soir tomber et imaginait Sandra, seule dans sa chambre, retirant son ceinturon et sa jupe et commençant à se brosser les cheveux.

Quand ils trouvèrent enfin l'air, Pete l'écrivit, note après note, en comptant sur ses doigts, et Walter commença à travailler sur d'autres couplets. Il voulait que cette chanson n'ait pas de fin. Il voulait qu'elle occupe toute sa vie. Il ne savait pas ce qu'il aimait le plus, la chanson ou la fille, *Oh, Sandra* ou Sandra. Il était si content de lui que sa bouche s'ouvrait en un perpétuel demi-sourire.

Pete avait remarqué le plaisir du jeune homme et il le comprenait.

— Je me suis senti comme cela un été à Memphis, disait-il. Il avait fait froid, puis, brusquement, est arrivée cette nuit très chaude. Le lendemain, c'était dimanche et toutes mes roses étaient sorties, comme cela, bang ! Et le pasteur m'a dit : « Vous avez créé une vraie beauté, Pete. » C'est comme cela qu'ils parlaient là-bas. « Vous avez créé une vraie beauté, Pete. — Oui, monsieur. » Et je me suis senti bien. Tout rempli de joie.

Walter retourna à la mercerie Cunningham. Amy Cunningham était en train de déballer une boîte de pelotes de laine. Elle fixa Walter de ce regard qui était l'une de ses caractéristiques, froid comme la toundra même.

Ignorant son regard, Walter lui fit un signe de tête poli. Il avait, ce jour-là, mis une cravate. Il s'approcha de Sandra, qui était occupée à glisser un gant de cuir noir sur une main artificielle, et il exécuta une petite courbette un peu ridicule, recouvrant de sa casquette de tweed la partie de son corps qui avait goûté aux sorts de Madame Cleo.

Il proposa une promenade en bateau sur l'Alde, soulignant que l'été allait bientôt se terminer. Sandra ne le regarda pas. Elle avait une fois, avec son père, descendu l'Alde à la rame jusqu'à Orford Ness et la mer, et elle avait souvent rêvé de recommencer.

— Très bien, Walter, dit-elle. A dimanche, donc.

Il vint la chercher dans la camionnette de livraison de la boucherie Loomis. Il avait apporté son banjo et un petit panier contenant de la viande froide et des bouteilles de bière. Il avait espéré du soleil, mais il n'eut droit qu'à un jour morne et blafard, sans ombres et sans vent.

La société de location de bateaux s'appelait Wheatcroft's. Les canots, recouverts de multiples couches de vernis, étaient lourds et bas sur l'eau. Aucun coussin n'était fourni, et l'on s'asseyait sur des bancs en bois dur. L'eau s'accumulait au fond, sous le caillebotis. Il n'était pas question d'y allonger une jeune fille sous un parasol, comme dans les tableaux.

Sandra ne disait rien. Elle regardait défiler sous ses yeux le rivage et les vaches immobiles dans les prés.

Pour arriver à évoquer sa propre chanson *Oh, Sandra,* Walter commença à raconter à Sandra la vie de Hank Williams, qui, malgré ses origines misérables de fils de chauffeur de locomotive à bois, avait réussi à devenir un grand chanteur-compositeur de musique hillbilly.

Sandra n'avait jamais entendu parler de Hank Williams. Elle dit ne pas savoir ce que pouvait bien être un chauffeur de locomotive à bois. Walter contourna en toute hâte cet obstacle en lui précisant que Williams était mort dans un accident d'automobile à l'âge de trente ans, mais que l'on continuait à interpréter ses chansons.

— S'il en est ainsi, expliqua-t-il, c'est parce que Hank comprenait la *base* même de la « country music », c'est-à-dire la sincérité. Les hillbillies ne truquent pas. Ils chantent ce qu'ils ressentent. Et Hank disait que la raison pour laquelle ils sont plus sincères que la plupart des autres chanteurs, c'est qu'ils savent ce que c'est que de travailler dur.

— Pourquoi me racontez-vous tout cela ? demanda Sandra.

Walter cessa un moment de ramer. Il était en sueur. Il laissa le bateau dériver lentement au fil du courant.

— Je pensais, dit-il, que c'était quelque chose qui pourrait vous intéresser. Vous connaissez sa fameuse chanson, *Your cheatin' heart ?*

— Non.

— *I don't care if tomorrow never comes ?*

— Comment ?

— C'est le titre d'une autre chanson.

Je ne connais pas.

— Vous savez qu'il avait une déviation de la colonne vertébrale. Il devait se tenir tout de travers, mais cela ne l'a pas arrêté.

— Si nous faisions demi-tour, maintenant ? Je pense qu'il va pleuvoir.

Faire demi-tour ? La promenade avait à peine commencé. Il restait la bière à boire et la viande, bien enveloppée dans du papier huilé, à manger, et, quand le moment serait propice, la chanson à chanter. Dans l'esprit de Walter, l'après-midi ne devait jamais finir, la nuit ne devait jamais tomber et le canot de louage ne devait jamais être rendu.

— Continuons un peu, dit-il. S'il pleut, je vous ramènerai.

Sandra ne dit rien. Elle tira sa robe rose un peu plus bas encore sur ses genoux et la coinça derrière ses mollets. Devant ce geste, Walter eut le sentiment d'un amour bien mal récompensé.

Il reprit les avirons. Ils virent des poules d'eau s'activer au bord de la rivière et les premières feuilles de saule tomber en pluie, comme des pétales de fleur. Walter pensa qu'aimer Sandra était aussi difficile pour lui que, pour la lune, de réchauffer le ciel.

Chez le dentiste

Margaret Blakey vivait à proximité immédiate de la mer. Elle avait cinquante-sept ans. Sa maison s'élevait sur les falaises sableuses situées au-dessus de Minsmere. Elle avait vu, durant sa vie, de vastes fragments de falaise s'effondrer, rapprochant l'abîme de sa porte de quelque vingt-deux mètres.

Elle avait un fils unique nommé Gilbert. Il était dentiste, âgé de trente ans et célibataire. Margaret était ravie de le garder auprès d'elle. Elle avait calculé que si les falaises sableuses continuaient à se désagréger au même rythme, sa maison tomberait dans la mer lorsque Gilbert aurait atteint l'âge de soixante-huit ans. Il semblait à Margaret qu'en restant auprès d'elle Gilbert prolongeait en quelque sorte sa jeunesse et retardait ainsi la chute du morceau de terre sur lequel il résidait.

Gilbert ressemblait à Anthony Eden [1] jeune. Il avait les cheveux d'un blond très pâle, les canines et les incisives supérieures proéminentes et le regard rêveur. Sa petite moustache était méticuleusement taillée. Ses mains étaient longues et blanches. Margaret, qui avait pleuré après l'échec de Suez — pour l'Angleterre et pour Eden —, tirait fierté de cette affinité de Gilbert avec la grandeur, cette grandeur fût-elle passée. Elle le chérissait et le choyait comme un bébé. Il dormait entre des draps en toile d'Irlande, où il rêvait, à ce que supposait Margaret,

1. Homme d'Etat britannique plus réputé pour son élégance que pour son sens politique. Premier ministre au moment de l'affaire de Suez, en 1956. *(N.d.T.)*

d'un cabinet dentaire dans Harley Street[1] et de caries soignées dans des bouches illustres.

Gilbert ne rêvait aucunement de cela. Il rêvait de jeunes garçons et de jeunes hommes. Ils attendaient, assis sur des chaises, en lisant des magazines. Il les convoquait un à un. Il allumait sa lampe Miralux de 12 volts et disait très doucement :

— Ouvrez la bouche. S'il vous plaît.

Un jour d'octobre, deux personnes étaient assises dans la salle d'attente de Gilbert Blakey. Ni l'une ni l'autre ne lisait de magazine. Toutes deux souffraient. L'une était Mary Ward et l'autre Walter Loomis. Ils n'étaient encore jamais allés chez un dentiste.

Ils se mirent à parler. La peur avait déposé comme une brume sur les lunettes de Mary, et Walter lui apparaissait comme une personne installée dans les vapeurs d'un bain turc. Son visage était rouge et comme congestionné.

— As-tu peur, Walter ? demanda-t-elle.

Il passa ses grosses mains dans ses cheveux courts et bouclés.

— Je ne devrais pas, dit-il. Pas à mon âge.

— Moi, j'ai peur, reconnut Mary. Cela arrive parfois aux garçons.

Ils pouvaient entendre, dans la pièce voisine, le vrombissement de la roulette de Gilbert. Souvent, aucun son n'accompagne la douleur, mais ce jour-là, le cas était différent. Il valait mieux parler de n'importe quoi plutôt que d'écouter cela.

— J'ai entendu dire que ta mère n'était pas bien, dit Walter.

Mary frotta les verres de ses lunettes avec son poing.

— Oui, fit-elle.

1. Rue de Londres où se regroupent les représentants les plus éminents et les plus élégants des profession médicales. *(N.d.T.)*

— Nous en avons tous été désolés. Nous en avons tous été désolés, au village.

— Tu vis dans le trolleybus, Walter ? demanda Mary.

Walter sourit, ce qui ajouta à sa douleur et à sa peur.

— J'aime ce vieux bus, dit-il. Mais c'est à Pete, pas à moi. Il a installé une cuisine là où le chauffeur s'asseyait.

— Quand a-t-on inventé les trolleybus ? demanda Mary.

— Inventé ?

— Oui. En 1892, par exemple.

— Tu es une drôle de fille. Qui pourrait savoir une chose pareille ?

— Il y a bien quelqu'un qui le sait. Toutes les choses ont eu une époque où elles n'existaient pas.

— Sauf la terre.

— Comment ?

— Sauf la terre. Swaithey. Cela a toujours été là. C'est dans le Livre de l'Apocalypse.

— Tu ne peux pas dire « toujours ». Il y a eu un temps même avant « toujours ».

Walter opina du chef. Chez lui, ses parents parlaient de Mary Ward comme d'une « pauvre petite chose si ordinaire ».

— J'ai appris que tu allais aller au lycée de Weston, Mary, fit-il.

— Si je suis reçue à l'examen.

— Tu le seras, j'en suis sûr.

— J'aimerais bien que cela soit fini.

— L'examen ?

— Non, la roulette.

Mary fut la première à passer. Elle se sentait coupable de laisser Walter seul avec sa peur. Elle se demanda s'il allait prendre un exemplaire du *Tricot pour débutants* et essayer de le lire.

Gilbert Blakey s'essuyait les mains quand Mary entra. Il lui adressa un charmant sourire. Il portait une blouse blanche attachée dans le dos. Mary fut surprise de voir combien il semblait doux.

Il lui demanda de s'asseoir dans son fauteuil perfectionné et de renverser la tête en arrière. Celle-ci devait, en principe, reposer sur un coussin de cuir assez dur, mais Mary était trop petite pour le fauteuil, et sa tête se retrouvait dans le vide. Elle aurait souhaité que Cord soit là. Il aurait remis les choses au point.

Une assistante se tenait à proximité. Elle jeta dans l'eau d'un gobelet blanc émaillé une pilule rose qui commença à se dissoudre, donnant au liquide une couleur mauve. L'assistante était vieille et ne souriait jamais. Elle portait sur la tête une sorte de bonnet amidonné, attaché à ses cheveux par des pinces. Elle ne regardait pas directement Mary, mais gardait les yeux fixés sur un point assez éloigné, dans la pièce, et de ce point, son regard, devenu plus dur encore, semblait revenir sur la fillette. Mary se dit que si toutes les infirmières de Mountview étaient ainsi, sa mère allait mourir.

Gilbert finit de s'essuyer les mains et revint vers le fauteuil. Il abaissa le coussin de cuir, et Mary put y reposer sa nuque, ce qui lui donna du courage. La lampe Miralux vint alors l'éblouir. Elle pensa que cette lumière si compliquée devait permettre de voir des choses qui, jusque-là, étaient restées cachées.

— Bien, dit Gilbert. Voyons un peu de quoi il s'agit.

Comme si elle lui proposait des biscuits, l'assistante lui présenta un plateau couvert d'instruments métalliques divers. Il en choisit deux et elle reposa le plateau. Puis deux visages se penchèrent sur celui de Mary : celui, très doux, de Gilbert, et celui, toujours aussi impitoyable, de l'assistante. Mary se cramponnait aux bras métalliques du fauteuil. Elle aurait aimé que l'un d'eux soit la main de Cord. Il lui semblait entendre celui-ci l'exhorter au calme.

S'aidant de sa lampe, Gilbert détecta la source du mal et commença à sonder celle-ci. Cette opération donna à Mary l'impression qu'on l'électrocutait et que la douleur se prolongeait à l'infini, sans qu'il y eût le moindre espoir de la voir disparaître. Alors, au-delà des deux visages penchés sur elle, au-delà de la lumière de la lampe et au-delà de l'absence de Cord, Mary redécouvrit sa vieille compagne, la souffrance. Elle avait oublié son pouvoir.

La peur avait oblitéré un moment sa croyance en la magie qu'elle pouvait engendrer. Mais, en se retrouvant soudain face à elle, elle se soumit à ses pouvoirs de transformation. Elle cessa de serrer aussi fort les bras du fauteuil et d'appeler de ses vœux la sèche étreinte de la main de Cord. Ses pensées étaient devenues impitoyablement claires. A mesure que Gilbert creusait sa dent, elle sentait Mary s'annihiler un peu plus à chaque seconde, Mary devenir friable et s'en aller en fragments et en pulpe, tandis que Martin se réaffirmait.

— Amalgame, commanda Gilbert à l'assistante.

Celle-ci disparut du champ de vision de Mary. Le visage de Gilbert, tout contre celui de Mary, sentait l'eau de Cologne, et son haleine le maïs sucré. Très loin derrière lui, elle pouvait entendre l'assistante broyer dans un mortier une substance inconnue, et elle pensait que cette substance nouvelle allait devenir partie de Martin Ward.

Lorsque Walter fut appelé dans le cabinet, il était hébété de peur. Il s'assit dans le fauteuil de cuir et de métal et se mit à en étreindre très fort les accoudoirs. Ses grandes mains étaient molles et moites.

Gilbert se retourna après avoir lavé pour la huitième fois de la journée ses mains toute blanches et vit de la vapeur s'élever au-dessus de la tête de son patient. Sous la vapeur, on distinguait des boucles noires très serrées, les yeux doux et tendres d'un animal, une bouche charnue, rose et très moite. La contraction infinitésimale mais révélatrice des cuisses qui accompagnait le désir naissant amena Gilbert à se retourner en toute hâte vers le petit lavabo.

Les rêves que les jeunes hommes suscitaient chez Gilbert Blakey demeuraient des rêves. Il ne touchait leurs objets que par la pensée. Il avait l'impression que s'il commençait à passer à l'acte, sa vie allait s'effondrer pan par pan, comme les falaises de Minsmere dans la mer.

Comme il finissait de se sécher les mains et s'approchait de Walter, le téléphone se mit à sonner dans son bureau, et l'assistante s'éclipsa pour répondre, laissant Gilbert et son patient seuls, face à face.

Gilbert sourit. Il demanda à Walter de lui décrire ce qu'il ressentait et de localiser la douleur. Il choisit sur le plateau une sonde et un miroir. Il entendit Walter lui répondre que la douleur était partout, qu'elle lui emplissait le visage. Il ajusta soigneusement le repose-tête jusqu'à la position qui lui sembla adéquate, puis il reposa la sonde et toucha du bout des doigts les lèvres de Walter.

— Ouvrez, s'il vous plaît, dit-il.

Walter ferma les yeux. Tout devenait sombre, se rapetissait et se dérobait devant lui...

Le visage de Gilbert se trouvait tout près de l'épaisse chevelure, des cils recourbés au-dessus de la joue humide. Il s'efforça de se raffermir la main. Il pensa à la maison de sa mère, saine et solide et encore loin du précipice qui avançait régulièrement. La sonde lumineuse vint éclairer sans erreur possible une cavité dans la prémolaire droite numéro cinq, avec lésion apparente et opacité périphérique...

Gilbert vit la pâleur envahir le visage de Walter.

Il appela l'assistante. Il laissa tomber les instruments et attira Walter vers lui, dans ses bras, pendant un moment si bref qu'il put ensuite s'affirmer à lui-même qu'il n'avait jamais existé. Puis il courba la tête de Walter vers ses pieds, remarquant pour la première fois les lourdes chaussures que portait son patient. Il s'accroupit auprès de lui. Il avait une main sur le cou de Walter, un pouce passé sous le col effrangé de la chemise de laine.

L'assistante fit son entrée dans la pièce. Elle était

trop vieille pour courir et pensait que son pas mesuré lui conférait une autorité supplémentaire. Plus encore que son regard dur, il disait au monde entier combien elle était solide, attentive à tout et digne de toutes les confiances.

Des enfants sans baptême

La maison d'Edward Harker n'avait jamais été aussi propre. Les feuilles des plantes d'intérieur elles-mêmes étaient astiquées. Chaque matin, dès que Harker était descendu au sous-sol et que Pearl était partie pour l'école, Irene mettait son tablier à fleurs, prenait l'encaustique sur son étagère et le chiffon à poussière dans son tiroir et se mettait au travail.

Harker avait dit dans le village :

— Je fais venir Mrs Simmonds chez moi comme gouvernante.

Le terme avait une note de respectabilité qui avait beaucoup touché Irene. Elle était venue, et, désormais, elle allait tenir la maison. Cette maison n'était pas à elle et ne le serait jamais, mais, parce qu'elle y vivait, tout ce qu'elle pouvait contenir était devenu précieux aux yeux d'Irene. Harker était un homme de goût. Il savait à quoi devait ressembler un mobilier. Il savait que les pieds d'une table devaient être recourbés et qu'une toilette en bois pouvait être un objet de valeur. Irene s'agenouillait près du lit de repos Charles II du salon. Elle en astiquait l'osier. Elle prenait sur la cheminée les chiens de porcelaine et les regardait. Illuminée par cette soudaine bonne fortune, elle arrivait à voir de la beauté dans presque toute chose. Elle écrivit à sa sœur à Ipswich :

« J'apprends les noms des choses et les endroits d'où elles viennent. Mr Harker est un excellent professeur. »

Dans la journée, elle l'appelait, comme il le lui avait dit, Mr Harker. « Simplement par prudence, ma chère, avait-il bien précisé. Pour éviter les méchants commérages. » En fait, elle pensait toujours à lui comme Mr Harker, mais, pour la nuit, elle avait reçu des instructions différentes ; au lit, elle devait l'appeler Edward.

« Dis Edward, murmurait-il en se calant confortablement dans les rondeurs sublimes de son corps. Dis Edward, je le veux. »

Quelquefois, ces appellations sautaient les frontières. Un samedi matin, dans la boutique de Loomis, elle laissa échapper un Edward. Elle le vit arriver dans les yeux sidérés de Mr Loomis. Et la nuit, de temps à autre, remuée tout entière par la ferveur avec laquelle elle le sentait caresser ses seins, elle murmurait :

« Oh oui, Mr Harker. Continuez, continuez... »

Le père de Pearl, le typographe de Dublin, se trouvait peu à peu effacé de la mémoire d'Irene. Elle n'arrivait plus à se rappeler le goût de l'encre sur sa main, son dos dur et osseux, sa moustache fine comme une ligne d'imprimerie. Elle était amoureuse. Le désir que lui inspirait son très mûr amant ne cessait de s'accroître. Parfois, en pleine journée, elle descendait au sous-sol et s'asseyait au milieu des ombres couleur d'ambre pour le regarder travailler. L'atmosphère de l'atelier aux senteurs d'huile commençait alors à se charger. Souvent, elle s'en allait avec un simple baiser fugitif sur la tête blanche de son compagnon. Parfois, quand la chaleur l'envahissait et qu'elle se sentait chargée de nectar comme une abeille, elle enlevait sa culotte.

Elle avait sa propre chambre. Harker avait insisté pour cela. Il ne voulait pas que Pearl puisse raconter aux autres enfants, à l'école, que sa mère dormait dans le lit de son employeur. Mais il arrivait à Harker, après avoir fait l'amour à Irene, de s'endormir instantanément. Le sommeil tombait sur lui avec l'aisance légère d'une feuille voletant vers le sol. Il ne savait donc pas si Pearl ne l'avait pas vu dormant avec son bras posé en travers des seins d'Irene. Il ne savait pas si elle n'était pas entrée dans la chambre et n'était pas restée un moment à les regarder, ainsi, avant de repartir sur la pointe des pieds. Il pensait que lui, si méticuleux, était devenu bien négligent à cet égard.

Irene et lui étaient négligents en d'autres domaines. Une nuit où la neige semblait amortir tous les bruits, Irene lui dit :

— Savez-vous, Edward, que je vais avoir un enfant de vous ?

Elle avait bien préparé et répété cette phrase. Elle pensait qu'elle sonnait bien, comme si elle avait été dite par Celia Johnson. Elle appréhendait le choc qu'elle allait provoquer. Elle espérait qu'Edward n'avait pas quelque maladie de cœur qu'il eût tenté de lui cacher. Il resta silencieux pendant quelques minutes. Irene avait l'impression qu'elle entendait la neige tomber. Finalement, Harker dit :

— Eh bien, voilà.

Harker envisagea de quitter Swaithey. Il eut une nuit de pessimisme. Durant celle-ci, il se prit à pleurer la perte de sa vie solitaire, ordonnée. La respectabilité, elle aussi, avait été importante pour lui. Et là, il s'était placé parmi les déclassés. Sa situation dans le village allait s'effondrer. Les commandes de ses battes allaient baisser. Il eut un rêve où il se vit en vieux Bédouin pris dans une tempête de sable, perdu et n'ayant rien pour s'abriter.

Il s'éveilla tôt et descendit à son atelier. Un nouveau lot de bois de saule venait d'arriver. Il s'assit à son bureau et en sortit une feuille de cet épais vélin sur lequel il exécutait ses croquis. Il dessina un berceau.

A midi, quand il eut achevé les dessins, il monta. Il trouva Irene brossant le tapis sous le lit de repos Charles II. Il s'assit sur le siège d'osier et demanda à Irene de l'épouser. Il lui montra le dessin du berceau. Elle passa ses bras autour de son cou.

— Edward, dit-elle. Je ne sais pas si je dois rire ou pleurer.

Ils se marièrent à l'église de Swaithey. Irene portait un ensemble bleu et un chapeau bleu avec une violette.

Estelle avait été amenée en voiture de Mountview. Ses cheveux devenaient gris. Le cantique qu'ils chantèrent tous la fit pleurer.

Sonny portait un complet noir, comme pour un enterrement.

La plupart des gens du village vinrent, par respect pour Harker. Le cadeau d'Ernie Loomis était une couronne de côtelettes d'agneau décorées de papillotes. Les demoiselles Cunningham arboraient un sourire d'excuse qui, selon elles, aurait dû également figurer sur d'autres visages.

Estelle se retrouva ivre en ce qui lui parut quelques instants à peine. Elle sentait le vomi lui remonter dans la gorge. Elle se laissa conduire par Mary jusqu'à la voiture et lui dit :

— Ils cachent quelque chose. Même à moi. C'est probablement au sous-sol.

La vue de sa mère vint anéantir le bonheur que Mary ressentait pour Irene. Elle s'était fait une joie de voir Estelle, mais lorsque cela s'était produit, elle s'était prise à souhaiter que cela ne soit pas arrivé. Estelle portait une robe à pois, trop jeune pour elle, et au tissu trop mince pour cette froide journée de décembre. Mary n'avait jamais vu cette robe auparavant. Elle savait qu'elle devait appartenir à l'une de ces femmes assises sous les stalactites. Cette femme avait dû dire :

— Tu ne peux pas aller à un mariage avec ta vieille jupe, Estelle. Tu ferais mieux de mettre ma jolie robe à pois.

Après le départ de sa mère, Mary ne voulut pas retourner à la réception. Elle trouva la porte menant au sous-sol, où elle n'était jamais descendue. Elle savait que c'était là que travaillait Mr Harker, et que ce travail l'avait rendu célèbre en des endroits dont les gens de Swaithey n'avaient même pas entendu parler. Il était étrange d'imaginer la célébrité, qui semblait quelque chose d'aérien, venant d'une vieille cave baignant dans l'obscurité.

Mary alluma la rangée de lampes recouvertes de parchemin et contempla ce que révélait leur lumière jaune. L'endroit était tellement bondé de machines, d'outils, de bois et de papier qu'il ne semblait pas y avoir la place de faire quoi que ce soit. Cela sentait la colle, la résine et l'huile de lin, et l'odeur était si forte qu'on avait du mal à respirer.

Mary se déplaçait avec précaution. Elle se demandait si sa mère avait raison de croire que quelque chose était caché là. Il lui semblait y avoir un tel désordre qu'il allait être difficile de distinguer une chose cachée délibérément d'une chose cachée par mégarde. On ne pouvait savoir si ce qu'on voyait était censé être vu ou supposé être invisible. A l'école, au moment de Pâques, des œufs de couleur étaient dissimulés sur toute l'étendue du terrain de jeu pour que les enfants les trouvent. Le terrain de jeu était gris et les œufs de couleur brillante, afin que les plus jeunes enfants les trouvent sans difficulté. Mais, là, il n'en était pas ainsi. Tout était différent et tout était semblable. On pouvait tenir dans sa main une chose qui avait été cachée sans même le savoir.

Mary inspecta l'établi de Harker. Elle souleva un ciseau et fut surprise par son poids. Au-dessus de l'établi, une plaque de cuivre était vissée au mur de briques. La plaque portait les mots « Harker's Bats. Estb. 1947 [1] ». Mary la regarda et sourit. A ses yeux, cette plaque rangeait Harker au nombre des héros, à placer avec Montgolfier et Galilée.

Elle alla au bureau de Harker et s'assit sur son tabouret. Elle alluma une autre lampe. Sur le bureau se trouvaient les dessins de berceaux exécutés par

1. « Estb. » : abréviation d'« Established » (fondé). *(N.d.T.)*

Harker. Il y en avait de toutes sortes, montés sur pieds ou sur arceaux, compacts comme des abreuvoirs ou ajourés comme des cages. Mary inspira profondément et mit sa main sur sa bouche. Chère Maman, écrivait-elle en pensée, j'ai trouvé le secret. Tu avais parfaitement raison ; il est au sous-sol. C'est un bébé.

Elle entendit la porte s'ouvrir et se retourna. Harker se tenait sur le seuil. Son nez était un peu rouge et ses cheveux blancs un peu dépeignés.

— Eh bien, Mary ? fit-il.

— Je ne suis pas censée entrer ici, c'est cela ?

— Ce n'est pas un lieu sacré. C'est juste un lieu de travail. J'avais entendu quelqu'un descendre.

— J'ai vu les berceaux, Mr Harker.

— Fort bien.

— Je ne le dirai à personne.

Harker s'assit sur une chaise de bois qu'il était précisément en train de rempailler. Il se rappela soudain l'état de la chaise et se releva. Il sortit de sa poche un mouchoir rouge et s'y moucha bruyamment.

— Je le promets, dit Mary.

— Laisse-moi m'asseoir une minute, fit Harker.

Elle lui laissa sa place au bureau et il s'y installa avec reconnaissance. Il se sentait comme un coureur qui a besoin de reprendre son souffle. Mary se dit que ce serait vraiment terrible s'il mourait là, sous la plaque disant « Estb. 1947 », et emportait avec lui dans la tombe tout le bonheur d'Irene.

— Je promets de ne rien dire, fit-elle. Même pas à ma mère.

— C'est très aimable à toi, dit Harker, mais après ce qui a été fait aujourd'hui, cela n'importe plus beaucoup. Et les gens le sauront assez vite.

— Ce sont de très beaux berceaux, dit Mary.

— Merci.

— C'est celui qui se balance que j'aime le mieux.

— Vraiment ?

— Cela va être un garçon ou une fille ?

Harker avait repris son souffle. Il regarda Mary avec un sourire serein, comme angélique.

— Question tout à fait pertinente, dit-il. Qu'est-ce que cela *a été* ?

— Comment ? fit Mary.

— Eh bien, nous avons tous été déjà là avant, tu sais. Comme dit Voltaire — mais, bien sûr, tu ne connais pas Voltaire — « tout dans la nature n'est que résurrection ».

— Je n'ai pas été là avant.

— Mais si ! Pas en tant que toi, évidemment. Comme quelqu'un d'autre. Ou même comme quelque *chose* d'autre.

— Vraiment ? Et comme quoi ?

— Il se peut que tu le découvres. Il se peut que quelque chose te l'indique. Ou bien tu peux mourir sans l'avoir su.

— Et vous, vous étiez là avant ?

— Oh, oui.

— Comme quoi ?

Harker poussa un soupir.

— J'ai quelques idées là-dessus, dit-il. Mais je ne puis encore dire de façon certaine que je sais. Je suis fasciné par les endroits cachés, les endroits clos, cloîtrés. Donc, je pense que j'ai été une nonne. Probablement douée pour le tricot. Avec des habitudes alimentaires très régulières.

— Les nonnes sont des femmes.

— Oui.

— Alors ?

— Les âmes n'ont pas de sexe ni de genre. Il se peut que tu aies été un homme, Mary. Ou encore un ouistiti.

Le visage rond derrière ses lunettes, Mary contemplait Harker avec une extrême gravité. Les gens disent n'importe quoi aux enfants, pensait-elle. Ils croient qu'on ne sait rien du monde et qu'on n'a jamais entendu parler d'Hakluyt.

— Tu ne me crois pas, hein ? fit Harker.

— Non, dit Mary.

— Bien, il n'y a pas de preuve certaine, incontestable. Il n'y a que des signes, des choses qui s'emboîtent trop bien ou qui ne s'emboîtent pas du tout. Et de très nombreux peuples différents, tout autour de la terre, croient en ce genre de résurrection. Les Chang-Nagas de l'Assam croient que ceux qui avaient de belles voix sont revenus comme des cigales et ceux qui ne savaient pas chanter comme des mouches à purin.

Harker pensait que Mary allait se mettre à sourire à cette mention, mais elle ne le fit pas. Il poursuivit donc :

— Dans certaines régions de Bretagne, sais-tu ce qu'ils croient, Mary ?

— Non.

— Que si un enfant meurt sans être baptisé, il reviendra encore et encore sous la forme d'un moineau jusqu'au jour du Jugement dernier.

Mary continuait à regarder très calmement Harker.

— Qui d'autre croit cela ? demanda-t-elle.

— Eh bien, même dans la Bible, tu sais, dans l'Ecclésiaste, on dit qu'il n'y a « rien de nouveau sous le soleil ».

— Et Irene ? Elle pense que son bébé a été quelqu'un d'autre ?

— Elle se rend compte que c'est très probable.

— Quand on meurt, est-ce qu'on devient sa prochaine personne ou sa prochaine chose directement, ou est-ce qu'il y a un délai ?

Harker sourit. Il semblait ravi de cette question, et il dit :

— Il y a, à ce sujet, une fascinante histoire qui vient de Cornouaille. Un pasteur nommé Jupp était mort au presbytère de St. Cleer. C'était un homme très bon, aimé de tous et particulièrement de ses domestiques, qui portèrent longtemps son deuil. Environ un an se passa. Puis, un matin, l'une des femmes de chambre, qui avait particulièrement aimé le pasteur Jupp, trouva une araignée dans son placard à balais. Elle avait peur des araignées, et elle s'apprêtait à tuer celle-là avec son balai. Mais elle s'arrêta brusquement. Elle se sentait soudain emplie d'un sentiment de paix et de joie — ce même sentiment qu'elle éprouvait lorsqu'elle s'agenouillait dans le salon du pasteur Jupp pour les prières du soir — et elle était certaine que son vieux maître était là, dans le corps de cette araignée. Et, après cela, nul dans la maison n'osa tuer une araignée, de peur de tuer Jupp. Mais la chose curieuse était qu'un an s'était écoulé auparavant sans qu'il y eût le moindre signe du pasteur. Il semble donc qu'il y ait eu, ici, un délai, et il y a des centaines d'autres histoires en ce sens.

Mary regarda ses pieds. Elle portait des chaussettes montantes blanches et des sandales marron. L'une des choses qu'elle avait détestées durant cette journée avait été de constater combien ses pieds avaient l'air bête.

Elle était sur le point de dire : « Si j'étais quoi que ce soit avant, je n'étais pas une fille », lorsqu'elle entendit Irene appeler du haut de l'escalier :

— Edward, êtes-vous là ?

Harker se leva. Il lissa ses cheveux blancs et dit à Mary qu'elle pouvait rester et fouiner un peu dans l'atelier, mais que lui devait retourner à la réception.

— Il faut que je fasse honneur à ma nouvelle vie, dit-il.

Cette nuit-là, Mary commença à construire sa vie antérieure.

Elle avait été un magicien, connu comme « le Grand Camillo ». Ses cheveux avaient été noirs et brillants. Il avait été beau et intelligent. Sa spécialité avait été de couper et de reconstituer une corde. Il avait eu un brillant avenir devant lui, mais n'avait pu l'accomplir. Un rival jaloux nommé Timothy l'avait étranglé avec une cordelette de soie.

Il était revenu en tant que Mary. Quelqu'un avait

décidé qu'il serait convenable pour lui d'avoir une grand-mère morte à bord d'un planeur. On n'avait pensé à rien d'autre qu'à cela. Pas même à la petite taille et à la myopie. C'était comme la charge de la Brigade légère. Il y avait eu une erreur.

CHAPITRE V

1958

Estelle :

Ils sont venus et ils m'ont dit : « Vous allez beaucoup mieux, Estelle. Nous pensons que vous pouvez rentrer chez vous. »

J'ai dit au revoir.

« Au revoir, ont-ils dit, et prenez bien soin de vous, ma chère. »

J'ai dit au revoir à Alice, la femme-poule.

Elle a dit : « Oh, non, oh, non... »

Sonny est venu me chercher dans sa camionnette pleine de boue, avec son odeur de vieux sacs et de grain. Comme nous démarrions, je me suis retournée et j'ai vu Alice qui courait derrière la camionnette en m'appelant.

— C'est Alice, ai-je dit à Sonny. Et elle est plus heureuse comme une poule que comme une femme.

— Il faudrait que tu fasses un effort pour redevenir toi-même, Estelle, a-t-il dit. A moins que tu ne veuilles retourner ici.

Le visage de Sonny était pourpre. Son oreille abîmée paraissait tout enflammée. Je le vis assis seul devant la table de la cuisine avec des bouteilles de bière alignées devant lui comme des quilles. L'Angleterre est pleine d'hommes qui boivent seuls.

Je ne voulais pas retourner à la maison. A Mountview, ma chambre était située très haut et je pouvais voir une vue plongeante sur le monde. Je pouvais voir les jardins et leurs allées bien nettes. J'avais de beaux rêves.

Le soir, nous ne nous contentions pas du reflet de la bougie ; nous regardions la télévision.

Nous nous installions dans la salle de réunion, la lumière éteinte et nos chaises mises sur deux rangs, la lueur de la télévision nous saupoudrant de neige. Le programme que nous préférions était « Quel est mon métier ? ». Des gens venaient et mimaient un instant ce qu'ils faisaient dans la vie : souffleur de verre, allumeur de réverbères, taxidermiste, plagiste, huissier, percepteur. Puis une assemblée de gens célèbres posait au sujet des questions telles que : « Utilisez-vous de l'eau dans votre métier ? » ou « Etes-vous assis la plupart du temps ? », jusqu'au moment où l'on avait trouvé la réponse et tout le monde applaudissait tandis que le sujet disait : « Exact. Je suis un représentant en brosses et balais. »

Qui avait inventé cette émission ? Comment l'idée lui en était-elle venue ?

Le personnel de Mountview avait décidé que nous allions tous jouer à « Quel est mon métier ? » entre nous. Je fis remarquer que nous ne pouvions avoir une assemblée de gens célèbres ; il n'y en avait aucun chez nous. Et on me dit alors qu'il n'y avait pas besoin de gens célèbres ; n'importe qui pourrait poser les questions.

Un homme appelé Fred Tulley, qui avait été jockey jusqu'au moment où il était tombé sur la tête à Chepstow, dit : « Vous ne pouvez pas appeler cela "Quel est mon métier ?", car, à Mountview, personne n'a plus de métier. Il faut appeler cela "Quel *était* mon métier ?" » Mais ils ont dit alors : « Oh, non, Fred. Mountview est un refuge et bientôt vous retournerez tous dans le monde normal pour reprendre vos activités. » Fred a dit : « Excusez mon langage, mes calembredaines, docteur. Je ne remonterai plus jamais sur un cheval, même si je vis jusqu'à quatre-vingt-dix ans. » Nous avons tous ri sauf Alice. Alice a fait la poule et Fred Tulley a commencé à pleurer. Sur le mur de sa chambre, il avait une photo de lui dans l'enceinte des vainqueurs à Newbury. Le cheval qu'il avait monté s'appelait « Ne jamais dire jamais ».

Nous commençâmes à jouer. Beaucoup de gens, à Mountview, ne comprenaient pas le sens du mot « mimer ». Je trouvais étrange d'être dans un endroit où beaucoup de gens se prenaient pour des oiseaux sans savoir le sens du mot « mimer ».

Nous n'étions pas très bons à ce jeu de « Quel est mon métier ? ». La seule personne dont nous ayons deviné le métier était un danseur de claquettes, car, quand on mime, on ne peut s'y tromper. Cette danse est déjà une sorte de mime en soi, le mime d'une musique que personne n'entend sauf le danseur.

Une autre chose. Aucune des femmes présentes, moi comprise, n'avait jamais rien été de précis. Nous n'avions jamais eu de métier. Etre une épouse et une mère n'est pas un métier. Nous ne pouvions mimer ces choses-là. Aucune de nous sauf Alice. Elle avait été femme de ménage à la Bourse. Le plancher de la Bourse a cinq cent cinquante-cinq mètres carrés et tous ces mètres carrés doivent être nettoyés chaque soir. Alice m'avait dit que c'était l'étendue même de ce plancher qui l'avait fait ne plus se sentir humaine.

Je lui expliquai l'idée du mime. Et elle s'y essaya. Elle se mit à genoux, fit naître de ses mains un seau et un chiffon, et les gens commencèrent à crier : « Femme de ménage ! » « Madame Serpillière ! » « Cendrillon ! » Puis elle entreprit de ramasser sur le plancher des objets imaginaires et de les examiner. Personne ne sut de quoi il pouvait bien s'agir et tout le monde abandonna. Dans le vrai « Quel est mon métier ? », l'assemblée n'abandonnait jamais. Quand on est une personne célèbre, on ne peut pas dire qu'on abandonne.

Je lui demandai plus tard : « Qu'est-ce que tu

ramassais, Alice ? » Elle me répondit d'abord comme une poule : de la paille, des graines, des vers, des cailloux, des choses comme cela. Puis sa mémoire humaine lui revint un moment et elle me dit : « Oh, tu ne peux pas savoir, Estelle, ce que je trouvais là, qu'on abandonnait ou qui tombait du toit : des mouchoirs de soie et des jetons de casino. J'ai trouvé un coquillage exotique, une bougie de voiture et un pigeon mort. J'ai trouvé un bracelet en diamants, un porte-cartes en crocodile et des tas de préservatifs usagés. »

Le danseur de claquettes s'appelait Joseph. Un soir, alors qu'on venait d'éteindre la télévision et que nous restions assis sur deux rangs à cligner des yeux sous les lampes soudain rallumées, Joseph se leva et se mit à danser. Il avait mis ses chaussures spéciales, qui étaient noires et brillantes comme celles de Fred Astaire. Tout le monde se tut.

Alice mit une patte sur son bec.

Joseph nous fit tous taire, même les médecins et les infirmières. Le cliquetis de ses pas imposa un long moment le silence. Ce fut le meilleur moment que nous ayons jamais vécu à Mountview. Quand il s'arrêta pour reprendre son souffle, nous nous mîmes à applaudir, à taper des pieds, à hurler et à renverser les chaises.

Maintenant, je suis rentrée à la maison.

J'écris :

« Chère Alice,

« Comment vas-tu ? Je suis maintenant à la maison et mon père est venu passer quelque temps. Il apprend à Mary à faire des marbrures sur du papier transparent. Tous les murs de sa chambre en sont couverts. Il y a au moins trente feuilles. Sur chaque feuille, en bas à droite, elle a écrit un nom : Martin W.

« Sonny économise pour acheter une moissonneuse-batteuse. Il m'a montré quelque chose dans un magazine agricole, une photographie d'un homme appelé Roland Dudley, dans sa ferme, appelée Linkenholt Manor Farm, près d'Andover. Il m'a dit que ce Roland Dudley utilisait des moissonneuses-batteuses depuis l'avant-guerre et que toute sa vie en avait été changée. Alors, je lui ai dit : "Eh bien, Sonny, ne bois pas l'argent de la moissonneuse-batteuse..."

« Timmy a maintenant neuf ans. Il a commencé à chanter dans le chœur de l'église. Sa voix est si haute et si douce qu'il vous en ferait pleurer. Il est très mince. Ses petites omoplates font saillie sous la dentelle blanche qu'il porte pendant le service. Il m'a demandé l'autre soir : "Est-ce que Jésus est partout ou y a-t-il quelques endroits où il n'est pas ?" J'avais envie de dire qu'il y a des milliers d'endroits où il n'est pas. Il n'est pas avec moi dans le noir quand je suis couchée à côté de Sonny. Il n'est pas à la rivière pour cueillir du cresson. On ne l'a jamais vu à "Quel est mon métier ?" Mais tout ce que j'ai dit a été : "Je ne sais vraiment pas, Tim."

« Est-ce que je t'avais dit, Alice, que ma mère était pilote de planeur ? Elle aimait voir l'Angleterre d'en haut, bien nette et bien plate, comme une carte d'elle-même. Et c'est comme cela que tout semblait être, à la fin, à Mountview, une fois que je m'y étais habituée : très loin au-dessous de moi et tranquille comme l'été.

« J'espère que tu vas bien et que tu continues à regarder avec plaisir "Dixon de Dock Green".

« Cela m'a fait de la peine de te voir courir derrière la voiture en criant mon nom.

« Avec toutes les amitiés d'

« Estelle Ward.

Ferme de l'Orme
Swaithey
Suffolk
Angleterre
Le Monde.
Mars 1958. »

Mary :

J'étais le seul garçon du lycée de Weston.
Il y avait quatre-vingt-dix-sept filles et moi.
Le premier jour, nous devions donner nos noms à la classe.
Le professeur nous dit :
— Si l'une d'entre vous a un surnom par lequel elle aime être appelée, qu'elle nous le dise.
Elle ajouta :
— Je me nomme Miss Gaul, mais je crois savoir qu'on m'appelle Gallus.
Tout le monde rit sauf moi, car je n'avais jamais appris un mot de latin. Je me sentais bête et triste. J'imaginais Miss McRae disant : « Si tu vis dans un phare, Mary, il y a certaines choses qui peuvent t'échapper. »
Presque toutes les filles avaient un sobriquet. Elles rougissaient l'une après l'autre en le dévoilant. C'était gênant. La fille à côté de moi dit : « Mon nom est Belinda Mulholland, mais on m'appelle très souvent Binky », et je vis la rougeur s'étendre jusqu'à la racine de ses cheveux filasse et lui descendre dans le cou. Je pensai alors que dire quelque chose qu'on n'avait pas vraiment envie de dire pouvait vous faire le même effet que la poliomyélite se répandant en vous et vous laisser paralysée pour toujours.
Quand vint mon tour, je ne rougis pas. Je dis :
— Mon nom est Mary Ward, mais je n'ai jamais été Mary. J'ai toujours été Martin, et j'aimerais qu'on m'appelle Martin, s'il vous plaît.
Miss Gaul avait une longue tresse, enroulée autour de son crâne comme une corde, et, quand je dis que mon nom était Martin, la tresse s'échappa de la barrette qui la maintenait en place et se déroula.
Elle dit :
— Marty ? Très bien, ma chérie. Nous t'appellerons Marty.
Et, à cause de sa tresse déroulée, je ne me sentis pas capable de la contredire.

L'école était un grand bâtiment gris construit à l'époque victorienne. Quand on soulevait son pupitre, on respirait le passé. Les encriers étaient en porcelaine. Dans les couloirs, il y avait des rangées et des rangées de photographies d'anciennes élèves portant de longues jupes et les doux sourires des morts. Aux repas, la sauce elle-même sentait le vieux. Les gens qui travaillaient aux cuisines étaient des Portugais, descendants de Vasco de Gama.

J'aimais l'uniforme de l'école, et surtout la cravate, qui était rouge et blanche et ressemblait à une cravate d'homme. Je me trouvais plus jolie dans mon uniforme que dans aucun autre des vêtements que j'avais jamais portés, et la seule partie de moi-même dont je ne pouvais supporter la vue était mes jambes nues entre ma jupe grise et mes chaussettes grises. J'entrepris donc de marcher en tenant la tête très droite et en regardant au loin derrière mes lunettes. Cette attitude amena les autres à croire que je cherchais à me faire des amies. Le premier matin, trois filles vinrent me trouver en trois occasions différentes pour m'offrir de partager leurs bonbons. Mais je refusai.

— Non, merci, disais-je. Je n'aime pas les bonbons.

Sur quoi je m'éloignais. Je ne savais comment on fait pour être l'amie de quelqu'un.

Puis je vis Lindsey Stevens.

Elle était la plus grande de notre classe. Elle avait une longue et lourde chevelure attachée par un ruban. Ses yeux étaient doux et un peu endormis. On devinait qu'il n'y avait pas eu un seul moment dans sa vie où elle n'avait pas été belle. Je la regardai jusqu'à l'épuisement et me souvins de Miss McRae disant un jour que la beauté pouvait être fatigante.

Je fermai les yeux. Un professeur nommé Miss Wythe — avec un « y » — nous donnait notre première leçon de physique. Elle nous expliquait le principe de la bouteille thermos, et je pensais : je me ferai une amie de Lindsey Stevens ou j'en mourrai.

J'avais commencé à apprendre la prestidigitation. C'était ma vie antérieure imaginaire en tant que Grand Camillo qui m'en avait donné l'idée. Cord m'avait trouvé un ouvrage intitulé *Le Livre de magie de Black*. Il était gros et vieux, et illustré de gravures sur bois représentant des hommes en habit qui ressemblaient à des figures de cire et paraissaient incapables de même se mouvoir.

Dans l'introduction, l'auteur écrivait :

« Celui qui apprend à être un magicien fait de lui un maître de l'apparemment impossible. Dans son monde, les lois de la nature semblent être défiées. Il place devant les yeux mêmes d'une personne ce que cette personne n'avait jamais rêvé de voir. »

Je pensais, quant à moi, que ma vie avait été pleine de choses que je n'avais jamais rêvé de voir. Marguerite volant hors de l'arbre et allant atterrir sur la tête de Timmy. La vapeur s'élevant de Walter Loomis dans le salon d'attente du dentiste. Le plafond de stalactites à Mountview. Irene, tout en soie bleue, épousant Mr Harker. Et, maintenant, l'épuisante beauté de Lindsey Stevens.

Je répétai mes deux premiers tours à la maison, devant un miroir, avant de les essayer sur Cord et sur ma mère. Les tours avaient des noms. Ils s'appelaient le « transfert initial » et l'« escamotage classique par la paume ».

« L'art véritable de la magie, disait le livre, réside dans la façon dont le tour est présenté. »

Il expliquait qu'il fallait apprendre tous les moyens de distraire le public, de le faire regarder là où on voulait qu'il regarde et non à l'endroit où l'on faisait la manipulation secrète. Cette technique est celle de l'illusion.

Cord était un bon public et ma mère un mauvais. Son regard vagabondait un peu partout. On ne pouvait savoir si ses yeux se porteraient là où on le voulait. C'était comme si, tout le temps, jour après jour, elle cherchait quelque chose qui n'était pas là.

Cord s'en aperçut. Comme je commençai mon

numéro en disant « Mesdames et messieurs, vous pouvez maintenant voir une pièce de deux shillings dans la paume de ma main », ma mère, elle, s'obstinant à regarder le plafond, Cord lui dit :

— Allons, Est, fais attention. Regarde la main de Martin.

Je m'arrêtai et attendis que ma mère veuille bien regarder vers moi, puis je repris :

— Mesdames et messieurs, veuillez bien observer cette pièce de deux shillings...

— Pourquoi l'appelles-tu Martin ? demanda alors ma mère.

— Tais-toi, Stelle, répondit Cord. C'est simplement un surnom.

Je recommençai une troisième fois. Là, elle me regardait très intensément, comme on aurait pu regarder le Grand Camillo, et pendant un court moment — pendant les quelques secondes où j'ouvris les doigts de ma main gauche pour montrer que la pièce qui aurait dû s'y trouver avait disparu — je me sentis réchauffée par ce regard.

J'avais tant de fois répété, devant la glace, l'« escamotage classique par la paume » que je l'exécutais fort bien. Je pouvais surprendre et même effarer les spectateurs. Je vis cet effarement pour la première fois sur les visages de Cord et de ma mère. Le tour fut réussi. Ils sourirent et applaudirent. Et c'est à cela que je pensai quand je vis Lindsey Stevens. Je pensai qu'il fallait, à ce moment, utiliser mon pouvoir de faire arriver des choses extraordinaires.

Elle avait déjà une amie. Le nom de cette amie était Jennifer. Elles se promenaient ensemble en se tenant par le bras. Jennifer avait la tête toute bouclée. Elles ne me remarquaient pas.

J'allai jusqu'au pupitre de Lindsey à la fin des cours de la matinée et je lui demandai :

— Aimerais-tu voir un tour de magie ?

Lindsey avait une très belle peau, sans taches de rousseur ni marque d'aucune sorte.

— Il faut vraiment que je m'en aille, dit-elle.

Je sortis une pièce d'un demi-penny de la poche de mon blazer et en fis l'escamotage très vite, avant qu'elle ait eu le temps de ranger ses livres. Quand je vis surgir sur son visage cette expression d'effarement que je guettais avidement, je me dis que j'avais déjà obtenu un bon début.

— Tu sais faire d'autres tours ? demanda-t-elle.

— Oui, fis-je. Tu voudrais en voir un autre ?

Elle ne répondit pas. Elle se tourna vers Jennifer, qui venait d'arriver, et lui dit :

— Marty fait des tours de magie.

— Vraiment ? dit Jennifer.

— Mon grand-père était un célèbre magicien, affirmai-je.

— Quel était son nom ? demanda Lindsey.

— Il s'appelait le Grand Camillo.

— Je n'en ai jamais entendu parler, dit Jennifer.

— Non. Il est mort très jeune. Il a été étranglé par un rival.

— Etranglé ?

— Oui. Avec une cordelette faite de foulards de soie de couleur.

— Et tu as eu du chagrin ?

— Je ne l'ai pas connu. Il est mort alors que j'étais encore dans les limbes.

D'autres filles s'étaient agglutinées autour de nous. J'étais devenue un modeste centre d'attraction.

— Si quelqu'un, dis-je alors, pouvait descendre aux cuisines et me rapporter un morceau de sucre et un verre d'eau, je vous montrerais un peu de vraie magie.

L'une d'elles y alla. C'était peut-être Binky. Je restai près du pupitre de Lindsey, qui, ainsi que les autres, me posait des questions sur le Grand Camillo. J'inventais au fur et à mesure des détails sur lui. Je dis qu'à Londres il se déplaçait toujours en taxi et qu'il payait la course avec de l'argent qu'il cueillait en l'air. Je dis aussi que lorsqu'il dînait avec des amis au Savoy il pouvait faire disparaître et réapparaître leurs coupes de champagne autant de fois qu'il le voulait.

Quand le verre d'eau arriva, je le posai à côté de l'encrier en porcelaine de Lindsey. Je donnai à celle-ci le morceau de sucre et l'un des crayons à pointe douce que j'avais en permanence dans la poche de mon blazer.

— Très bien, Miss Stevens, fis-je d'un ton pompeux. Si vous vouliez bien maintenant inscrire clairement et de façon que tout le monde puisse les voir vos initiales sur le morceau de sucre...

— Mes initiales ?

— Oui. Ecrivez-les nettement et bien en noir sur le sucre. L.S.

Elle s'exécuta et je lui demandai de montrer le morceau de sucre à la ronde avant de me le remettre. Puis je laissai tomber le morceau de sucre dans le verre d'eau avec l'un de ces mouvements un peu spectaculaires que le livre de Black conseillait pour fixer l'attention du public. Après quoi je pris la main de Lindsey et la guidai vers le verre en disant :

— Maintenant, Miss Stevens, je veux que vous vous concentriez très fort sur le sucre. Dans un instant, il va commencer à se dissoudre et je veux que vous continuiez à le fixer des yeux jusqu'à ce qu'il ait disparu, en gardant votre main absolument immobile au-dessus du verre. Après quoi je vous révélerai quelque chose qui vous remplira de stupeur.

Elle me regardait en souriant. Le ruban qui, ce jour-là, attachait ses cheveux était de velours noir. Je regardai ma main, qui tenait la sienne. Mes doigts étaient courts et trapus, comme ceux de mon père, et les siens étaient longs et blancs.

Nous restions tous silencieux, à regarder le sucre. Je pensai que, quand le printemps viendrait, j'inviterais Lindsey à la ferme. Nous grimperions aux arbres ensemble et nous jouerions au petit cricket sur l'herbe avec Timmy et Cord. La nuit, elle dormirait dans mon lit, je coucherais à côté d'elle sur le plancher et je lui raconterais comment j'imaginais l'univers.

Quand le sucre eut disparu, je dis :

— Très bien ! Le moment est venu. Si, quand je lâcherai votre main, Miss Stevens, vous voulez bien la retourner, vous pourrez découvrir, je pense, que les initiales que vous avez inscrites sur le morceau de sucre se sont transférées — grâce à mes pouvoirs magiques — sur votre paume.

Je lâchai la main de Lindsey et elle la retourna. Les initiales L.S., faiblement marquées mais clairement visibles, se trouvaient sur sa paume, et elle se mit à rire de plaisir.

Les autres filles, Jennifer comprise, applaudirent. Puis elles commencèrent à m'interroger sur la façon dont j'avais procédé, mais Black m'avait bien avertie que « le jeune illusionniste avisé ne révèle pas la technique de ses tours ».

Et je déclarai donc :

— Je ne peux pas vous expliquer. C'est de la physique, avec des lois bien précises. C'est quelque chose d'autre.

Je me forçai à rester éveillée la majeure partie de la nuit suivante, afin de perfectionner un nouveau tour à montrer à Lindsey le lendemain. Lorsque l'aube arriva, j'étais capable de faire passer un récipient en plastique à travers la surface d'une table.

Puis je m'étendis sur mon lit et m'endormis en une seconde, comme Cord pouvait le faire dès qu'il avait éteint la radio.

Je rêvai de Miss McRae. Elle était dans ma chambre, regardant mes feuilles de marbrures. Elle se retourna vers moi et dit :

— De l'huile sur l'eau. C'est simple. Et pourtant regarde ce que cela peut faire, Mary.

Le brave homme

Un dimanche matin, en avril, Ernie Loomis s'éveilla très tôt et contempla la lumière très douce qui filtrait dans la chambre et Grace paisiblement endormie à côté de lui.

Il pouvait entendre les pigeons murmurer dans la cour et des oiseaux chanter dans les grands hêtres plantés derrière les granges.

Il éprouvait un sentiment de satisfaction comme il n'en avait encore jamais connu auparavant. Il considéra sa vie et se prit à l'admirer. Tout était en ordre : les hectares de terre et les hectares de ciel, Grace dans sa petite cabine avec la caisse enregistreuse, les animaux qui paissaient, l'élégant magasin avec son auvent bleu et or, le nom de Loomis dont la notoriété s'étendait de plus en plus dans tout le Suffolk, Pete bien installé dans son vieil autobus et même Walter, avec sa douceur foncière, sa tête de taureau et ses chansons.

Pâques arrivait, et Ernie avait une commande de deux douzaines de canards à préparer pour Swaithey Hall.

Après avoir contemplé avec satisfaction son existence pendant dix ou quinze minutes, Ernie se leva et, sans éveiller Grace, rassembla ses vêtements, descendit sur la pointe des pieds et s'habilla en bas.

En pénétrant dans la boutique, il vit le soleil se lever derrière les cottages peints de rose, de l'autre côté de la rue, et il sut que la journée allait être belle.

Il mit son tablier et affûta un couteau à découper et un hachoir. Il prépara un plateau propre. Puis il alla à la chambre froide et ôta de leurs crochets une demi-douzaine de canards. Ils avaient été plumés et vidés par Pete et par Walter, mais ils conservaient leurs têtes emplumées et leurs pattes palmées. Il les posa sur le billot et se mit au travail, tranchant les têtes et les pattes au hachoir, retaillant la peau autour du croupion et, en quelques mouvements précis et pleins d'aisance, redonnant forme aux canards avant de les disposer sur le plateau.

Le soleil s'était encore élevé dans le ciel et illuminait de jaune la vitrine vide. Ernie se retourna pour le regarder. Il pensait au dimanche de Pâques, aux narcisses et aux forsythias dans l'église, et aux brassées de primevères cueillies par les enfants. Il pensa que tout n'était que paix.

Ses gestes étaient très calmes quand il travaillait. Il avait quarante-neuf ans, et, depuis la fin de la guerre, il avait été totalement heureux.

Il leva les yeux du billot pendant une fraction de seconde. Il croyait avoir entendu, dans le calme de l'aube, la sonnette du magasin résonner.

Sa main droite en mouvement aurait dû s'arrêter à mi-course, mais elle ne le fit pas. Elle abattit le hachoir sur les trois doigts reposant sur le cou du canard et les sectionna net, au milieu de la première phalange.

Il vit ce qui était arrivé. Il vit les extrémités de ses trois doigts gisant sur le billot et pensa : « J'ai fait une chose irréparable. » Puis, quand la douleur commença à le gagner, il dit : « Tout est parfaitement en ordre ; je me suis armé contre cela. C'est pourquoi je me suis éveillé alors qu'il faisait à peine jour avec cette vision d'une vie si bien réussie : c'était pour m'armer contre cela. Parce que ce sont ces choses qui l'emportent : le ciel de printemps sans nuages, les cloches de Pâques, les reflets dans l'herbe, l'innocent orgueil de voir s'étaler en lettres bleu et or "Arthur Loomis et fils, bouchers". Ces choses-là l'emportent. C'est la vérité. »

Il ne bougea donc pas. Il vit son sang s'écouler entre les plumes vertes ornant la tête du canard et les tacher de marron. Il remarqua, au bout d'un instant ou deux, que le canard gisait dans une flaque de sang qui s'étendait progressivement, débordant du billot et venant imprégner son tablier comme de l'huile chaude.

Sa main droite avait perdu toute force. Le hachoir

s'en échappa et tomba avec un bruit de ferraille sur le carrelage.

Ce bruit aurait pu éveiller Grace, à l'étage, mais tel ne fut pas le cas. Le sommeil du dimanche matin était précieux. Elle se retourna, soupira et revint à ses rêves.

Ernie tentait maintenant de bouger, car il avait regardé vers la vitrine et vu qu'il n'y avait plus de soleil. L'ombre de son adversaire était si grande qu'elle bloquait toute la lumière, et, pour la première fois, il pensa qu'il n'allait peut-être pas remporter le combat. Il tenta donc d'aller vers la petite cabine de Grace où, dans un tiroir de bois, on gardait des bandages.

Il était à terre. Il ne pouvait pas marcher. Il se dit que cela n'avait pas d'importance, qu'il pouvait encore ramper sur le carrelage comme une anguille, et que ce qui importait, ce n'étaient pas seulement un bandage mais ce qu'il avait en tête...

Mais il avait oublié ce qu'il avait en tête. Tout lui semblait obscur et creux. Il savait que ses pensées existaient toujours, se trouvaient encore quelque part, au loin, quelque part dans le matin silencieux.

— Elles *sont* là ! dit-il à haute voix.

Puis une question, une dernière, éclata comme une petite flamme dans l'obscurité :

— Est-ce qu'elles ne m'appartiennent plus ?

Son sang avait coulé depuis près d'une heure lorsque Grace le trouva, à sept heures et demie. Il était mort depuis neuf minutes.

Elle se mit à hurler. Walter descendit l'escalier en trombe, dans son pyjama de flanelle. Ils s'agenouillèrent dans la flaque de sang, se serrant l'un contre l'autre.

— Ce n'est pas possible ! Ce n'est pas possible ! Ce n'est pas possible ! répétaient-ils.

Un peu plus tard dans la matinée, Pete installa le corps de son frère dans la chambre froide. Il ôta les vêtements imprégnés de sang. Le corps d'Ernie était cireux, de la couleur d'un boudin blanc. Pete le lava, l'essuya et banda de mousseline les doigts mutilés. Il se dit qu'Ernie était un brave homme.

Il le recouvrit d'un drap.

C'était la semaine Sainte. Le Révérend Geddis ne pouvait y caser un enterrement. On devrait attendre huit jours.

Dans les sentiers, les fossés et les bois des environs de Swaithey, les enfants s'en allaient cueillir des primevères afin d'en faire des bouquets pour l'église.

Dans l'attente des funérailles, tandis que Grace gisait dans son lit sans arriver à se consoler, même dans ses rêves qui, tous, la ramenaient au jour de son mariage, Walter allait s'installer seul dans le bus de Pete en faisant tourner des disques. C'était l'année du *Tout ce que j'ai à faire c'est rêver* des Everly Brothers.

La nuit, dans son lit, non loin de la chambre de sa mère, il restait éveillé. Il se sentait assoiffé, mais non d'un quelconque liquide, d'une chose qu'il n'arrivait pas à définir. Et, au moment où il s'endormait, la chose qu'il redoutait le plus commençait à arriver : Arthur Loomis se mettait à lui parler.

Dans ses rêves, Walter tentait de se cacher d'Arthur. Il essayait de se dissimuler dans les soues à cochons, sous le bus, dans un baril d'eau de pluie, mais Arthur savait tout, voyait tout et arrivait à le trouver n'importe où. Il souriait à Walter. Ses yeux étaient bons et doux. Il disait :

— Je ne suis là, mon garçon, que pour te dire ce que tu sais déjà. Ton avenir est au magasin. C'est le seul avenir que tu aies.

— Je sais, répondait Walter. Je sais.

Le magasin resta fermé un moment. Les rideaux étaient tirés. Un avis était collé sur la vitrine. Ce fut Pete qui nettoya le sang d'Ernie sur le carrelage et sur le billot. Il nettoya aussi le hachoir avec de la laine de verre et le rangea.

Des parents et amis étaient arrivés pour consoler Grace. Pour une raison ou pour une autre, on considérait qu'elle seule avait besoin de réconfort, et nul n'essayait de consoler Walter ou Pete. Il s'agissait principalement de femmes, sœurs ou cousines de Grace. Elles discutaient des fleurs à commander et des cantiques devant être chantés lors du service funèbre. Assises autour de la cheminée de Grace, elles tricotaient, se tapotaient les cheveux et regardaient leurs mains bien propres et bien blanches. Elles se répétaient de vieilles histoires du temps de la guerre. Elles cuisaient des scones et faisaient chauffer du thé très fort.

Walter les laissa installées là. Elles firent mine de ne pas remarquer son départ, mais elles se sentirent plus à l'aise sans lui. En son for intérieur, la tante Josephine se dit que, d'abord, il était trop fortement bâti pour la taille des chaises.

Il n'y avait aucun endroit où il pût se rendre sauf le bus. Se promener au soleil lui blessait les yeux et le cœur.

Pete et lui se firent cuire des saucisses sur le réchaud Primus et usèrent deux aiguilles de phono à écouter les Everly Brothers. Ils avaient beaucoup à dire, mais ils n'y arrivaient pas. Puis, en l'espace d'une soirée, ils composèrent un couplet et le refrain d'une chanson, et la soif qu'éprouvait Walter pour une chose qu'il ne pouvait nommer s'apaisa.

Il possédait maintenant une guitare et en jouait bien. La chanson avait un accompagnement en deux parties, guitare et banjo. Les pensées de Walter s'éloignèrent de la mort et de son avenir au magasin pour revenir à Sandra, qui lui avait envoyé une carte de condoléances. Elle contenait un poème qui semblait avoir été écrit par un atelier spécialisé, et le petit message de Sandra — « Avec ma plus profonde sympathie pour votre deuil récent » — paraissait, lui aussi, sortir de l'usine. Mais cela ne la diminuait nullement aux yeux de Walter. Il n'en était que plus résolu à l'amener, un jour, à s'asseoir dans l'herbe verte d'une prairie pour lui chanter ses propres chansons, qui venaient, non d'un atelier, mais du fond de lui-même.

Il devenait chauve. Il imaginait Sandra laissant courir ses doigts dans ses cheveux frisés, arrivant à la tonsure et la caressant doucement.

La chanson s'appelait *Froid comme l'hiver au printemps*. Elle était dédiée à Ernie et voulait décrire sa mort. Les paroles, à l'exception d'une ou deux, étaient de Walter et la musique principalement de Pete. Ce qu'ils avaient écrit en une soirée revenait à ceci :

On dit que la neige tombe à la fin de l'année,
On dit qu'en avril les fleurs couvrent les prés,
On dit qu'il faut craindre les jours d'hiver
Mais que la joie revient quand tout redevient
[vert.

Mais moi, je ne crois plus rien
Je ne crois plus qu'en avril la vie revient.
Le trépas est de tous les temps,
Froid comme l'hiver au printemps.

Ils voulaient terminer cette chanson à temps pour les obsèques, et demander à Grace et au révérend Geddis l'autorisation de la chanter à l'église, comme cela se fait dans les églises baptistes du sud des Etats-Unis. Mais le deuxième couplet ne venait pas. La mort d'Ernie avait été si affreuse et si brutale qu'il ne semblait pas y avoir de mots assez forts pour la décrire. Ils esquissèrent quelques vers où ils faisaient rimer « hachoir » avec « au revoir », mais se sentirent gênés du résultat. Ils avaient l'air et l'image de l'hiver au printemps, pour laquelle Pete félicitait Walter, mais c'était tout.

Ils restèrent debout très tard, à se battre avec leur chanson. C'était le soir du dimanche de Pâques.

L'enterrement était dans deux jours. Tous les arrangements floraux avaient été prévus et un voile de crêpe noir avait été cousu au chapeau de Grace.

On envoya Tante Josephine chercher Walter avec une torche électrique. Comme elle traversait la prairie obscure, elle entendit chanter et murmura :

— Un brave homme s'en va, et voilà ce qu'ils font !

Des boîtes magiques

Mary essayait de grandir.

Sa tête arrivait à peine aux épaules de Lindsey Stevens, et elle voulait aller beaucoup plus haut, jusqu'à ses yeux.

Quelqu'un lui avait dit qu'on pouvait arriver à grandir en s'étirant. Dans le gymnase de l'école, elle se suspendait par les mains aux barres fixées le long du mur. A la maison, elle s'accrochait au dessus des portes.

Elle se faisait penser à un embryon suspendu par un fil en sa vie provisoire. Elle s'imaginait qu'à mesure qu'elle grandissait sa peau d'homme commençait à se durcir.

Elle aimait le cheval d'arçons. Le professeur de gymnastique avait remarqué son agilité et son audace. Elle frappait très fort la planche d'appel et s'envolait. Ses atterrissages étaient sans bavure. Elle s'assura une place dans l'équipe junior de gymnastique, et avec elle un beau sautoir jaune, qu'elle examina avec révérence. Elle se demandait si du brio au cheval d'arçons pouvait mener à la célébrité et à la gloire.

Quand commença le trimestre d'été, elle revint en classe avec sept nouveaux tours de magie. Elle dit à Lindsey :

— Je travaille, à la maison, à un très grand tour, très difficile, et si tu veux venir habiter chez moi pendant les vacances d'été, je serai prête à te le montrer.

Lindsey répondit qu'elle ne savait pas si elle pourrait venir. A Pâques, elle avait rencontré un garçon, élève dans une école privée. Il s'appelait Ranulf Morrit. Il avait seize ans. Il lui avait appris à embrasser à la française. Il comprenait le grec. Il avait une écriture minuscule, et il allait lui écrire d'Haileybury une lettre par semaine.

« Un jour, pensa Mary, je serai comme Ranulf Morrit. Je serai assez grand pour me pencher sur Lindsey et l'embrasser sur la bouche. Je ne pourrai pas crâner avec mon grec, mais je saurai m'occuper d'elle. »

En histoire, on étudiait la légende du roi Arthur.

— Il se peut, déclara Miss Gaul, que la Table ronde n'ait jamais existé, mais, bien sûr, elle a vécu, au fil des siècles, dans l'esprit des gens. On peut donc dire qu'elle a une existence d'un certain genre.

— Y a-t-il d'autres choses dans l'Histoire, demanda Mary, qui ont seulement un genre d'existence et pas un autre ?

— Eh bien, Marty, répondit Miss Gaul, l'Histoire est pleine de mythes, de légendes et de superstitions. Pour une personne, un mythe peut être la vérité, et pour une autre une fable absurde.

— Mais qui a raison, alors ? La personne qui y croit ou celle qui n'y croit pas ?

Miss Gaul sourit. C'est une chose qui lui arrivait rarement.

— Aucune n'a raison, dit-elle, et aucune n'a tort.

Mary décida alors qu'Arthur n'était pas une légende. Pas pour elle. Pour elle, il existait, ainsi que Galahad et Lancelot. Et elle serait comme eux. Elle porterait une armure et elle n'aurait peur de rien. Et, ainsi, elle protégerait ceux qui seraient menacés. Elle protégerait Lindsey, qui signait « Mrs Ranulf Morrit » dans son livre de géographie, elle protégerait Pearl, qui refusait d'apprendre à nager et risquait de se noyer dans l'étang de Swaithey, et, par-dessus tout, elle protégerait Estelle : des rages de

Sonny, de l'oubli, de la menace d'être renvoyée à Mountview.

Le grand tour difficile préparé par Mary s'appelait l'« incroyable boîte à épées ». Elle avait convaincu Timmy en lui donnant des « smarties » de lui servir d'assistant. Elle avait écrit au Magic Circle de Londres pour demander où et comment elle pourrait se procurer dix épées. On lui répondit :

« Cher Martin Ward,

« Cela nous fait toujours grand plaisir d'apprendre l'existence de jeunes magiciens... Mais un matériel de ce genre est très coûteux, et nous vous suggérons de demander à vos amis de vous aider à fabriquer des épées en carton, qui peuvent paraître extrêmement réalistes. »

Mary ne voulait pas d'épées en carton. Elle voulait que son tour comporte un réel danger, de façon que le public soit d'abord terrorisé, puis hébété de soulagement. S'il n'y avait pas de vrai danger, il ne pouvait y avoir de vraie peur.

Elle écrivit à Cord, qui avait regagné Gresham Tears, et qui lui répondit :

« Je dois te dire, Martin, que des épées ne sont pas choses faciles à se procurer. Tu sais qu'on ne s'en sert plus beaucoup depuis la charge de la Brigade légère. Mais j'ai une idée : des épées d'escrime ! Est-ce qu'on pratique l'escrime à Weston ? Quand j'étais jeune, j'en faisais. Très bon pour les réflexes. »

Mais on n'enseignait pas l'escrime au lycée de Weston. Miss Gaul, consultée, suggéra les costumiers du théâtre de Maddermarket à Norwich. Elle avait une amie qui travaillait là à ses moments perdus. Cette amie s'appelait Miss Lyle. Elle écrivit :

« Chère Marty,

« Quelle fascinante requête ! Malheureusement,

nous sommes une troupe d'amateurs et je n'ai pas qualité pour louer le matériel du Maddermarket. »

Mary avait construit sa boîte avec des feuilles de carton. Elle y avait percé les trous par lesquels les épées devaient entrer et ceux par lesquels elles devaient ressortir de l'autre côté. Elle avait mis Timmy à l'intérieur de la boîte. Elle lui glissait des « smarties » par les trous. Black conseillait de « trouver la trajectoire correcte pour chacune des épées en vous exerçant à l'aide de tuyaux fins ». Mary n'avait pas de « tuyaux fins » sous la main. Elle dévissa les barres métalliques qui se trouvaient à la tête et au pied de son lit et s'exerça avec elles.

Pour amener Timmy à rester absolument immobile, accroupi dans la position prescrite, elle lui disait :

— Ce qui va arriver par le trou sera soit un « smartie » soit une barre de fer. Si tu bouges un seul muscle, je le saurai, et il n'arrivera plus de « smarties », mais seulement des barres de fer, et tu seras complètement bloqué à l'intérieur.

Elle se réjouissait à l'idée de Timmy, attendant dans la boîte, espérant voir arriver des « smarties », avec juste des petits points lumineux pour l'éclairer et sans possibilité de sortir dès que les cinq premières barres avaient été introduites. Quand elle exécuterait le tour pour de bon, en utilisant de vraies épées, elle lui dirait de chanter, au début, de sa plus belle voix de soprano pour montrer au public qu'il était bien là. Puis, quand la première épée serait introduite, le chant s'interromprait et tout le monde serait terrorisé.

Ce fut un début d'été froid et venteux. Comme les vacances approchaient, Mary commença à mentir à Lindsey. Elle lui dit qu'il y avait un poney à monter à la ferme.

— Formidable ! dit Lindsey.

Elle montra à Mary quelques-unes des lettres de

Ranulf Morrit. Il y précisait que ses parents vivaient dans un manoir. Un ruisseau à truites traversait le parc. Ils employaient une cuisinière espagnole nommée Ramona.

— Il est un peu vantard, non ? dit Mary.

Puis, en juin, ce fut entendu. Lindsey viendrait passer trois jours dans la première semaine des vacances. Elle se réjouissait de pouvoir monter à cheval, et elle était curieuse de voir Mary exécuter son « grand tour difficile ».

Et ce fut en juin qu'Estelle commença à supplier Sonny de louer une télévision. Elle disait que ce n'était plus du tout un luxe.

— Nous sommes presque en 1960, Sonny, disait-elle.

Mais il refusait. Il disait qu'ils n'en avaient pas les moyens, mais ce n'était pas là la vraie raison. Il considérait les postes de télévision comme des choses qui appartenaient à la ville. La lueur bleutée qu'ils émettaient lui rappelait les éclairages des villes, leur agitation nerveuse. Il ne voulait pas d'un morceau de ville chez lui.

Estelle écrivit alors à Cord, pour lui dire :

« La chose qui m'a aidée à me remettre quand j'étais à Mountview a été "Quel est mon métier ?". »

Après avoir lu cette lettre, Cord réfléchit. Il se souvint de l'effet lénifiant et réconfortant qu'avait sur lui son émission de radio favorite. Il écrivit à Estelle pour lui dire qu'il paierait la location de sa télévision.

Le poste arriva un après-midi. Le premier programme qu'Estelle regarda était « Muffin la mule ».

— Bonjour, les enfants, disait Muffin.

Les installateurs étaient montés sur le toit et avaient accroché une grande antenne à la cheminée, mais l'image demeurait trouble, au lieu d'être claire et brillante comme à Mountview et Estelle se plaignit. On lui dit qu'un arbre gênait la réception.

— Si j'étais vous, affirma l'un des installateurs, avec ce que vous payez, j'abattrais cet arbre.

Sonny, qui, dans un champ de blé, regardait le vent balayer les épis, vit monter l'antenne. Il devina ce qui s'était passé. Thomas Cord avait toujours gâté Estelle, lui avait toujours cédé et lui avait fait croire que la vie était un rêve. Et maintenant qu'elle se trouvait au milieu de sa vie, elle voyait bien que ce n'était pas un rêve, sauf au cinéma. Alors, c'était ce qu'elle voulait, maintenant : son propre petit écran de cinéma. Sonny cracha sur le blé. Il pensait qu'avec cette télévision sa vie n'allait plus jamais être la même. Chaque soir, elle se détruirait un peu.

Mais un changement s'opéra chez Estelle.

Au lieu de sortir et d'aller contempler la rivière, au lieu de marcher seule dans le crépuscule, elle restait paisiblement assise dans la salle obscure en attendant que les programmes commencent. Elle ne pleurait plus dans son sommeil, mais elle parlait. Sa voix était enfantine et joyeuse. « Bonjour, chers téléspectateurs », dit-elle une nuit.

Les dîners étaient à l'heure. Elle les préparait au début de l'après-midi, avant le début des programmes. Elle retrouvait sa propreté d'antan. Et, de temps à autres, son sourire enchanteur.

Elle dit à Sonny :

— La seule chose, c'est cet arbre.

— Cet arbre a cent ans, répliqua Sonny.

— On coupe des arbres tout le temps.

— Pas moi. Et pas sur ma terre.

La soirée où Lindsey arriva fut celle qui décida du sort de l'arbre. C'était un hêtre. Ses racines grises formaient un dessin parfait autour du tronc.

Mary avait eu beaucoup de mal à se préparer à la visite de Lindsey. Elle aurait voulu se coucher, dormir et laisser un rêve remplacer la réalité. Dans un rêve, elle n'aurait pas eu besoin de mentir au sujet du poney.

Elle s'était rendue à l'abattoir des Loomis pour chercher des armes en vue de son tour. Elle s'était dit que des couteaux causeraient une encore plus grande frayeur dans l'assistance que des épées. Celles-ci évoquaient un procédé de mort suranné, alors que les couteaux étaient bien actuels et veufs de tout esprit de chevalerie.

Elle avait espéré trouver Walter et engager la conversation avec lui en s'enquérant de l'état de ses dents, mais il n'y avait là que Pete, dégageant, en plein soleil, le canal d'évacuation du sang. Sous une lumière brillante, l'œil louchon de Pete se mettait à bouger de façon un peu désordonnée, comme des cellules le font sous la lentille d'un microscope. Quand il finit par trouver Mary dans son champ de vision, il parut perplexe.

— Qu'est-ce que tu veux ? demanda-t-il.

Elle s'enquit de Walter et Pete lui dit qu'il travaillait au magasin. Elle expliqua alors qu'elle était une apprentie magicienne et qu'elle avait besoin de dix grands couteaux pour le tour le plus ambitieux de sa courte carrière. Pete sortit de sa poche un chiffon rouge et blanc et s'essuya le visage.

— Quel âge as-tu, Mary Ward ? demanda-t-il.

— Douze ans, dit Mary.

— Douze ans, répéta Pete. Et tu veux que je te fournisse non pas un, mais dix couteaux assez bien affûtés pour trancher la tête d'un homme ?

— Oui, fit Mary. Seulement pour un soir.

Pete se mit à rire, en se frottant successivement la nuque, les avant-bras et les mains avec son chiffon. Il dit que certains, à Swaithey, pensaient qu'il était demeuré à cause de son œil, mais qu'il n'était pas assez demeuré pour faire une chose pareille. Puis il ajouta :

— J'ai vu un magicien, une fois. Il lisait dans les pensées. Mais il n'était pas drôle. Tout ce qu'il savait dire, c'était des numéros de téléphone.

Mary attendit un peu, dans l'espoir qu'il change d'avis. Mais il remit son chiffon dans sa poche et s'éloigna.

Mary rentra en traversant le village et entendit alors des bruits de tondeuses à gazon qui lui donnèrent une idée. Et cette idée — la transformation de lames de tondeuse en épées — lui coûta une nuit et demie de sommeil. Elle travaillait à la lueur d'une lampe électrique dans le hangar aux machines. Il y avait six lames, et non dix, et il fallait qu'elle retire chacune d'elles, qu'elle lui fabrique une poignée en bois et qu'elle ajuste cette poignée sur la lame. Seule l'idée de la terreur qu'elle allait susciter l'empêchait de s'effondrer sur le sol du hangar et d'y dormir comme un soldat en rase campagne.

Il apparut ensuite que les épées improvisées n'étaient pas aussi longues que les barres métalliques du lit. Mary dut donc fabriquer une boîte plus petite. L'espace réservé à Timmy en fut réduit d'autant. Elle dut lui expliquer que s'il bougeait d'un centimètre, il se ferait blesser. Il resta donc immobile comme un mannequin dans l'obscurité. Sur l'ordre de Mary, il se mit à chanter :

Agnus Dei, qui tollis peccata mundi, miserere nobis,
Agnus Dei, qui tollis peccata mundi, dona nobis pacem...

Lindsey arriva dans l'après-midi. Son père la conduisit à la ferme dans sa Humber Super Snipe. Il n'y eut que Mary pour l'accueillir. Estelle regardait la télévision, les rideaux tirés, et Sonny et Timmy se trouvaient dans les champs, où l'on moissonnait dans le soleil et la poussière de blé.

Mary montra à Lindsey sa chambre. Dans un coin, recouvertes d'un torchon, se trouvaient la boîte magique et les six épées fabriquées avec les lames de tondeuse.

— Tu peux prendre mon lit, dit Mary. Je dormirai sur des coussins.

— Entendu, fit Lindsey. Mais tu as l'air malade, Mary. Tu as une mine épouvantable.

— Oui. Je suis désolée, Lindsey, mais il m'est arrivé un malheur. Mon poney est mort.

Lindsey était en train de déballer une photo encadrée de Ranulf Morrit. Elle la posa doucement sur la table de nuit, alla vers Mary et l'entoura de ses bras. Le visage de Mary se trouva pressé contre sa poitrine, qui n'était plus tout à fait plate.

— Quelle déveine ! fit Lindsey. C'est horrible. Pleure si tu en as envie. Comment s'appelait-il ?

La figure enfouie dans le pull angora de Lindsey, Mary n'arrivait pas à imaginer de noms de poney. Elle choisit donc de se taire, sachant que Lindsey mettrait son silence sur le compte du chagrin. Au bout d'un moment, Lindsey se dégagea et commença à déballer une tenue d'équitation flambant neuve. Mary la regarda en attendant elle ne savait quoi.

Un peu plus tard, elle se mit à attendre le soir et le moment d'exécuter le tour de l'« incroyable boîte à épées ».

Elle avait aligné trois chaises. Elle aurait souhaité un plus vaste public. Elle fit asseoir sa mère, puis Lindsey et Sonny. Lindsey avait un ruban vert dans les cheveux. Mary se dit qu'elle allait disposer d'un pouvoir absolu sur ces trois personnes tant que durerait le tour, et qu'ensuite ce pouvoir s'évanouirait totalement.

Elle produisit la boîte, qu'elle avait décorée d'étoiles dorées et argentées. Elle la retourna pour bien leur en montrer les six côtés. Elle appela Timmy et dit :

— Mesdames et messieurs, mon assistant pour ce tour exceptionnel est un choriste et il va vous chanter l'*Agnus Dei* pour bien vous montrer qu'il est toujours dans la boîte. Maintenant, Timmy, c'est le moment d'entrer dans la boîte.

Timmy oublia la révérence que Mary lui avait appris à faire à l'intention du public. Il avait la bouche béante. Mary se demanda s'il avait peur, s'il savait qu'elle avait autrefois tenté de le tuer avec du Flit.

Elle referma la boîte. Les lames étaient dissimulées derrière un fauteuil. Le livre de Black conseillait : « Produisez vos épées dans un grand mouvement théâtral, en vous efforçant de les tenir d'une seule main et de les mettre en éventail. » Mais les lames de tondeuse avec leurs manches de bois étaient lourdes, et il n'était pas question de les mettre en éventail. Tout ce que Mary pouvait faire était de les soulever.

Elle les montra comme elle put à l'assistance. A son signal — un petit coup de pied au flanc de la boîte — Timmy commença à chanter son *Agnus Dei*. Sa voix était frêle et tremblante. Le public commençait à laisser paraître des signes d'angoisse. Mary sourit intérieurement et s'avança.

— Maintenant, mesdames et messieurs, commença-t-elle, vous pouvez voir ici les couteaux les plus terribles qu'on ait jamais aiguisés — plus acérés que des épées, plus acérés que des cimeterres...

— Attends une minute ! aboya Sonny en se levant.

Mary continua comme si rien ne se passait.

— Ce que je puis vous promettre, dit-elle, c'est qu'aucun mal ne sera fait à mon assistant, le choriste.

— Arrête ! hurla Sonny.

— Laisse-la finir le tour, dit Estelle.

Sonny marcha droit sur Mary et lui saisit le poignet. L'*Agnus Dei* de Timmy dérapa et s'interrompit.

— Qu'est-ce que c'est que cela ? demanda Sonny en désignant les lames que Mary tenait à la main.

— Tu gâches le tour, dit Estelle.

— La ferme ! cria Sonny. Qu'est-ce que c'est que cela, Mary ?

— Des lames... bredouilla Mary.

Sonny les lui arracha de la main. Mary remarqua combien, avec lui, elles semblaient légères.

— Et puis ? demanda-t-il.

— C'est le matériel du tour.

— Non, jamais de la vie ! Ce n'est le matériel d'aucun tour. Je ne marche pas. Tu cherches à me faire tourner en bourrique depuis que tu sais marcher, mais tu n'y es pas arrivée. Ces lames viennent de ma tondeuse, tu les as volées et si tu crois que nous allons rester là comme des singes empaillés à regarder ton prétendu tour, tu es encore plus bête que je ne le pensais.

Timmy était sorti en rampant de la boîte et regardait Sonny bouche bée.

Sonny gifla violemment Mary. Elle partit en arrière et tomba sur la boîte, qui s'effondra sous elle. Timmy laissa échapper un petit ricanement de frayeur.

Estelle se couvrit les yeux de ses mains.

Mary et Lindsey étaient étendues côte à côte dans l'obscurité de la chambre de Mary.

— Je suis désolée que ce tour ait été un tel échec, dit Mary.

— Tout va bien, fit Lindsey. En réalité, je ne suis pas si folle que cela d'illusionnisme.

C'était plus ou moins comme Mary l'avait imaginé : Lindsey sur le lit et elle sur les coussins du divan, sur le plancher.

Mais elle avait aussi imaginé un énorme silence, un silence de fin du monde s'abattant sur tout et sur tous à l'exception de Lindsey et d'elle-même, dans la chambre, comme si elles avaient été les seules personnes en vie. Or, il n'y avait pas de silence du tout.

A côté, dans leur chambre, Sonny et Estelle se disputaient à propos de l'arbre. C'était gênant. Mary dut s'excuser auprès de Lindsey. Elle dut lui dire de ne pas écouter.

Mais, étendues dans le noir, elles écoutaient quand même.

Estelle accusait Sonny de se soucier plus d'un arbre que de son équilibre mental. Il lui répondait qu'elle se souciait plus d'une boîte à images que d'un hêtre centenaire.

Estelle se mit à pleurer en disant :

— Un arbre ne fait rien, ne vous dit rien, ne vous fait jamais rire.

Sonny frappa du poing le montant du lit. Il dit

qu'il allait abattre l'arbre le lendemain matin, mais que ce serait la dernière chose qu'il ferait pour elle, la toute dernière.

Après cela, le silence retomba.

Mary entendit une chouette hululer dans le vide de la nuit, et elle pensa : « C'est comme mon enfance, tout près et en même temps très loin, s'arrêtant un moment pour vous appeler, puis s'envolant on ne sait où. »

DEUXIÈME PARTIE

CHAPITRE VI

1961

Une tempête

Un matin de mai et dans le silence le plus complet, l'assistante de Gilbert Blakey s'effondra sur le sol du cabinet dentaire et mourut. Gilbert et son patient entendirent un bruit sourd. Gilbert interrompit le forage d'une prémolaire supérieure et se retourna, le patient se tourna également, et ils virent Mrs Anstruther étendue sur le linoléum comme un mannequin de cire, un sourire aux lèvres.

Gilbert reposa sa roulette et alla chercher un flacon de sels dans un placard.

Le patient était un éleveur de truites. Il remarqua le regard brumeux de l'assistante et, dans l'état un peu second où il se trouvait, à demi anesthésié, il vit le corps flotter à la surface de quelque cours d'eau imaginaire.

— Je ne crois pas que ce soit un évanouissement, Mr Blakey, dit-il à Gilbert.

Cette nuit-là, la tempête se déchaîna. Il tomba 210 millimètres de pluie en dix heures. Les pommiers furent dépouillés de leurs fleurs par le vent. Les lignes de téléphone et d'électricité tombèrent dans les champs et dans les chemins creux. L'océan donna de l'épaule contre des côtes sans défense, et les falaises de Minsmere commencèrent une fois de plus à se désagréger et à s'effondrer.

Réveillé par la tempête dans une chambre totalement obscure, Gilbert Blakey pensa immédiatement au précipice. Il se demanda de combien de mètres celui-ci s'était rapproché. Sa chambre faisait face à la mer. Il resta tranquillement étendu, guettant d'éventuels craquements au-dessous de lui. Il n'avait pas peur. Il caressa sa moustache. Il était prêt à faire face à n'importe quoi, un coup de tonnerre, un cataclysme. La mort de son assistante lui avait, par sa rapidité, son caractère soudain, procuré un sentiment de grand détachement. Il s'était dit que si cela pouvait arriver ainsi, tout pouvait arriver. Tout et n'importe quoi.

Sa mère vint frapper à sa porte, en s'éclairant d'une bougie plantée dans un pot à confitures. Elle avait des bigoudis jaunes dans les cheveux.

— Il n'y a plus d'électricité, dit-elle.

Elle s'inquiétait pour ses poiriers, mais ne mentionna pas la falaise. Elle espérait que les pêcheurs n'étaient pas sortis en mer.

Gilbert mit sa robe de chambre en soie. Ils descendirent à la cuisine et Margaret Blakey ressortit son réchaud Primus du temps de la guerre pour faire du thé. Gilbert fumait une Du Maurier. Vu ainsi, à la lueur des bougies, avec sa robe de chambre en soie et ses mains fines, on aurait pu le croire dans un endroit élégant de Londres, jouant une petite partie de baccara.

« Il ne devrait pas être ici avec moi, songea Margaret, mais très loin, avec des femmes de son âge. »

Au bout d'un moment, après qu'elle eut fait le thé, elle demanda :

— Avaient-ils annoncé cette tempête, Gilbert ?

— Je ne sais pas, dit-il, mais, en tout cas, on ne peut jamais croire les prévisions météorologiques.

Margaret offrit un biscuit à son fils, mais il refusa. Il aurait préféré qu'elle ne mette pas ses biscuits dans une boîte empestant le saindoux. La mort de

Mrs Anstruther l'avait rendu encore plus sensible à ce genre de détails.

La tempête réveilla tout le monde à Swaithey.

La cave d'Edward Harker avait été entièrement inondée en 1950, et, lorsqu'il se trouva éveillé, il pensa immédiatement à tout ce qu'il avait laissé sur le plancher de son atelier, les piles de planches de saule, la sciure et les copeaux, les chiffons huileux et les bouts de ficelle. Il vit en imagination l'eau se déverser dans le conduit d'aération et par les fissures des soupiraux donnant sur la rue. Il poussa un soupir. Il détestait l'eau. Il n'était jamais allé en mer ou même dans la région des Lacs [1]. Jusqu'à sa rencontre avec Irene, il eût été tenté de décrire sa vie comme vouée à la sécheresse.

Il faisait froid dans sa chambre. Il réveilla Irene sous le prétexte de la rassurer. Il aurait voulu qu'ils restent étendus l'un à côté de l'autre à parler de cricket ou de spoutniks en attendant que la tempête passe. Mais à peine l'eut-il touchée qu'elle était debout, passait sa robe de chambre et commençait à chercher des lampes de secours. Sa première pensée avait été pour Billy, d'aller le chercher dans son petit lit et de le prendre contre elle pour qu'il n'ait pas peur.

— Est-ce qu'il pleure ? demanda-t-elle à Harker en allumant une lampe à pétrole.

— Non, dit Harker. Billy dort comme un soldat de plomb.

— Comme un soldat de plomb ? répéta Irene. Quelle drôle de chose à dire !

Puis elle ouvrit la porte de la chambre et dit :

— Edward, j'entends de l'eau couler quelque part à l'intérieur de la maison.

1. Région du nord-ouest de l'Angleterre — Cumberland et Westmorland — réputée pour la beauté de ses sites lacustres. Elle inspira d'interminables vers à Wordsworth et à ses disciples. *(N.d.T.)*

— Oui, fit-il. Dans la cave. Si tu me trouves la lampe Tilley, je vais descendre.

— Trouve-la, dit Irene en s'éloignant.

Le temps où elle était la domestique de Harker était révolu.

Elle revint un moment plus tard, conduisant un groupe fantomatique jetant des ombres gigantesques sur les murs. Irene portait sur son épaule Billy endormi, et Pearl, en chemise de nuit blanche, s'accrochait au pied de son frère.

— Edward, demanda Pearl, qu'est-ce qui se passera si le vent arrache le toit ?

— Eh bien, fit-il d'une voix douce, nous pourrons mieux voir le ciel.

Pearl alla se coucher dans le grand lit. Ses longs cheveux couleur de citron se répandirent sur l'oreiller d'Irene. Les gens du village s'étaient attendus à voir disparaître à mesure qu'elle grandirait la joliesse puérile de Pearl, mais il n'en avait rien été. Elle avait maintenant dix ans, et elle savait qu'elle était très belle.

Billy s'éveilla. Il regarda sa mère et les lumières tremblotantes autour de lui, puis il éternua. Irene lui caressa les cheveux en lui disant de ne pas avoir peur de la tempête. Il sourit et salua sa famille de la main, comme un petit empereur bien gras. La peur était une chose qui ne le visitait pas souvent.

— Tu ne descends pas ? demanda Irene à Harker.

— Si, fit-il. J'y vais.

Billy s'échappa des bras d'Irene, courut vers son père et s'accrocha à sa jambe.

— Je sais aller à la cave, proclama-t-il.

— Non, Billy, dit Harker. Tu restes avec Maman et avec Pearl.

— Non, répliqua Billy.

Il serrait si fort la jambe de Harker que celui-ci ne pouvait plus bouger.

— Il fait froid dans la cave, intervint Irene. Tu attraperais du mal.

— Je sais aller à la cave, répétait Billy.

— Je vais le prendre avec moi, dit Harker.

Irene alluma une nouvelle lampe et la donna à son mari. Celui-ci se mit en route, avec son fils sur un bras et la petite lumière tendue devant eux, dans la maison obscure. Au-dehors, on entendait le vent balayer la rue, faisant voler les couvercles des poubelles, jonglant avec les bouteilles de lait et arrachant les tuiles des toits.

Dans la cuisine, Harker alluma la lampe Tilley.

Il ouvrit la porte menant à la cave et sentit le froid. Le bruit évoquait celui d'un petit torrent dévalant une pente.

— Eau, dit Billy.

Harker assit Billy sur les marches et lui commanda de ne pas bouger. Ne pas bouger était une chose insupportable pour Billy Harker. Il vit son père patauger dans une sorte de lac noir. Il vit de gros copeaux de bois flotter sur l'eau comme des bateaux. Et il se mit à rire.

— Ce n'est pas drôle, Billy, fit Harker. C'est une inondation.

Puis il se dit qu'après tout c'était peut-être drôle. Pas seulement cette rivière coulant soudain dans son atelier, mais tout ce qui lui arrivait. Naguère, il était un personnage tranquille, n'ayant de passion que pour les battes de cricket, une ancienne nonne éprise d'ordre et de silence. Et, maintenant, il n'y avait pas seulement Irene. Il y avait Billy. Billy qui courait dans toute la maison en prétendant qu'il était une voiture, qui se servait de son lit comme d'un trampoline, qui faisait des triples sauts sur le palier.

Pete Loomis avait senti venir la tempête depuis longtemps.

Il était allé dans son bus, s'était fait du café et avait attendu.

Le bus était durement secoué par le vent. Après toutes ces années de service et celles qu'il avait passées à abriter Pete, allait-il être soudain balayé au bout de l'horizon ?

Pete but une gorgée de son café brûlant et décida de revenir par la pensée à Memphis. Il fredonna un « spiritual », *Poussière sur la Bible*. Il s'installa dans son bar favori « Jo Anne's Lounge ». Dehors, dans la nuit, une tempête approchait. Les lumières commençaient à clignoter. Il ne le savait pas encore, mais cette nuit, à Memphis, Pete Loomis allait rencontrer la fille qui mettrait fin à son existence de rêve dans le Tennessee.

Elle entra dans le bar. Elle s'assit à côté de Pete et commanda un lait chocolaté. Elle frissonnait. Elle portait une robe de coton à manches courtes.

Pete buvait du café en bavardant avec Jo Anne. La prohibition existait encore dans le Tennessee à cette époque. Jo Anne déclara qu'elle n'avait pas de bougies, mais qu'elle avait, chez elle, une tonne de savon. Pouvait-on s'éclairer au savon si les lumières s'éteignaient ? Pete répondit que, si on avait une lampe, c'était possible. On faisait fondre le savon, on le mettait dans la lampe et on allumait une mèche. La fille en robe du coton, sur le tabouret voisin, dit alors :

— C'est de la blague, mon vieux. Pourquoi racontez-vous des trucs pareils ?

Il se mit à rire. Il avait vu que la fille était mignonne. Il lui dit que soixante-dix-huit pour cent de tout ce qu'on racontait étaient des blagues, mais que c'était la vie.

Elle lui lança un regard dur. Le lait chocolaté lui avait laissé une fine moustache sur la lèvre supérieure. Pete sentait son œil bigle partir à la recherche de celui de sa voisine. Il savait ce qu'elle allait dire et il ne voulait pas qu'elle le dise. S'il la laissait parler, elle allait évoquer sa laideur et, à ce moment précis, dans ce bar sans lumière à l'approche de la tempête, c'était plus qu'il ne pouvait supporter. Il décida donc de parler :

— Je sais ce que vous pensez, mademoiselle, mais vous vous trompez. Je m'appelle Pete, je viens d'Angleterre, et j'ai ma beauté à l'intérieur de moi. Simplement, elle ne se montre pas.

La fille se détourna et sourit.

Jo Anne se mit à rire. Les musiciens, à côté, se mirent à rire. Pete pensa alors : « Bon. Je les ai fait rire, il est tard et je devrais rentrer avant que l'orage n'éclate. »

Mais il savait qu'il n'allait pas rentrer. Il savait qu'il devait amener cette fille à le voir vraiment, à reconnaître enfin sa beauté intérieure. Il le fallait.

La pluie avait commencé à tomber. Le vent la rabattait en milliers de gouttes perfides contre les vitres du bus.

Le café de Pete était froid. Ses souvenirs de Memphis l'avaient tellement accaparé qu'il avait oublié de le boire. Seuls son cœur et son œil bigle étaient encore éveillés.

Il pleuvait dans la chambre de Mary. Celle-ci pensait que ce n'était pas normal, que la pluie et les éclairs n'avaient pas leur place dans sa chambre.

Mais cela n'avait que peu d'importance. Elle avait quinze ans et rien n'allait bien autour d'elle. C'était en elle-même que cela avait commencé. Sa chair avait refusé de se durcir comme elle l'avait cru. Sa chair avait désobéi à son esprit. Dans son esprit, elle était un mince garçon nommé Martin Ward.

Elle toucha ses seins. Leur peau était très blanche, et d'une texture impossible à décrire, dissemblable de ce qui existait dans toutes les autres parties de son corps. Ils semblaient des sacs enveloppant des embryons d'autres choses, comme si l'on avait déposé sous sa peau deux œufs qui, maintenant, croissaient de façon parasitaire.

Elle les touchait toujours en s'éveillant, espérant en vain qu'ils auraient disparu et se seraient ratatinés durant la nuit. Elle les touchait sous les draps, dans le noir, de façon à ne pas les voir en même temps. Elle ne pouvait supporter de les regarder. Dans la journée, elle enroulait sept fois autour d'eux un bandage de crêpe, qu'elle fixait avec une épingle de sûreté. Dans son esprit, elle était Martin, et elle espérait qu'avec l'aide des bandages, son esprit finirait par l'emporter.

Ils étaient toujours là, sous sa veste de pyjama. Il pleuvait dans la chambre, mais aucun autre phénomène extraordinaire, comme la disparition de ses seins, ne s'était produit. Mary avait étudié la mousson en géographie. La pluie pouvait apporter de grands changements. On pouvait retrouver des rivières à la place des rues, avec des légumes secs et des soieries flottant sur l'eau. Des gens pouvaient être sauvés de la famine et d'autres ruinés. Cela s'était peut-être produit à Swaithey, mais à elle, rien n'était arrivé.

Mary se leva et alla à la fenêtre. A la lueur d'un éclair, elle put voir un objet métallique allongé gisant dans l'herbe. C'était l'antenne de télévision. Elle avait perdu sa forme originale. Dorénavant, il n'y aurait plus rien qu'une tempête blanche pour Estelle sur l'écran de télévision. Elle s'installerait devant lui et il n'y aurait ni image ni son. Alors, elle se relèverait et se mettrait à la recherche de ses pilules, qu'elle transportait avec elle, posait n'importe où et perdait.

Mary tendit l'oreille, mais nul, dans la famille, ne semblait bouger. Elle pensa que cela leur ressemblait bien : une tempête arrivait et tous restaient assoupis dans leurs rêves dérisoires, sans rien entendre. Puis, le matin, ils seraient effarés, constatant soudain que le toit avait été arraché par le vent, que les vaches, devenues folles de peur, ruaient dans leur étable comme des étalons, que les poulets nageaient en pleine eau. Sonny se mettrait à jurer et à hurler. Estelle s'installerait dans un coin avec ses pilules et commencerait à arracher ses cheveux gris. Timmy sécherait les poulets un à un avec un torchon, et ils lui picoreraient les genoux.

Mary mit sa robe de chambre et prit sa torche électrique dans le tiroir de la table de nuit. Elle aimait sa chambre et ne voulait pas la voir abîmée par la pluie.

La maison était silencieuse, et Mary circulait sur la pointe des pieds, comme un voleur. Dans la cuisine, elle trouva Sonny endormi, la tête sur la table dans une mare de bière. Toute la pièce sentait la bière. Mary braqua la torche sur le visage de son père. Il y avait comme des bulles de salive dans son oreille abîmée. Depuis qu'il avait acheté la moissonneuse-batteuse et s'était endetté pour cela, il s'était mis à boire beaucoup trop. Un jour, pensa Mary, il roulera à terre et son oreille heurtera une pierre — une pierre qu'elle n'avait pas, autrefois, ramassée et mise dans son petit seau — et il mourra.

Dans un placard, elle trouva des bols. Elle décida de les aligner sous les poutres de sa chambre, et de les surveiller, comme on surveille les jattes d'épices sur un marché de Bombay. Les grosses gouttes de la pluie de mousson y tomberaient avec un bruit métallique.

L'angle de Timmy (1)

Timmy Ward n'avait pas passé l'examen de fin d'études primaires. Il voyait une division à plusieurs chiffres comme une suite de nombres faisant la queue à une porte. Il fallait ouvrir la porte pour les faire passer, mais ils ne voulaicnt pas avancer. Et puis il y avait son orthographe. Il pensait que les deux premières lettres de « monde » étaient « m » et « d », et qu'il fallait un « y » dans « Amérique ».

Il fut envoyé au collège moderne de Leiston. Là, il se battit pour essayer de comprendre ce qu'était une fraction. Il réussit à mettre le feu à ses cheveux avec la flamme d'un bec Bunsen. Il pensait que l'air qu'on lui donnait à respirer dans cette école était vieux. Il avait déjà été respiré avant. On ne pouvait rien y voir clairement.

Les vendredis après-midi, sa classe allait nager à la

piscine de Leiston. Une lumière pâle et verdâtre tombait sur l'eau et sur les membres blancs des enfants. Dans un harnais tenu au bout d'une longue perche, ceux qui ne savaient pas nager étaient remorqués tout au long de la piscine, comme des péniches tirées par leurs chevaux. Certains d'entre eux avaient peur de l'eau, mais ce n'était pas le cas de Timmy. Ici, à la piscine, l'air était lumineux, et lorsque Timmy talonnait les carreaux glissants pour se lancer vers la surface l'espace d'une brasse, en état d'apesanteur, il se sentait aussi heureux qu'une grenouille.

Il fit de rapides progrès. Le professeur de natation était surpris par sa vitesse. Il était petit pour son âge et avait l'air rêveur. Il aurait eu l'air bizarre dans une équipe. Le professeur de natation n'en dit pas moins à sa femme :

— Nous avons ce petit gars de l'école de Leiston. Je n'ai jamais vu un garçon nager de cette façon.

Le seul autre moment où Timmy retrouvait un bonheur comparable était le dimanche, à l'église. Il continuait à chanter dans le chœur, et il savait que ses notes aiguës arrivaient à faire pleurer des adultes. L'air qui régnait dans les stalles du chœur ne sentait pas comme s'il avait déjà été respiré, et la lumière qui passait par les vitraux avait la clarté de l'eau.

Lorsqu'il nageait, son corps suivait une ligne horizontale imaginaire qui le tirait en avant. En chantant des cantiques, il projetait sa voix le long d'une ligne verticale invisible.

Ces deux lignes formaient, dans son esprit, un angle à 90°. Un angle à 90° était une chose simple, et cette constatation le portait à espérer que tous les calculs compliqués qu'il ne comprenait pas à l'école allaient se révéler, en fin de compte, superflus. Mais il se demandait où allaient au juste les deux bras de son angle à 90°. S'arrêtaient-ils soudain au beau milieu d'un espace vierge ou bien se prolongeaient-ils jusqu'au moment où ils entraient en collision avec quelque chose d'autre ?

Il commença à rechercher, tandis que les cours normaux se poursuivaient autour de lui, pendant qu'à la maison on dînait en silence devant la télévision d'Estelle, la chose avec laquelle ces deux lignes pourraient bien entrer en collision, mais il ne parvenait pas à imaginer quoi que ce soit d'autre que les deux lignes continuant à l'infini. Il aurait voulu parler à Estelle de son angle. Il lui demanda de venir dans sa chambre, dont il ferma la porte. Estelle ne supportait pas qu'on lui dise des choses importantes. Elle ne voulait rien savoir de ce genre. Alors que Timmy l'avait invitée à s'asseoir, elle resta debout et fit le tour de la chambre, regardant ce qui était épinglé sur les murs. Il y avait une liste des vainqueurs des épreuves masculines de natation aux Jeux olympiques de 1960. Estelle commença à la lire à haute voix :

« J. Devitt (Australie), 100 mètres nage libre, 55 sec. 2.

M. Rose (Australie), 400 mètres nage libre, 4 min. 18 sec. 3... »

— Assieds-toi, je t'en prie, dit Timmy.

— Oui, Tim, fit-elle.

Mais elle ne s'exécuta pas pour autant. Elle contempla un crucifix avec un rameau de buis poussiéreux, une liste d'instructions de sauvetage avec des illustrations explicatives montrant des personnages curieusement androgynes, et une photographie de Sonny et d'elle-même, debout devant la moissonneuse-batteuse et ne souriant ni l'un ni l'autre.

— Je ne suis pas douée pour les secrets, dit-elle. J'oublie toujours de les garder. Il vaut mieux ne pas m'en dire.

Timmy changea alors d'avis à propos de l'angle. Il se borna à dire :

— Ce n'est pas un secret. Je voulais te demander si tu pourrais venir au gala de natation, à Ipswich.

Elle se mit à rire.

— Gala ! fit-elle. Quel mot !

— Tu peux ?

Elle semblait abasourdie.

— Y aura-t-il des plongeons ? demanda-t-elle.

— Oui, dit Timmy.

— Des plongeons de haut vol ?

— Oui.

— J'aimerais voir cela.

— Alors, tu vas venir ? J'ai des chances de remporter le concours de brasse papillon des moins de 13 ans.

Elle dit alors à Timmy qu'il fallait qu'elle parte, que le moment de la « Demi-heure de Hancock » était venu, et qu'elle n'aimait pas manquer l'une de ses émissions favorites.

Timmy savait que son père ne comprendrait rien aux lignes horizontale et verticale, mais il avait besoin de quelqu'un d'autre pour réfléchir avec lui à ce problème. Il se rendit donc tard le soir dans la chambre de Mary et lui braqua sur le visage sa lampe électrique de chez Woolworth. Elle ouvrit les yeux mais ne bougea pas. Son oreiller faisait une bosse et, au-dessous, Timmy aperçut une pile de bandages. Ne bougeant toujours pas, Mary lui dit :

— Timmy, fous-moi le camp d'ici !

Il retourna se coucher. Il pensait aux bandages et au sentiment de dégoût qu'avait provoqué chez lui leur vision. Il était venu pour parler d'une chose secrète, son angle, et il avait vu ces bandages, dont il savait, par la manière dont ils avaient été cachés sous l'oreiller, qu'ils représentaient quelque épouvantable secret gardé par Mary.

Il pria pour toute la famille sauf pour elle. Comment avait-il été assez stupide pour imaginer que sa sœur, qui ne se souciait que d'elle-même, de son école, de Cord et de la famille Harker, allait l'aider avec son angle ?

Et il décida que lorsqu'il irait nourrir les poules avec Sonny, après l'école, il lui parlerait de ce qu'il avait vu dans la chambre de Mary. Sonny ferait sûrement quelque chose.

La forêt d'antan

Sonny fit quelque chose.

Il prit Mary sous son bras, la saisissant par le cou et la plaquant contre lui. De la main droite, il lui arracha sa cravate d'uniforme et ouvrit son chemisier. Elle se mit à hurler en tentant de repousser sa main. Elle lui envoya un violent coup de pied dans le tibia.

Les bandages de crêpe apparurent au grand jour. Ils avaient fini par devenir gris. Mary aurait pu les laver discrètement et les faire sécher à la fenêtre de sa chambre, mais une partie d'elle-même se refusait à croire qu'elle en aurait besoin longtemps.

Sonny la poussa devant lui vers la table de la cuisine. Elle s'efforçait de lui griffer le bras. Il ouvrit un tiroir et en sortit les ciseaux de cuisine. Son poignet comprimait le larynx de Mary, commençant à l'étouffer. Elle sentait le sang lui monter à la tête et scs jambcs faiblir.

Sonny entreprit de couper le paquet de bandages entre les seins de Mary. Les ciseaux étaient émoussés et le bandage avait été enroulé sept fois autour de la poitrine. L'une des lames des ciseaux vint heurter douloureusement la clavicule de Mary.

Elle réussit à libérer son cou et en poussant sa tête vers le haut, contre la poitrine de Sonny. L'effort faisait respirer très fort celui-ci. Mary pouvait sentir l'odeur de son corps, un corps qui ne l'avait jamais plus touchée depuis qu'elle était une toute petite fille que son père prenait dans ses bras. Elle en ressentit une impression d'écœurement, comme si un poison se répandait soudain en elle.

Elle se mit à pleurer. C'était la dernière chose qu'elle aurait voulu faire devant lui de toute sa vie. Ne pas pleurer était ce qui lui avait toujours donné espoir. Et maintenant elle sanglotait sans pouvoir s'arrêter. Elle le suppliait de la laisser. Elle hurlait et elle implorait.

Quand il eut coupé le paquet de bandages, il lui ouvrit complètement son chemisier. Il lui saisit les seins à pleine main et les fit saillir devant elle.

— Regarde-les ! dit-il. Vas-y. Regarde-les !

Elle avait fermé les yeux, mais les larmes en jaillissaient quand même, roulant sur ses joues et tombant sur les mains de Sonny. Elle se disait que c'était là le pire moment de sa vie. Pire que d'avoir vu sa mère à Mountview.

Sonny la repoussa violemment et elle s'effondra sur le sol graisseux de la cuisine. Elle s'efforça de ramener sur elle et de refermer les deux pans de son chemisier. Sonny lui donna un coup de pied sur la cuisse.

— Tu es une abomination, dit-il. Voilà ce que tu es.

Il la frappa de nouveau du pied, puis Mary l'entendit sortir de la cuisine en claquant la porte derrière lui.

Maintenant, c'est fini, pensa-t-elle. A part que cela ne l'est pas. C'est maintenant que tout commence.

Elle fit sa valise.

Elle avait plus de choses à y mettre que lorsqu'elle était partie vivre chez Cord. Elle avait des livres sur la guerre civile anglaise [1] et un exemplaire du *Roi Lear*. Elle avait ses instruments de magie et ses feuilles de marbrures favorites. Elle avait une crosse de hockey, un réveil Baby Ben et un boîtier photographique.

Elle tremblait. Elle sortit ses photos de Lindsey. Elle aurait voulu que Lindsey sorte soudain des clichés noir et blanc et la prenne dans ses bras, en la serrant très fort contre son pull angora.

1. Celle qui oppose, au XVIIe siècle, les « cavaliers », partisans des Stuart, aux « têtes-rondes » de Cromwell. *(N.d.T.)*

Elle se lava la figure. Elle avait une éraflure à la joue et ses yeux lui faisaient mal. Elle jeta les bandages que Sonny avait coupés. Ils sentaient la peur. Elle jeta aussi le chemisier déchiré. Il était cinq heures de l'après-midi, et une odeur de ragoût montait jusqu'à sa chambre. Elle se dit que plus jamais elle ne s'assoirait à la table de la cuisine avec eux pour partager leur repas. Ils resteraient seulement eux trois jusqu'à la fin des temps.

La valise était un bagage à très bon marché. La grand-mère Livia avait eu, en son temps, des bagages vert bouteille renforcés de peau de porc, avec ses initiales, L.C., gravées entre les fermoirs, mais la valise de Mary ne semblait faite que de métal et de carton. Elle se dit que, si on savait qui on était, si on avait un nom qu'on aimait, on pouvait voyager avec des bagages verts et appeler des porteurs par-dessus la tête des autres gens. Si on était Martin Ward et on avait des seins tout blancs, on emballait sa vie dans du carton et on l'emportait loin, toujours plus loin et sans jamais savoir où.

La vue de sa chambre la fit s'arrêter alors qu'elle était sur le point d'en sortir. C'était la seule chose qu'elle ne voulait pas abandonner. Personne n'y entrerait plus pour allumer la lumière ou tirer les rideaux. Et, quand il pleuvrait par les brèches du plafond de plâtre, nul n'alignerait des bols pour recueillir l'eau.

C'était une soirée d'automne qui sentait le feu de bois. Du salon venait le son de rires télévisés. « Le rire, avait dit un jour Edward Harker, est notre manière de retarder la mort. »

Quand Mary sortit dans la cour, elle se trouva précédée de deux ombres : la sienne et celle de la valise. Ces deux ombres continuèrent d'avancer et Mary les suivit. Elles ne regardaient pas derrière elles et nul ne leur demandait de s'arrêter.

Elle n'avait pas de projet précis.

Elle possédait en tout cinq shillings et huit pence.

Elle se rappelait le jour où elle s'était enfuie chez Irene et avait raconté à Pearl des histoires à propos de Montgolfier et de l'univers. Elle ne pensait pas que, dans la maison Harker, on aurait encore du temps à lui accorder. Or, c'était ce qu'elle voulait : que quelqu'un lui accorde du temps.

Sa première pensée fut qu'au prix de quelques changements d'autocar elle pourrait se rendre à Gresham Tears. Cord ne ferait aucune remarque sur sa valise. Les roses Albertine autour de la porte seraient encore en fleur. Cord dirait : « Chambre prête. Lit fait. Bière de gingembre dans le garde-manger. »

Mais quoi ensuite ? Ils s'installeraient à côté de la radio. Elle essaierait de dire à Cord des choses qu'il n'arriverait pas à croire. Elle lui ferait du mal. Il se moucherait très fort pour cacher son émotion et sa tristesse. Il murmurerait simplement : « Sale affaire », dans son mouchoir.

Elle atteignit l'extrémité du petit chemin. Elle posa sa valise et en sortit la crosse de hockey, qui la rendait un peu trop lourde. Elle posa la crosse sur son épaule gauche, comme un fusil. Elle se dit que ce devait être bien réconfortant d'être un soldat, avec un régiment dont on pouvait être fier et qui était, lui aussi, fier de vous.

Elle renonça à aller à Gresham Tears. Elle savait qu'avant qu'il fasse noir et que la valise soit devenue trop lourde à porter, il lui fallait arriver quelque part ailleurs, et c'est ce qu'elle fit.

Elle arriva chez Miss McRae.

Miss McRae était en train de dîner seule d'un plat de harengs fumés. Elle avait pris sa retraite et vieillissait doucement dans la tiède obscurité de son cottage. Quand elle vit arriver Mary avec sa valise, elle se dit avec satisfaction qu'elle allait pouvoir retrouver quelque utilité.

Elle débarrassa la table des restes de ses harengs et prépara une pleine théière. Elle tendit à Mary une tasse et une soucoupe en porcelaine fine, et Mary lui demanda :

— Vous aviez déjà cette porcelaine dans le phare ?

— Je ne me souviens plus, ma chérie, répondit-elle. Et c'est la chose la plus vexante quand on vieillit : de ne plus se souvenir.

Mary eut du mal à boire son thé. Elle se demandait si Sonny ne lui avait pas abîmé gravement le gosier.

— Prends ton temps, Mary, dit Miss McRae. Prends ton temps.

— Maintenant que je suis ici, fit Mary, j'ai peur de vous raconter. J'ai peur de raconter à qui que ce soit.

— Bien, répondit Miss McRae. Je vois à cette crosse que tu joues au hockey. Voudrais-tu me parler de cela ? Quelle est ta place sur le terrain ?

— Je suis ailière. Je cours très vite.

— Tu as toujours couru vite. Cela, je puis m'en souvenir.

Mary regarda autour d'elle. Le plafond était bas, trop bas pour Miss McRae, qui ne se ratatinait pas comme le font certains vieillards, mais restait grande et droite comme un pin d'Ecosse. Et elle paraissait, maintenant, incapable de se courber, comme si elle avait été pétrifiée dans ses vêtements. Quand elle était assise, son corps se trouvait parfaitement à angle droit avec sa chaise.

Après avoir bu un peu de thé, Mary déclara :

— Je ne retournerai jamais à la maison.

— Non, dit Miss McRae.

Puis Mary reprit :

— Il faut que quelqu'un m'aide.

Il y eut un long silence. Mary retira ses lunettes et entreprit d'en nettoyer les verres sur la manche de son blazer. Miss McRae restait parfaitement droite et immobile sur son siège, attendant.

Mary se dit qu'après tout c'était peut-être à Lindsey qu'elle aurait dû se confier. La nuit, dans sa chambre, ou un peu après. Peut-être Lindsey ne l'aurait-elle pas détestée pour cela et l'aurait-elle aidée d'une façon ou d'une autre ? Mais là, elle se retrouvait face à face avec Miss McRae dans une pièce à plafond bas qui sentait le hareng.

Un tel sentiment de honte commença à l'envahir qu'elle aurait voulu disparaître, être morte et oubliée.

Le silence durait. Mary remit ses lunettes sur son nez. Elle se dit que, dans une minute, elle allait se lever, partir et aller au hasard, se coucher dans un champ ou sous une meule de foin.

— Mary, demanda Miss McRae, sais-tu comment je m'appelle ?

— Comment ? fit Mary.

— Mon nom est Margaret. Margaret McRae. Tu ne l'as peut-être jamais su et tu as pensé que ce devait être un secret. Mais ce n'en est pas un. Ce n'est un secret pour personne. Je m'appelle Margaret McRae. Tu vois, il arrive que nous considérions comme secrètes certaines choses qui n'ont aucun besoin de l'être...

— Mais mon secret est un vrai secret.

— Alors, s'il n'est pas trop lourd à porter, tu dois le garder. C'est seulement si...

— Il *est* trop lourd à porter

— Alors, c'est pourquoi tu es ici, Mary. Parce qu'il est devenu trop lourd. C'est tout. C'est comme ta valise. C'est trop lourd. Il arrive un moment où tu dois tout poser.

Le silence se réinstalla. Mary ne le voulait pas, mais il en fut ainsi.

Puis Mary eut une idée. Elle se dit que si elle se levait, allait à la fenêtre et tournait le dos à Miss McRae, elle pourrait être capable de parler. Peut-être. Si elle ne la voyait pas mais regardait au-dehors, avec la nuit qui tombait, cela pourrait être plus facile.

Elle alla à la fenêtre. Elle tenta d'imaginer que Miss McRae était vraiment un pin d'Ecosse, ne voyant rien et n'entendant rien.

Mais cela ne marcha pas. Rien, en fait, ne pouvait plus marcher. Miss McRae lui avait dit son prénom.

On ne peut révéler à une personne qui s'est montrée bonne envers vous et qui vous a dit son prénom par sympathie pour vous qu'on est une abomination.

Mary resta devant la fenêtre. Elle vit un oiseau voler dans le crépuscule et aller se poser sur le rebord du petit bassin.

— Je suis ici à cause de mon père, dit-elle. Il me bat et il me jette par terre.

— J'avais bien peur que ce ne fût cela, fit Miss McRae.

— Je ne veux pas retourner là-bas. Jamais.

— Non.

— Puis-je rester ici ?

— Bien sûr, Mary.

Elle continua à regarder dehors, dans le jardin. Le silence retomba. Peut-être pas tout à fait. Des arbres, très loin dans l'espace et dans le temps, soupiraient. Et quelqu'un, encore plus loin, murmurait un nom ancien : Mary.

Elle se retourna.

— Il faut que quelqu'un m'aide, Miss McRae, répéta-t-elle.

Miss McRae inclina la tête.

— Oui, ma chérie, dit-elle. Comme tu le sais, j'ai certaines limites. Je n'ai jamais visité les sanctuaires de la Grèce antique. Je n'ai jamais descendu les Champs-Elysées au bras de quiconque. La musique d'Elvis Presley m'est entièrement étrangère. Mais je vais essayer d'être la personne qu'il te faut.

CHAPITRE VII

1962

Le strip-tease du mort

Après la mort d'Ernie Loomis, un changement irréversible était survenu dans la vie de Walter.

Celui-ci en avait été averti. Son ancêtre, Arthur, avait commencé à sentir mauvais. Il s'était assis à la tête du lit de Walter, empestant toute la chambre, et avait dit :

— Je dois préciser en passant, Walter, que tes rêves d'avenir étaient entièrement faux.

Walter travaillait maintenant au magasin. Grace le contemplait d'un œil critique à travers la vitre de sa petite cabine. Pete s'efforçait de se débrouiller tout seul à l'abattoir. Grace avait déclaré :

— C'est une affaire de famille, et cela le restera. Je n'engage personne de l'extérieur.

Mais ce n'était pas tout. Walter avait perdu Sandra. Elle avait épousé un jeune vétérinaire. Toutes les tentatives faites par Walter pour arranger d'autres sorties en bateau avaient échoué. Sa plate carte de condoléances était la dernière communication qu'il ait eue d'elle. Elle ne s'était jamais installée sous un arbre pour écouter ses chansons.

Il devenait de plus en plus chauve. Etendu sur son lit, la main posée sur sa tonsure, il revoyait le regard vif de Sandra et le mouvement avec lequel elle avait couvert ses genoux de sa jupe. Il pouvait comprendre qu'une fille comme elle préfère épouser un homme qui soignait les animaux plutôt qu'un homme qui les tuait. Le vétérinaire était joli garçon, il ne donnait aucun signe de calvitie et, à tous égards, Walter considérait comme raisonnable le choix de Sandra. Ce qu'il n'arrivait pas à vaincre était l'amour qu'il lui portait et la bizarre idée qu'elle serait un jour sienne.

Elle travaillait toujours chez les demoiselles Cunningham. Nul ne savait ce qu'il était advenu de son ambition d'être sténographe.

Walter se rendait dans la boutique sous le prétexte d'examiner des écharpes en laine qu'il regardait à peine. Il guettait l'occasion d'adresser à Sandra un petit sourire anxieux. Elle détournait alors la tête comme si Walter était un étranger et qu'elle n'avait aucun souvenir de leur promenade en bateau.

Un jour, Amy Cunningham lui dit :

— Je vous serais très reconnaissante, Walter, de faire votre choix et de laisser l'étalage tranquille.

Il ne passait plus ses journées avec Pete. Il ne pouvait non plus aller passer ses soirées à chanter avec lui dans le bus, car Grace n'aimait pas qu'on la laissât seule trop longtemps ; cela la rendait « nerveuse », disait-elle. Mais quelquefois, tard le soir, quand Grace était endormie, Walter allait quand même rejoindre Pete et boire du whisky avec lui en lui parlant de l'odeur que commençait à dégager le fantôme d'Arthur et de son amour pour Sandra qui refusait de s'éteindre.

Pete vieillissait. Son nez était devenu énorme et pourpre. Il parlait de ses rêves à propos de la tempête de Memphis. Il disait à Walter :

— J'ai vu ta précieuse Sandra. C'est un glaçon. Oublie-la. Quand le mois de juin arrivera, va voir Gladys et tu te sentiras mieux.

Le fait d'appeler Madame Cleo par son vrai nom, Gladys, créait un lien entre eux. Cela remplissait Walter de fierté virile. Tous les mois de juin, quand la fête foraine arrivait à Leiston, il passait un après-midi — toujours un mercredi, jour où la boucherie fermait une demi-journée — dans la caravane de Gladys, emmêlé dans les draps de rayonne rose, s'écoutant souffler et haleter comme un coureur en fin de parcours, mangeant du rouge à lèvres, tandis que les visiteurs de la foire se bousculaient et glapissaient au-dehors. Les prix de Gladys montaient à mesure que s'affaissait la peau sur ses cuisses. Autrement, l'expérience ne changeait guère d'une année à l'autre.

Au mois de juin 1962, le bruit se répandit dans le village que Sandra attendait un enfant. Elle quitta le magasin des demoiselles Cunningham. La maison du vétérinaire s'appelait « La Prairie ». Sandra resta donc à « La Prairie » pour faire de la pâtisserie et repasser les chemises de son mari. Passant devant la maison, Walter la vit à l'intérieur, de dos et parfaitement immobile. Elle s'appelait dorénavant Mrs David Cartwright.

Il se rendit à la foire de Leiston. La caravane de Cleo était, en principe, toujours garée à la même place, à l'extrémité d'une file de camions, derrière la grande roue. Parfois, il y avait une petite file d'attente devant elle. La voyance était toujours un art populaire.

Cette fois, la caravane n'était pas là. Walter longea plusieurs fois la file dans les deux sens. Puis il parcourut l'ensemble du champ de foire en cherchant toujours la caravane. Il remarqua à quelle vitesse une année était passée.

Il s'arrêta devant un petit stand de tir. Les cibles étaient des cygnes en métal. Il dit au propriétaire du stand qu'il cherchait Madame Cleo, et l'homme lui répondit :

— Désolé, camarade, Cleo est partie.

Walter paya un shilling pour six coups de carabine. Son père avait été bon tireur, mais lui-même ne l'était pas.

— Vous voulez dire partie ailleurs ? demanda-t-il à l'homme du stand.

— Deux coups au but, pas de prix, constata celui-ci. Je veux dire partie vers le ciel.

Walter rentra chez lui au volant de sa camionnette. Il évita de passer devant « La Prairie ». Il se demandait si on avait placé ses lunettes en ailes de papillon sur le visage de Cleo dans son cercueil, et ce qu'étaient devenus les draps en rayonne rose. Il pensa à son vrai nom, Gladys, et se dit que celui-ci lui convenait mieux, en quelque sorte, maintenant qu'elle gisait dans un cimetière balayé par le vent d'est que lorsqu'elle était vivante et jetait des sorts pour des prix sans cesse croissants. Puis il gara sa camionnette et laissa retomber sa tête appuyée sur le volant. Il se dit que quelqu'un ne cessait d'arracher ainsi des morceaux de sa vie, le poussant vers le néant.

Dans sa vie imaginaire avec Sandra, il se vit dorénavant habitant avec elle sur une péniche en mouvement. Il lui chantait des chansons tandis qu'elle mettait sa lingerie intime à sécher.

Il travaillait maintenant au magasin huit heures par jour et sept heures le samedi. Sa mère gardait l'œil fixé sur ses mains malhabiles tandis qu'il travaillait. Il devait porter un tablier blanc et un canotier. Il lui fallait barder artistiquement de graisse des selles d'agneau. Il détestait cette vision de lui-même. Il avait vingt-six ans et il n'avait d'autre avenir que le présent. La vie l'avait pris en main, et tout était dit.

Il écoutait les premières chansons des Beatles. Elles ne parlaient ni de chauffeurs de train ni de femmes de saloons. La musique hillbilly était soudain aussi loin que tout le reste.

Pete disait volontiers : « Si la vie te donne un citron, fais-en une citronnade. »

Walter pensait beaucoup à cette formule, mais ne parvenait pas à se rappeler la composition d'une citronnade. Il supposait bien qu'il y entrait du sucre.

Il regardait autour de lui, et le seul facteur d'adoucissement qu'il pouvait trouver était le sentiment d'oubli des dures réalités que lui donnait le whisky.

Le rythme de ses visites tardives chez Pete s'accrut. Certains soirs, il s'enivrait au point de perdre conscience sur le plancher du bus ou de s'effondrer dans le champ alors qu'il tentait de regagner la maison en titubant. Le lendemain, ses mains tremblaient en coupant et pesant la viande, sa tête lui faisait mal et il n'osait regarder sa mère dans les yeux.

Elle avait honte de lui et lui disait d'un ton pleurnichard :

— Les gens commencent à le remarquer, Walter. Je les vois qui te regardent.

Il aurait voulu lui dire que sa vie était comme un citron : amère. Mais tout ce qu'il disait était :

— J'ai vingt-six ans, et j'ai bien le droit de prendre un verre de temps en temps si j'en ai envie.

Sa vie à elle aussi était amère. Elle avait aimé Ernie et s'était entièrement reposée sur lui. Et chaque matin, pendant trente ans, il lui avait préparé une tasse de thé et la lui avait apportée.

Mais, en fait, Walter partageait sa honte. Il avait conscience de l'état dans lequel le mettait la boisson et conscience de devenir peu à peu répugnant. Il pensait au vétérinaire, propre et sobre, et à sa femme qui sentait le talc. Il s'écartait de plus en plus d'eux en se changeant jusqu'à l'irréparable, qu'il recherchait, peut-être inconsciemment, afin que Sandra passe à tout jamais dans un autre univers que le sien.

Dans les rêves de Walter, Arthur commença alors à se déshabiller progressivement. Il apparut d'abord sans son tablier, puis sans son nœud papillon et ensuite sans ses souliers. Les boutons de sa chemise étaient défaits et les touffes de poils gris de sa poitrine apparaissaient dans l'échancrure. Il perdait également du poids, et la puanteur qui se dégageait de lui était devenue si terrible que Walter, dans son rêve, portait un passe-montagne en laine huilée, comme ceux qu'arborent les alpinistes dans leurs stériles randonnées.

Mary :

Il y avait deux chambres à coucher dans le cottage de Miss McRae. Celle où je dormais donnait l'impression de n'avoir jamais été habitée auparavant. Le sol était de pierre et le lit aussi étroit qu'une tombe. La seule décoration était une collection de coquillages dans une assiette verte. La chambre était située au rez-de-chaussée et sa fenêtre donnait sur une haie qui la privait de toute lumière.

Pendant longtemps, j'eus des cauchemars dans cette chambre. Des rêves de tueries. Miss McRae me dit que je hurlais, « que je hurlais comme un farfadet ». Le mot « farfadet » était nouveau pour moi. Après avoir hurlé, je me dressais dans ma tombe, et Miss McRae me posait un châle tricoté sur les épaules. Quelquefois elle nous faisait du bouillon chaud dans des tasses commémorant le couronnement, et nous le sirotions en évoquant le désir que Miss McRae avait toujours nourri d'aller voir les grandes châtaigneraies de Corse. Les meurtres que j'avais commis dans mon sommeil s'évanouissaient alors.

Je découvris que Miss McRae était une personne qui ne dormait presque jamais. Elle ôtait les épingles de son chignon et laissait tomber ses cheveux gris afin de se préparer pour la nuit, puis elle semblait oublier que la nuit était venue. Elle écoutait le service mondial de la BBC. Elle lisait *La Petite Dorrit* et un livre sur les papillons. Au matin, je la retrouvais dans son fauteuil, sommeillant un peu, les bras croisés devant elle. Quand je lui demandais si elle n'était pas fatiguée, elle me répondait :

— Non, non. Certainement pas.

Elle m'avait dit que je pouvais rester aussi longtemps qu'il serait nécessaire.

— Jusqu'à ce que viennent des temps meilleurs, Mary, avait-elle dit.

Je lui avais répondu qu'il n'y aurait jamais de temps meilleurs tant que mon père serait en vie. C'était l'une des choses auxquelles j'aspirais au plus profond de moi-même : que mon père meure, que la ferme tombe en ruine et que Martin Ward soit la seule personne capable de la relever.

A l'école, nous eûmes un débat sur le thème : « Ce qui fait un chef politique. » Toute notre classe — y compris Lindsey, qui s'était secrètement fiancée à Ranulf Morrit et avait renoncé à tout travail scolaire pour rêver à plein temps — était censée y participer. Je demandai donc à Miss McRae ses vues sur le sujet.

Miss McRae servait des repas simples mais méticuleusement préparés : de la tourte aux champignons découpée en carrés, des pâtés à la saucisse. En mangeant, nous parlâmes du débat. Miss McRae remettait toujours beaucoup de sel dans son assiette.

— Dans ce genre de discussion, Mary, me dit-elle, il y a une réponse littérale et une réponse acceptable, et il est important que tu en comprennes la différence.

J'abordai le débat armée de toute sa sagesse, et sans dire à personne que quelqu'un d'autre m'avait inspirée. Quand on me demanda quel était l'exemple de bon chef politique que je citerais, je répondis « Hitler ». Un silence complet s'abattit sur la classe, et Miss Gaul enfonça violemment ses barrettes dans sa tresse pour l'empêcher de s'échapper.

— En tant que présidente de ce débat, déclara-t-elle, je dois vous rappeler que nous nous sommes déjà mises d'accord sur certaines conclusions : à savoir qu'un bon chef politique est un homme qui agit pour le bien public, qu'un bon chef est quelqu'un qui montre prévoyance et clémence, qu'un bon chef éprouve du respect pour ses ennemis.

Lindsey était assise juste à côté de moi. Elle

portait, à l'école, du vernis à ongles rose. Elle sentait les fleurs et le lait. Ses cheveux étaient attachés par un ruban écossais. Mais je ne laissai pas ce voisinage me distraire ou m'amollir. Je me levai et dis :

— Il y a une autre définition du bon chef. C'est celle que nous n'avons pas évoquée, et c'est pourquoi j'ai cité Hitler. Cette définition est la définition littérale.

— Cela suffit, Marty. Merci. Vous pouvez vous asseoir.

— Je soulignais simplement, Miss Gaul, que...

— Asseyez-vous, ma chère. Vous avez fait dévier la discussion, et il est très important d'apprendre que, dans un débat, ces digressions ne servent qu'à faire perdre du temps et à égarer vos auditeurs. Lindsey, nous ne vous avons pas beaucoup entendue. Peut-être voudriez-vous nous donner votre exemple d'un bon chef, après quoi nous pourrons passer au résumé du débat.

Je me rassis, et, en s'abstenant soigneusement de me regarder, Lindsey déclara :

— Eh bien, je choisirais Sir Winston Churchill.

Miss Gaul hocha la tête et joignit les mains en un geste comparable à celui de la prière, tandis que quelques applaudissements discrets parcouraient la classe.

La nuit suivante, je repensai au grand silence qui s'était fait lorsque le nom de « Hitler » était sorti de ma bouche. Miss McRae ne m'avait pas rappelé que les réponses littérales — si elles ne sont pas celles que les autres attendent — peuvent susciter peur et horreur. Elle comptait sur moi pour me le rappeler toute seule.

Maintenant, c'était chose faite et cela m'aidait à me rendre compte d'une autre chose. Ma réponse littérale personnelle au débat sur le thème « Qui suis-je ? » était : « Martin Ward. Un garçon. » La réponse convenue, celle que tout le monde connaissait et attendait était : « Mary Ward. Une fille. » Je n'avais jamais une seule fois osé, en seize années, donner la réponse littérale parce que j'avais peur de susciter l'horreur. J'avais tenté de la dire à Miss McRae, et, au dernier moment, j'avais fui devant les mots. Il me suffisait d'être haïe par mon père. J'étais trop lâche pour prendre le risque d'être haïe par le monde entier, et de sentir le silence s'abattre autour de moi avant que la voix de l'autorité ne m'ordonne de me rasseoir.

Certains sujets ne sont pas censés être discutés, et celui-là en était un. Je pensai à la tresse frémissante de Miss Gaul. Je pensai à Lindsey levant les yeux des superbes initiales R.M. qu'elle dessinait sur sa feuille de notes pour me lancer un regard horrifié.

Puis je me dis que la seule personne peut-être à laquelle je pourrais me confier serait un étranger. Quelqu'un qui ne ressemblerait pas à un pin d'Ecosse, qui ne sentirait pas le lait et les fleurs, qui ne fabriquerait pas de battes de cricket, qui ne resterait pas assis dans le noir à contempler un écran. Quelqu'un d'impartial, quelqu'un dont l'horreur et la peur n'auraient pas d'importance pour moi.

Je portai mon choix sur le pasteur de Swaithey, le Révérend Geddis. C'était quelqu'un dont je m'étais refusée à faire vraiment la connaissance, et il pouvait donc être considéré comme un étranger. Et puis, aussi, c'était un homme qui me faisait penser à une femme. Il avait la voix douce et des mains très blanches qu'il gardait immobiles.

Je choisis un vendredi soir. J'espérais qu'il n'y aurait pas, ce soir-là, répétition de la chorale. Nous avions dîné, Miss McRae et moi, de carottes bouillies suivies de pommes au four. On était au début de mai. Miss McRae avait fini *La Petite Dorrit* et commencé *Bleak House*.

J'allai à l'église et m'assis à un banc. Je me souvins alors des funérailles d'Ernie Loomis, de toutes les sœurs pleurant et de Walter qui semblait perdu comme un panda dans un zoo. Je contemplai les rayons multicolores traversant un vitrail figurant la parabole du Semeur.

Je ne voulais pas parler au Révérend Geddis au presbytère, installée dans un salon avec le classique ensemble canapé-fauteuils et les housses sur les chaises. Je voulais me trouver dans un endroit où pouvaient se produire des choses exceptionnelles, comme le stade de Wembley ou les gorges du Cheddar, un endroit où quelqu'un pouvait venir dire des choses qu'il n'avait jamais révélées auparavant et en entendre l'écho retentir.

L'église de Swaithey, avec son unique vitrail et ses poutres rongées par les termites, n'était pas l'endroit idéal, mais il y était déjà arrivé des choses étranges, comme l'apparition du premier Sir John Elliot, ancêtre de l'actuel Sir John, agenouillé devant l'autel et serrant un plant de saule entre ses bras. Et dans l'église — du moins le pensais-je — le Révérend Geddis ne pourrait me chasser sans m'entendre. Je faisais partie de ses ouailles.

J'attendis un long moment. Le soleil commençait à se coucher, et les figures sur le vitrail s'estompaient. J'avais cru que le Révérend Geddis faisait chaque soir quelques rondes dans son église pour s'assurer que personne ne venait voler les livres de cantiques ou jouer des airs profanes sur un phono portatif au bas du clocher. Mais je ne le vis point apparaître.

Je me dis que j'allais attendre jusqu'au moment où toute lumière aurait disparu derrière le vitrail. Après tout, j'avais attendu seize ans pour révéler mon secret à quelqu'un. Je pouvais attendre un jour de plus, et même jusqu'au lundi, jour un peu plus calme pour les prêtres.

Puis la porte de l'église s'ouvrit. Je saisis un recueil de cantiques et m'y accrochai comme à une bouée. Je ne me retournai surtout pas. La plus grande confusion régnait encore dans mon esprit.

— Mary ? demanda une voix.

Cette fois, je me retournai. Dans le clair-obscur, je

distinguai un halo de cheveux clairs. Je me dis que, subitement, j'avais rencontré un ange.

L'ange portait un seau plein de lilas. C'était Pearl. Elle posa son seau et me demanda :

— Que fais-tu là toute seule ?

Je ne lui dis pas que j'attendais le pasteur, mais que j'étais venue là pour réfléchir.

— Pour réfléchir à quoi ? demanda-t-elle.

— Je ne sais pas, lui dis-je. Que fais-tu avec tout ce lilas ?

— Maman m'a envoyée. C'est pour décorer l'église.

— J'ai cru que tu étais un ange.

Pearl gloussa. Sa façon de rire avait toujours été légère et gracieuse. J'entrepris de l'interroger sur ses leçons de natation. Je l'avais tant de fois sauvée de la noyade dans mes rêves que cela m'avait épuisée. Je commençais à me dire que je n'aurais plus la force nécessaire si la chose se produisait vraiment.

Elle vint s'asseoir à côté de moi sur le banc. Elle avait onze ans et devait être la plus belle petite fille de onze ans existant sur cette terre. Elle me dit qu'elle redoutait terriblement les leçons de natation, et que lorsqu'elle entrait dans l'eau, elle se mettait à loucher. Selon elle, la peur pouvait faire loucher.

Elle glissa son petit bras sous le mien et me fit remarquer :

— Tu ne viens plus nous voir aussi souvent, Mary.

— Je sais.

— Pourquoi donc ?

Je lui dis que j'avais beaucoup de devoirs et de leçons, et que si elle allait au lycée de Weston, il lui faudrait travailler très dur elle aussi. Elle me répondit qu'elle ne voulait pas aller à Weston, que, quand elle serait grande, elle voulait devenir l'assistante d'un dentiste, avoir un bonnet blanc amidonné et faire fondre la petite pastille rouge désinfectante dans le verre d'eau près du siège.

Je lui fis observer que c'était une curieuse vocation pour un ange. Nous nous mîmes toutes deux à rire, puis je levai la tête pour constater que le vitrail était devenu entièrement obscur et nous nous trouvions là, assises dans le noir le plus absolu.

Il fallut attendre une semaine avant que le Révérend Geddis vienne à l'église. J'y allais tous les soirs, sauf le dimanche, après le dîner. Je pris un rouleau de papier calque et quelques crayons noirs, et j'entrepris d'exécuter un décalque de l'inscription commémorant le premier Sir John Elliot, chevalier de la Jarretière, 1620-1672.

Quand je vis enfin arriver le Révérend Geddis, je lui dis :

— Vous ne venez pas très souvent ici, n'est-ce pas ?

J'aurais pu employer le même ton si nous avions été convives à quelque réception très huppée, comme celles que Ranulf Morrit aurait pu donner avec le concours de Ramona, la cuisinière espagnole.

— Mary Ward, n'est-ce pas ? demanda à son tour le Révérend Geddis.

Il ajouta que si je voulais lui parler en privé, nous pouvions aller dans la sacristie, où personne ne nous entendrait. Je regardai alors autour de moi et vit qu'il n'y avait personne d'autre que nous dans l'église. Je me dis que c'était une farce. Et je me souvins de ma mère employant ce terme à Mountview.

— Les repas sont une farce, avait-elle dit.

Et Cord, de son côté, avait dit :

— Ne fais pas cela, Est !

Je dis au Révérend Geddis que j'avais changé d'avis et qu'après tout je n'avais rien à lui dire. Il parut soulagé. Je savais que dans la sacristie je verrais le surplis de Timmy suspendu à sa patère. Et je savais aussi qu'il n'y aurait aucun écho.

Je montrai au Révérend Geddis mon décalque, à demi achevé, de l'inscription de Sir John, et je lui dis :

— Je voudrais vous poser une seule question avant de m'en aller.

Il croisa ses mains blanches et commença :

— Toujours heureux de...

— Pensez-vous qu'il y ait des hommes, vous par exemple, qui pensent que... qu'à l'intérieur d'eux-mêmes, ils ne sont pas des hommes, mais des femmes ?

La bouche du Révérend Geddis s'affaissa. Je l'imaginai y glissant une hostie.

Il fouilla ses poches à la recherche d'un mouchoir, et, quand il l'eut trouvé, il y enfouit tout entier son visage sous prétexte de se moucher. A travers le mouchoir, il me dit que des questions de ce genre ne pouvaient venir que des égouts de l'esprit.

— Tout ce que je puis imaginer, ajouta-t-il, est qu'on vous a laissée lire *News of the World* [1].

— Je ne prends pas cela littéralement, lui dis-je. Et je ne demande pas une réponse littérale. Ce que je voulais savoir, c'est si un homme pouvait avoir cette sensation, comme les saints ressentaient des choses étranges, dans une sorte de transe.

Il secoua violemment la tête. De gauche à droite, puis de droite à gauche.

Une invitation pour Noël

Un soir de la fin du mois de septembre, Thomas Cord vit un troupeau d'oies sauvages passer au-dessus de Gresham Tears en une formation parfaite. Cette vue lui donna d'abord un sentiment de satisfaction esthétique, puis de confusion ; il n'arrivait plus à se souvenir si les oies partaient ou arrivaient.

Cette nuit-là, il ne put dormir. Il ressentait un tremblement dans son œil gauche. Lui revint alors

1. Journal dominical spécialisé dans le scandaleux et le croustillant. *(N.d.T.)*

un souvenir de sa lune de miel à Brighton. Livia, dans sa robe de taffetas dansant au Grand Hôtel, puis une promenade avec elle le long du rivage, sur les galets que la mer brassait comme menue monnaie. Il tenta de se consoler avec les réminiscences de son amour.

Il s'éveilla à sept heures, en ayant tout d'abord l'impression de n'avoir pas dormi du tout. Le tremblement de son œil n'avait pas disparu. Il s'était au contraire étendu au côté gauche de son visage et de sa mâchoire. Il porta la main à sa joue. Il savait que quelque chose de particulier lui était arrivé. En mettant sa robe de chambre de laine et se rendant à la salle de bains, il murmura :

— C'est parce que je suis resté trop longtemps dans ce maudit endroit. Et maintenant, je suis trop vieux pour le quitter.

Dans la lumière froide et grise de la salle de bains, Cord put constater que le côté gauche de son visage, celui qui tremblait, s'était altéré de façon incompréhensible. Il s'était affaissé, comme si on l'avait tiré vers le bas ou comme s'il s'était soudain refusé à rester plus longtemps en place. Sa paupière tombait comme un auvent effondré. L'un des côtés de sa bouche était distendu. Dans la glace de l'armoire à pharmacie, sa propre image était devenue une chose méconnaissable. Il pensa alors que les oies sauvages étaient arrivées, étaient reparties et se trouvaient maintenant à des centaines de kilomètres, se gavant paisiblement de blé frais, tandis que lui-même tombait en ruine.

Il se sentait terrassé. Il s'assit sur le couvercle du panier à linge où, bien des années auparavant, Livia laissait tomber négligemment ses combinaisons de soie et ses soutiens-gorge diaphanes. Il enfouit dans ses mains son visage déformé. Il n'était pas habituellement un homme soucieux de son apparence.

Au bout d'un moment, il descendit et téléphona au médecin. On lui dit de venir au dispensaire. Il informa alors la réceptionniste que, pour des raisons qu'il ne pouvait préciser au téléphone, il était hors d'état de quitter son domicile, mais que l'affaire était urgente. Sans quoi il ne se serait même pas permis de déranger le médecin. On lui demanda d'attendre, et il se sentit heureux que, pendant ce temps, personne ne pût le voir. Après quoi la réceptionniste l'informa un peu sèchement que le médecin irait le voir vers midi, après la consultation de la matinée.

Le temps était devenu très beau, à ce moment, avec un ciel d'un bleu soutenu. Normalement, Cord aurait dû se trouver dans le jardin, à ratisser les premières feuilles d'automne.

Le médecin l'ausculta, lui écouta le cœur et lui pinça la joue pour savoir si cela provoquait une sensation. Il releva la paupière affaissée et braqua sur l'œil une petite torche électrique. Cord détestait sentir le visage du médecin si près du sien. Il aurait voulu qu'on le laisse tranquille, qu'on le laisse commencer à méditer sur le changement de son existence sans l'espionner ou l'importuner. Il savait qu'il avait eu une attaque.

C'est alors que le médecin l'étonna. Il lui dit avoir d'abord soupçonné une attaque, mais incliner maintenant à croire, d'après l'aspect normal de la pupille, à ce qu'il appelait une « paralysie réactive ». Selon lui, c'était, dans certains cas, un mal irréversible, et dans d'autres un syndrome passager. Il était impossible de se prononcer de prime abord.

Cord fixa le médecin de son œil valide. Même lorsqu'il était enfant, il n'aimait pas qu'on fît naître ses espoirs en vain.

— Etes-vous en train de me dire, demanda-t-il, que cela pourrait revenir à la normale ?

— Je vous dis, répondit le médecin, que dans certains cas la paralysie est temporaire, et que dans certains autres elle ne l'est pas.

— Et vous ne pouvez pas dire quel est le cas ?

— Non. Je vais vous envoyer à Ipswich pour des examens.

Après le départ du médecin, Cord se souvint du

terme « réactive ». Il avait voulu s'en enquérir. A quoi avait réagi le côté gauche de son visage ? Avait-ce été le seul cas, dans les annales médicales, où un homme avait été paralysé par un vol d'oies sauvages ?

L'hiver vint ensuite, féroce dans les environs de Gresham Tears et donnant à tous les retraités qui y résidaient la nostalgie de thés au Touquet.

Chaque matin, Cord se levait, mettait sa robe de chambre de laine rouge cerise et allait dans la salle de bains pour se regarder dans la glace de l'armoire à pharmacie. Et, chaque matin, constatant que son visage n'avait pas changé de forme, il retournait dans sa chambre, retirait son peignoir, et se remettait au lit, où il restait étendu, s'efforçant de ne pas penser et de ne pas exister.

Il avait acheté un deuxième poste de radio. On lui avait dit que cela s'appelait un transistor. Il avait la taille d'une boîte de bonbons et trouvait facilement place sur la table de nuit. Il n'avait qu'à étendre le bras pour le faire marcher. Au lieu d'écouter le service national de la BBC comme il l'avait toujours fait, il utilisait tout le cadran et captait ainsi diverses stations émettant illégalement en pleine mer, ou encore de Luxembourg et de Monte-Carlo. Toutes ces stations diffusaient des chansons des Beatles, et Cord finit par connaître les paroles de plusieurs d'entre elles.

Il ne voyait personne. Le bridge et les échecs ne l'intéressaient plus. Son œil paralysé pleurait seul sur lui-même. Quand il allait faire ses courses dans le village, il mettait ses lunettes de lecture. A l'épicerie, il pouvait ainsi lire les prix sur les paquets et les boîtes de conserve, mais il ne pouvait voir l'épicier lui-même et entretenait ainsi l'illusion que le commerçant ne pouvait le voir non plus. De cette façon, il ne mourait pas de faim.

La neige commença à tomber au début du mois de décembre. Cord s'était laissé pousser une très longue moustache. Il en avait eu l'idée en voyant une photo des Beatles dans le *Radio Times*. La moustache couvrait presque la partie de sa bouche qui s'était affaissée. En regardant tomber la neige, il décida qu'il allait faire une chose, une seule, pour alléger sa solitude ; il allait inviter Martin à passer Noël avec lui.

Il y avait eu des lettres en provenance d'une adresse à Swaithey.

« Cher Cord, j'habite pour le moment avec ma vieille institutrice, Miss McRae. Elle m'aide beaucoup pour mon travail en secondaire. »

« Cher Cord, je suis toujours chez Miss McRae, et je travaille beaucoup. As-tu lu *Bleak House ?* »

« Cher Cord, tu me manques. Je suis toujours chez Miss McRae, et souvent, le soir, nous lisons *Le Roi Lear* à haute voix. Je suis Lear. Miss McRae est Regan et Goneril. Je suis Edmund. Miss McRae est Gloucester. Aucune de nous deux n'aime être Cordelia. »

« Cher Cord, merci pour l'argent que tu m'as envoyé pour acheter un transistor. Je vais immédiatement en prendre un qui n'est pas plus gros qu'une boîte à bonbons. Oui, en un certain sens j'aime les Beatles. J'aimerais venir de Liverpool et être une vedette. Au lieu de cela, je fais des décalques. »

En conséquence, Cord s'assit à sa table et écrivit :

« Cher vieux Martin,

« Avec toute cette neige, j'ai beaucoup pensé à Noël. Savais-tu que ta grand-mère, Livia, faisait des décorations d'arbre de Noël avec du crin de cheval ? J'ai encore, quelque part, des anges en crin de cheval.

« Vas-tu chez toi pour Noël ? Ou passes-tu les fêtes avec Goneril ? Cela me ferait plaisir si tu venais à G. Tears. Grand plaisir.

« J'ai passé un moment terrible. Sans jamais voir âme qui vive. Viendras-tu ? Nous pourrions farcir un chapon de châtaignes, faire quelques découpages, jouer un peu au rami. Nous pourrions lire *Hamlet* à haute voix et je te laisserais le rôle principal.

« En hiver, est-ce que les oies sauvages partent ou reviennent ? Tu devrais savoir cela. Ecris-moi pour me donner ta réponse : a) pour Noël, b) sur la migration des oies.

« Ton grand-père qui t'aime,

« Cord. »

Cord fit une liste de courses. Quand la neige commença à fondre, il alla à Norwich avec l'Hillman Minx, qu'il gara près du marché, puis il se mit à errer au hasard, ses lunettes de lecture sur le nez, cherchant à acheter pour Martin quelque chose qui lui ferait plaisir. La musique des Beatles s'échappait de quelques-unes des boutiques. Personne ne le regardait — ou du moins en avait-il l'impression. Il se sentait redevenir un peu lui-même.

Il entra dans un magasin d'articles de sport et tomba en arrêt devant un anorak de ski doublé de fourrure. Il dit au vendeur :

— Ma petite-fille excelle dans tous les sports.

Et il pensa que ce pourrait être une chose que Martin Ward aimerait plus que tout : prendre un téléski jusqu'en haut d'une montagne et la redescendre à toute allure, en bravant le danger. Il se prit à souhaiter pouvoir lui offrir cela : l'occasion de dévaler une montagne à pleine vitesse et d'avoir une vue sur un autre monde que l'Angleterre. Parce que rester toujours à la même place vous défigurait. Votre paupière finissait par tomber pour vous cacher l'immuable spectacle, et votre bouche s'affaissait de dégoût. C'était maintenant évident.

Livia l'avait compris. Elle dépensait son argent en

vêtements et en bagages. En promenade, elle rejetait la tête en arrière et regardait avec avidité vers le ciel. Elle le faisait même les jours de grisaille, quand il n'y avait pas trace de soleil.

CHAPITRE VIII

1963

Estelle :

Le monde a réussi à atteindre Noël.

Nous ne semblons pas être morts. La bombe ne semble pas être tombée.

Alice, la Femme-Poule, m'a envoyé une carte postale représentant les sables de Whitby.

« Ouf ! écrivait-elle, souligné trois fois. Je pense que ma basse-cour est intacte. »

J'ai vu tout se passer à la télévision. Je ne m'étais jamais rendu compte que Cuba était près de l'Amérique. Je pensais que c'était à des kilomètres de partout, dans une mer séparée.

Pendant un mois, nous avons cru que la fin du monde arrivait. Nul ne savait où la première bombe allait tomber et combien de temps les choses survivraient après sa chute. Nous ne savions pas si le blé allait mourir. Nous imaginions un nuage se répandant.

— Je n'ai jamais su, avais-je dit à Irene, ce qu'il y avait dans les nuages ordinaires, pourquoi ils étaient là et pourquoi ils ne tombaient pas.

— Les hommes connaissent mieux ces choses-là, m'avait répondu Irene.

Je tentais de faire le compte de ce qu'il y avait en Angleterre. Je commençais par les églises. Puis je passais aux pierres avec lesquelles avaient été construites les églises. Puis au bois qui avait fait les toits, les stalles et les bancs. Puis aux arbres qui avaient été coupés pour fournir ce bois. Puis au nombre d'années pendant lesquelles ces arbres avaient poussé. Et puis, enfin, à tout ce qui se trouvait dans les églises, comme les livres de cantiques, les surplis, les fonts baptismaux, les cordes des cloches, les croix, les candélabres ou les notices manuscrites épinglées sous tous les porches. Je n'essayais pas de compter les prières, les chants ou les respirations. Je me concentrais sur les choses et sur le temps. Et les résultats que j'obtenais étaient si énormes que je n'étais plus capable d'imaginer des carrières, des forêts ou des saisons ; je ne voyais plus que des nombres. Je me dis que c'était probablement ce qui arrivait à Khrouchtchev au même moment ; il avait cessé de voir ou d'imaginer l'Amérique. Il oubliait délibérément qu'il y avait des voitures appelées Oldsmobile, que, les jours de festivités, les gens lançaient des millions de confetti par les fenêtres, que Doris Day était une femme adorable. Il regardait des cartes, peut-être des statistiques. Ou peut-être quelqu'un lui avait-il dit que, rien que dans la ville de Los Angeles, il y avait plus d'un demi-million de jets rotatifs pour arroser les pelouses et était-ce ce qu'il avait choisi de garder à l'esprit. Il se tenait à sa fenêtre, au Kremlin, une fenêtre que j'avais vue aux actualités télévisées, et il disait à voix haute en russe :

— Je vais bombarder des milliers de jets rotatifs.

Mais cela ne se produisit pas.

Sonny avait loué une excavatrice. Il disait qu'il allait nous construire un abri anti-atomique. Il m'avait dit aussi d'acheter des rations de survie — des poires séchées et des paquets de raisins de Corinthe. Les betteraves restaient dans le sol et leurs fanes se ratatinaient comme des épinards tandis qu'il s'occupait de l'abri.

C'était Timmy qu'il voulait sauver.

Il ne savait pas bien se servir de l'excavatrice, et il n'avait personne pour l'aider. Il creusa un long trou ressemblant à une piscine ou à une fosse commune. Je nous voyais déjà brûlant, étendus au fond. Sonny en était conscient. Il avait dessiné une véritable maison souterraine avec des toilettes portatives, une cuisinière à gaz et des couchettes, mais le résultat ne ressemblait en rien à cela.

Aux actualités télévisées, on nous a montré la grande flotte américaine toute grise allant vers Cuba, puis, un peu plus tard, en repartant. Les navires, la mer et Cuba n'ont pas de couleur pour moi. Et, sur le moment, j'étais contente que tout cela soit en noir et blanc, comme si cela faisait déjà partie de l'Histoire.

Quand ce fut vraiment fini, Sonny fut plus soulagé de ne pas avoir à terminer l'abri que de voir que le monde était sauvé. Depuis la perte de la moitié de son oreille, lui et le monde n'ont pas été en très bons termes. Si le monde avait eu à choisir entre un abri vide et Sonny, il aurait choisi l'abri.

Il y avait trois couchettes sur le dessin de Sonny, pas quatre.

Je vais dans la chambre de Mary et regarde ce qui y reste. J'essaie de deviner ce qu'elle est à travers le peu qui subsiste. A un moment, elle a dessiné des nuages. Puis elle a commencé à fabriquer des armes contre nous. Elle est devenue l'ennemi.

Je déchire ses dessins de nuages. Dans un placard poussiéreux, il y a une paire de bottes en caoutchouc qui sont peut-être celles qu'elle portait à la séance de danse. Il y a une balle de tennis, toute verte et fendue à la couture. Il y a un *Dictionnaire des inventions* qui appartenait à Livia. Il y a un couteau de cuisine disparu depuis un an. Cela me fait frissonner de toucher des choses qui ont été perdues.

Depuis qu'elle est partie, j'ai commencé à rêver d'elle. Nous ne pouvons pas choisir nos rêves. Ce sont eux qui nous choisissent. Nous nous trouvons toujours dans une gare, Mary et moi. Je suis plus jeune. Mes cheveux sont noirs et fournis. Je monte dans le train et je suis soulagée de m'en aller, de laisser sur le quai Mary — avec son visage plat si différent du mien, son corps bizarre.

Mais elle me fait me pencher par la portière pour lui dire au revoir, pour l'embrasser. Alors mes cheveux viennent s'enrouler autour de son cou, comme un nœud coulant, et, à ce moment, le train se met en marche. Je tente de la repousser, mais elle est prisonnière de ma chevelure et elle doit commencer à courir sur le quai pour suivre le mouvement du train, pour que sa tête ne soit pas arrachée.

Je hurle pour que quelqu'un nous vienne en aide, mais il n'y a personne dans le wagon et personne sur le quai. Puis le quai se termine, et Mary se retrouve suspendue par le cou, toujours prise dans mes cheveux. Son poids me tire à moitié hors de la portière, mais je tiens bon, sachant que, bientôt, elle va tomber le long de la voie et que je vais être délivrée d'elle, pouvoir sortir mes sandwiches et mon thermos et profiter de mon voyage. Mais je ne profite pas de mon voyage ; je m'éveille. Je ne puis faire autrement.

Je dis à Sonny :

— J'ai fait mon rêve à propos de Mary.

Il me répond :

— Elle est partie, maintenant. Oublie-la.

J'ai passé les murs de sa chambre à la détrempe et peint les fenêtres en blanc. J'ai rangé tout cela dans le passé. Comme Cuba.

Avec la Nouvelle Année, il m'est venu une autre idée.

Elle a commencé à germer quand Irene a amené Billy à la ferme. Je n'avais pas vu Irene depuis notre discussion sur le nuage atomique, car il y a maintenant une grande différence entre nous ; Irene est heureuse.

Mais elle m'a écrit en me disant : « On ne se voies plus du tou, Estelle. » Edward Harker lui a appris beaucoup de choses, mais pas l'orthographe. Elle ajoutait : « Billy aime tou les annimau, grand ou petit. »

Billy Harker a cinq ans et veut devenir pompier. Il possède une tortue nommée Tarzan à laquelle il essaie d'apprendre à sauter. Il a des yeux marron et des cheveux châtains. La plupart du temps, il prétend être un moteur. Après le thé, dit Irene, le moteur a des ratés, et Billy s'arrête et s'endort dans les escaliers.

Billy et Irene sont venus à la ferme pour passer la journée. C'était un jour de février très ensoleillé. Billy portait une petite écharpe. Il a le visage tout rond et des fossettes aux joues, comme Irene.

Nous lui avons montré la moissonneuse-batteuse, recouverte de vieux sacs pour la protéger de l'humidité. Nous dûmes retirer les sacs pour que Billy puisse monter sur l'engin et imaginer qu'il moissonnait un champ de blé.

Irene tenta de me parler de Mary, mais je lui dis que je ne voulais pas aborder ce sujet.

Quand nous sommes allés dans la prairie où se trouvent les poules, nous avons donné à Billy une cuvette pleine de grain et il s'est mis à courir en le semant en tous sens, tandis que les volailles caquetaient de frayeur et tentaient de voleter partout. Il a entrepris de les poursuivre. J'étais bien contente que Sonny ne soit pas dans les parages. Billy a laissé tomber la cuvette et s'est jeté sur l'une des poules comme un joueur de rugby plaquant un adversaire. La poule culbuta et Billy la maintint au sol. J'espérais qu'il ne lui avait pas cassé les pattes. Billy se releva et la poule se mit à lui donner des coups de bec sur les mains, mais il ne pleura pas. Il la prit sous son bras et lui caressa les plumes du cou.

Dans l'après-midi, nous nous installâmes dans l'obscurité pour regarder « Andy Pandy ». Billy n'avait encore jamais vu la télévision. Il était fasciné et demeura très tranquille. Je le pris sur mon genou. Il était beaucoup plus lourd que mes enfants au même âge. Il se renversa contre moi, la tête sur mon épaule, et, pour la première fois depuis des années et des années, je me sentis entièrement bien. J'aurais voulu le garder éternellement contre moi. Je sentais l'envie à l'égard d'Irene me tarauder.

Je décidai donc ce soir-là que je voulais un autre enfant. Pourquoi pas ? Je suis encore jeune : même pas quarante ans. Il reste quelque chose de ma ressemblance avec Ava Gardner. Je tiendrai le bébé tout chaud contre moi, et ce sera ma nouvelle raison de vivre.

Et j'ai une chambre pour lui : celle de Mary. Sur les murs gris j'accrocherai des images en couleurs de tortues et de voitures de pompiers. Je demanderai à Edward de fabriquer un berceau.

C'est ma nouvelle idée pour la Nouvelle Année.

Le fantôme indiscret

Le fantôme d'Arthur Loomis se conduisait très mal. Il entra dans les rêves de Walter tout nu et sentant encore la tombe. Son pénis était rouge et raidi. Il l'agita devant le visage de Walter.

— Va-t'en, se força à lui dire Walter dans son rêve. Arrête de me persécuter. J'ai fait tout ce que tu m'as demandé.

Il raconta la chose à Pete, mais celui-ci se mit à rire.

— D'ordinaire, les fantômes sont en blanc, dit-il.

Qui plus est, quand Walter s'éveillait après cette sorte de rêves, un peu de la puanteur d'Arthur subsistait sur son oreiller, comme si le fantôme était resté assis toute la nuit près de sa tête. Quand elle venait lui apporter une tasse de thé à six heures, Grace fronçait son nez étroit et lui disait :

— Cela sent mauvais ici, Walter. Tu devrais ouvrir la fenêtre et aérer cette chambre.

Même dans la boutique, il sentait de temps à autre cette odeur de mort. Elle disparaissait dans la soirée, au moment du dîner, pour revenir quand il dormait.

Il fallut bien des semaines à Walter pour se rendre compte que l'odeur venait de sa propre bouche.

Il en fut rempli de terreur. Il avait vingt-sept ans, son haleine sentait le cadavre et il ne savait pas pourquoi.

Il avait rencontré Sandra dans la rue, un jour à l'heure du déjeuner. Elle poussait une voiture d'enfant bleu marine où se trouvait sa petite fille, Judy. Sandra s'arrêta, sourit à Walter et l'invita à regarder Judy, comme si c'était là un privilège spécial seulement accordé à quelques-uns. Walter ne s'intéressait nullement aux bébés, mais il considéra que, par politesse, il ne pouvait refuser. Il se pencha sur le landau en filtrant son haleine entre ses doigts. La petite fille portait un bonnet couleur saumon. Elle parut affreuse à Walter, qui trouva qu'elle ressemblait à une crevette.

— Elle est mignonne, n'est-ce pas ? dit Sandra.

— C'est votre fille, fit Walter. Elle ne peut que l'être.

Sandra était en bleu et blanc — robe bleue, col et manchettes blancs, comme une infirmière. Sa poitrine s'était considérablement développée et elle avait coupé ses cheveux. La Sandra pour laquelle il avait écrit une chanson n'existait plus.

— Au revoir, Mrs Cartwright, dit-il. J'ai eu plaisir à vous rencontrer.

Cette nuit-là, le fantôme d'Arthur n'apparut pas. Walter vit simplement en rêve une infirmière qui lui explorait la gorge à l'aide d'une torche électrique. Il se rappela les douleurs qu'il avait éprouvées en tentant de jodler, son désir d'écrire des chansons et d'aller dans le Tennessee. Il se rappela sa visite à Gilbert Blakey, et le regard froid de l'assistante de Blakey penchée vers lui.

Quand on l'éveilla, à six heures, il avait la bouche si pleine de sang qu'il ne put dire bonjour à sa mère. Celle-ci posa la tasse de thé et lui dit :

— Cette odeur épouvantable, Walter. Cela ne pourrait pas être tes dents ?

Il s'examina la bouche dans le petit miroir en matière plastique de la salle de bains. Il retroussait les lèvres en pensant à cette pauvre Cleo qui, le scrutant à travers ses lunettes à paillettes, lui avait dit un jour qu'il avait une jolie bouche.

— Si rose, mon chéri.

Pour le moment, il n'y avait plus rien de joli. Ses gencives étaient de la couleur du pénis d'Arthur et elles suintaient. C'était comme si, alors que tout le reste de son corps restait en vie, sa bouche était en train de mourir. Cette bouche n'avait jamais embrassé Sandra. Elle avait renoncé à vivre.

Il demanda à Grace de téléphoner à Blakey, et, assise dans sa petite cabine, elle forma le numéro en gardant le regard fixé sur lui.

Il était en train de parer des canards. Il se dit que, bien sûr, elle ne tenait pas à le voir se trancher les doigts lui aussi, mais que voulait-elle au juste ? Un petit-fils ressemblant à une crevette bouillie ? Le nom de Loomis se perpétuant dans l'avenir ?

La crise mondiale avait modifié le paysage mental de Gilbert Blakey.

Après Cuba, après qu'il eut compris que la nature risquait de le laisser mourir avant de l'avoir laissé aimer, il commença à se rendre compte de la situation psychologique dans laquelle le plaçait sa propre réticence.

Il avait cru que s'il cédait au désir la terre allait se fissurer et rien ne connaîtrait plus de permanence. Il se rendait soudain compte qu'il n'existait de permanence en rien, pas même au ciel. Il laissa donc plus libre cours à ses rêves. Son comportement à l'égard de ses patients mâles s'était modifié de façon si minime que sa nouvelle assistante n'avait remarqué aucune différence. Ses doigts restaient simplement un peu plus longtemps dans leur bouche, tandis qu'il leur tenait des propos rassurants.

Il parlait à sa mère d'un éventuel changement dans

sa vie, mais de façon si lointaine et imprécise que Margaret Blakey n'y prêtait guère attention.

Gilbert ne savait nullement quand sa vie allait commencer à se modifier. Il se sentait incapable de faire des projets précis ; il n'en avait pas le courage. Il était simplement convaincu que quelque chose allait arriver. Il se disait que si le monde entier pouvait, apparemment, caresser l'idée de sa fin avec si peu de regrets, il pouvait, lui, caresser tout simplement un homme et n'en point mourir. Et il savait aussi que lorsqu'il rencontrerait cet homme, il le reconnaîtrait ; il saurait.

Walter se rendit à son rendez-vous avec Gilbert Blakey à bicyclette. Les champs de haricots étaient en fleurs, en cette fin d'après-midi d'une extraordinaire douceur. Depuis que sa bouche avait commencé à sentir la mort, Walter était devenu plus sensible qu'à l'habitude aux effluves de la terre.

Il n'avait pas peur. Il pensait que ce qu'il avait, quoi que ce fût, était guérissable. Il sifflait en pédalant. Il avait la foi.

Gilbert se souvint de lui dès qu'il le vit — le jeune homme qui s'était évanoui dans son cabinet. Il se rappela les lèvres charnues et la chaleur qui se dégageait de cette lourde tête. En essuyant ses mains aux doigts longs et fins, il remarqua que cette chaleur semblait envahir de nouveau Walter. Il lui sourit de son sourire à la Anthony Eden, les canines proéminentes, en lui demandant la raison de sa visite.

Walter ne savait pas comment s'expliquer. Se retrouver là, sous la lampe à réflecteur, le troublait énormément. Il fut sur le point de parler au dentiste du fantôme nu d'Arthur, et même de Sandra, de son vétérinaire et de son bébé-crevette, car il savait que tout cela était lié d'une manière ou d'une autre à sa présence dans le fauteuil amovible du praticien. Il se contrôla à temps. La présence d'une nouvelle assistante, très rebondie sous l'amidon de son costume, l'empêcha de divaguer sur tout ce qui venait le hanter. Il se borna à évoquer ses hémorragies.

Gilbert sélectionna une sonde appropriée et fit basculer vers l'arrière le repose-tête du fauteuil. Le regard de Walter s'était fait à la fois résigné et suppliant. Gilbert lui posa un index caressant sur la lèvre inférieure.

— Ouvrez, dit-il.

C'est alors seulement qu'il prit conscience de l'épouvantable haleine de Walter.

Il lui parla doucement et lentement, comme à un étranger risquant de ne pas comprendre. Il lui expliqua comment, si l'on négligeait sa bouche, des dépôts alimentaires se produisaient dans ce minuscule espace entre la gencive et la dent appelé la cavité gingivale. Cette stagnation entraînait tout un cycle de décomposition. Un dépôt calcaire se formait, qui venait irriter et enflammer la gencive, faisant se relâcher l'étreinte de celle-ci sur la dent et créant ainsi une « poche » dans laquelle d'autres dépôts alimentaires venaient s'accumuler et se décomposer. L'action corrosive du calcaire, combinée à celle des bactéries, attaquait la gencive et suscitait des saignements au moindre contact. Si un traitement n'était pas appliqué rapidement, cette gingivite en viendrait à attaquer la mâchoire, déchaussant et faisant tomber les dents.

Walter écoutait. Il était soulagé de constater qu'il existait des noms et des verbes pour décrire son affection. Il se dit soudain que c'était pour cela qu'il aimait écrire des chansons ; il pouvait amener les mots à décrire des choses dont il n'avait rien su auparavant.

Il contempla Gilbert, sa blouse blanche, ses cheveux pâles et son sourire rassurant. Il lui demanda ce qu'il fallait faire. Gilbert lui répondit qu'il allait lui nettoyer les dents pour le débarrasser du tartre, lui donner un produit pour des bains de bouche et lui indiquer quelques principes d'hygiène dentaire. Le traitement devait être suivi de près, et il allait falloir prendre trois ou quatre autres rendez-vous.

Gilbert échangea la sonde contre un grattoir. Il maintenait la bouche de Walter ouverte de la main gauche, le menton reposant au creux de sa paume. Le sang de Walter venait poisser son pouce.

Gilbert, pendant ce temps, songeait : « Voici ce que je vais faire. Je vais m'acheter une voiture très cher. Je vais emmener le Diable en promenade. J'aurai une main sur le volant et l'autre sur la cuisse du Diable. Je sentirai la chaleur de l'enfer envahir mes doigts et se répandre dans mon poignet, puis dans tout mon bras. Ce sera le commencement. Et, à mon avis, une fois que ce sera commencé, il n'y aura plus de fin. On ne reviendra jamais plus en arrière. »

Mary :

J'ai passé le Noël 1962 avec Cord. Son apparence s'était beaucoup modifiée. Il me dit qu'un troupeau d'oies sauvages avait survolé Gresham Tears en formation de V, et que ce V représentait la flèche du destin, abîmant tout sur son passage. Sa consommation de Wincarnis s'était considérablement accrue.

— Martin, me dit-il, je suis en train de devenir un fichu ivrogne.

Je me saoulai avec lui. Le temps de la bière de gingembre était bien révolu. Nous nous assîmes sur le tapis, devant la cheminée et nous enivrâmes consciencieusement en confectionnant des guirlandes en papier. Il devait, en principe, y avoir un ordre des couleurs dans ces guirlandes — rouge, bleu, vert, jaune, violet — mais nous étions hors d'état de nous en soucier. On eût dit que nos guirlandes avaient été faites par des chimpanzés.

Les médecins avaient dit à Cord qu'il n'y avait pas de nom précis pour ce qui lui était arrivé.

— Il y a, me dit-il, un nom pour chaque satanée petite chose, en ce monde, mais pas pour celle-là.

Pensant à Mary et à Martin, je lui répondis :

— Les noms ne sont d'aucun secours, Cord.

— Je ne suis pas d'accord avec toi là-dessus, fit-il. Souviens-toi des trois syllabes de Livia.

Je voulais consoler Cord en lui offrant un joli cadeau de Noël. Ma mère m'avait envoyé un mandat postal de vingt-cinq shillings. Il avait été placé dans une carte de vœux classique, sans un mot personnel. « Maison » ou « père » n'étaient écrits nulle part.

Je me dis que mon décalque de la plaque de Sir John Elliot, 1620-1672, ferait sûrement plaisir à Cord. Je le fis donc encadrer et j'enveloppai le tout dans six feuilles de papier d'emballage.

Cord l'accrocha dans les toilettes du bas. Il proclama que c'était merveilleux. Il dit aussi, ce jour-là, que tout ce qu'il y avait d'important se présentait sous un double aspect, comme être ou ne pas être, mâle ou femelle, et qu'il n'existait pas de terrain intermédiaire. Assise sur le siège des toilettes et contemplant la plaque de Sir John, je me dis que Cord avait tort, qu'il y avait un terrain intermédiaire, un terrain que nul ne voyait mais où je me trouvais.

Cord m'offrit un anorak de ski avec une capuche bordée de fourrure blanche. Quand je l'essayai, il me dit que je ressemblais à la Reine des Neiges. En conséquence, la nuit suivante, je décousus la fourrure et la pliai soigneusement afin d'en faire cadeau à Lindsey si je la revoyais un jour.

C'est tout ce que je me rappelle de ce Noël. Pour tout le reste, j'étais ailleurs.

J'entamai une nouvelle année avec Miss McRae. Elle me demanda :

— As-tu pris des résolutions nouvelles, ma chérie ?

La résolution que j'avais prise, c'était d'oublier Lindsey. Elle avait quitté le lycée de Weston et s'était fiancée à Ranulf Morrit. Elle se conduisait comme si, du jour au lendemain, elle avait eu vingt-cinq ans.

— Ranulf chéri, disait-elle, va devenir expert comptable.

Ranulf chéri faisait l'amour à Lindsey dans une chambre de bonne oubliée de la maison de ses parents. Ramona, la cuisinière, dormait dans la pièce voisine, mais les Espagnols ne sont pas censés avoir des oreilles.

Quand Lindsey entreprit de tout me raconter dans les détails, je voulus lui dire « Arrête, s'il te plaît ! », mais elle s'accrochait à moi, me pouffait de rire dans l'oreille, ses cheveux me chatouillaient le visage et j'avais l'impression que ma respiration se bloquait dans mes poumons.

— Je ne savais pas, me disait-elle, ce que c'était de *se donner,* Marty. Ce que c'était, sais-tu, de *se soumettre* complètement. Mais c'est ce qu'il y a de vraiment fantastique là-dedans. Je veux dire d'avoir Ranulf sur moi, me faisant faire tout ce qu'il veut... Je te dis bien tout ce qu'il veut, non pas ce que je veux, et quand il jouit — tu sais ce que c'est que de jouir — il me le dit toujours. Il me dit : mon Dieu, Lindsey, je jouis, et, alors, je me sens si... *privilégiée*. Tu vois ce que je veux dire ?

Je dus m'éloigner. Je traversai le terrain de hockey tout gelé, j'entrai dans l'un des courts de tennis, je m'assis sur le sol et m'adossai au grillage. Je me voyais, comme d'en haut, comme si j'avais été Dieu ou un aviateur. J'avais l'air d'un sac de charbon. Je sentais mes poumons devenir noirs.

J'essayai de penser au tennis et à l'été. Il n'y avait pas de filets sur les courts, et les lignes sur le sol avaient besoin d'être repeintes. Je me dis alors que j'avais dix-sept ans et qu'on serait toujours en hiver. Mes genoux étaient violets de froid. Ma haine de Ranulf Morrit m'avait pétrifiée. Quand la nuit commença à tomber, je ne pouvais même plus bouger les yeux.

Ce fut Miss Gaul qui me découvrit là. Une goutte tombée de son long nez vint éclabousser ma main comme pour me réveiller. Elle me fit me redresser et me secouer, mais je n'arrivais plus à me tenir debout. Je retraversai le terrain de hockey courbée et les bras pendant, comme l'homme de Neandertal. Je me dis que ce serait bien agréable de remonter dans le temps, jusqu'à une époque où nul ne savait parler.

On m'emmena dans la salle des professeurs, qui était la seule pièce à Weston équipée d'un chauffage électrique. C'était la fin de la journée, et les professeurs se faisaient du café et allumaient des cigarettes — activités dont nous ne les aurions jamais crus capables. Elles me sourirent gentiment, comme si elles avaient formé une famille dont je fis partie pendant une demi-heure.

C'était avant mon Noël avec Cord. Quand je revins à l'école, Lindsey n'était plus là. Je ne tentai pas d'imaginer où elle pouvait se trouver ni ce qu'elle pouvait faire. Je ne lui envoyai pas la fourrure de mon capuchon d'anorak. J'étais bien contente de ne pas être Ramona, la cuisinière espagnole. Je résolus d'oublier Lindsey.

Je n'arrivais pas à l'oublier.

Je tentais de me représenter un triangle équilatéral, et je trouvais Lindsey à sa place. Elle m'attendait constamment au détour de mes pensées.

J'avais été chaste. Maintenant, la nuit, dans mon lit en forme de cercueil, je devenais Martin Ward, l'amant de Lindsey. Je ne pouvais m'en empêcher. Elle n'aurait pas dû me raconter ce que Ranulf lui faisait. Cela m'avait fait désirer la même chose. Je la couchais sous moi. Mes seins devenaient les siens. Je fermais les yeux. Elle me suppliait d'aller de plus en plus profond en elle, de lui faire mal. Elle me disait : « Détruis-moi, Martin. » Et quand j'avais fini, elle était meurtrie de partout, elle pleurait. Je léchais ses larmes. Je murmurais à l'oreiller humide : « Lindsey, c'est ta faute. » Avant de m'endormir, je me disais que le lendemain ce serait fini. Que le lendemain je pourrais l'oublier et continuer mon devoir sur

Hamlet. Le lendemain arrivait, et je ne l'avais pas oubliée.

J'étais de nouveau démangée par l'envie de me confier à quelqu'un. Je n'étais plus le petit Martin. A l'intérieur de moi-même, je me sentais un jeune homme.

Je restais silencieuse près de la cheminée de Miss McRae. Elle pensait que ma maison et ma famille me manquaient. Elle tricotait un chandail pour sa sœur, à Oban.

— Le temps finit par tout changer, Mary, me dit-elle. Et pas toujours pour le pire.

— Je suis malade, Miss McRae, fis-je. Je n'arrive pas à travailler. C'est quelque chose à l'intérieur.

Miss McRae posa son tricot et déclara :

— C'est grave, ma chérie.

C'est ainsi que je me retrouvai dans le cabinet du médecin. Je n'avais aucun souvenir d'y avoir pénétré.

C'était un médecin que je n'avais encore jamais vu. L'ancien s'appelait Hodgkin, et il avait exercé à Swaithey pendant vingt-sept ans. Je me dis qu'il était peut-être mort. Mon père lui-même était peut-être mort. Car j'avais l'impression que beaucoup de temps avait passé...

Je parlai d'une voix curieusement forte. C'était comme si j'avais économisé mon souffle depuis la nuit des temps.

— Vous n'allez pas croire ce que je vais vous dire, déclarai-je.

Je me tenais très droite et immobile. Je parlais clairement et avec aisance, comme lorsque j'avais essayé d'évoquer Hitler au cours du débat à l'école. Je dis au médecin que j'avais dix-sept ans.

— Oui, fit-il. Et alors ?

Je sentis arriver un silence. Je savais que je ne devais pas le laisser s'installer, car, alors, mes mots s'y précipiteraient et s'y noieraient.

— J'ai tenté de le dire à des gens, précisai-je. Deux fois. Mais j'y ai renoncé.

— De leur dire quoi ? demanda le médecin.

Il semblait pressé.

— De leur dire que je ne suis pas vraiment une fille. Quand j'étais toute petite peut-être, mais pas depuis l'âge de six ans, depuis la mort du Roi. Depuis ce moment...

— Attendez une minute, fit le médecin. Que racontez-vous là ?

— Je dis que, si à certains égards j'ai un corps de fille, je n'ai jamais pensé, pas une heure, pas un jour ou pas une minute, que j'étais une véritable fille ou que j'allais devenir une femme. Je me suis toujours sentie mâle. Et plus je vais...

— Vous avez des seins ?

— Oui.

— Vous avez sans doute des règles ?

— Non.

— Vous savez ce que sont les règles ?

— Oui.

Je pensais à Lindsey. Lindsey saignait et saignait. Et la perte de sang lui donnait des malaises.

— Vous n'avez pas de cycle menstruel ?

— Non.

— Et, à cause de cela, vous en êtes venue à croire que vous n'étiez pas une fille ?

— Non. Pas à cause de cela. Je l'ai toujours cru. Toujours. Depuis que j'ai eu six ans. Depuis que le Roi...

— Qu'est-ce que le Roi a à voir là-dedans ?

Je m'interrompis et regardai le médecin. Si nous avions eu un débat sur le thème « Ce qui fait un bon médecin », j'aurais souligné que la patience était un élément important.

Ce médecin-là avait sur les lèvres un sourire qu'il tentait de dissimuler. Je me dis que lorsque je serais un homme je m'appliquerais à ne lui ressembler en aucune façon ; c'était un personnage haïssable.

Il écrivit quelques mots sur un bloc et me dit que le plus important était d'établir pourquoi je n'avais pas encore de menstruations. Je lui dis que c'était parce que je n'avais pas de matrice. Il secoua de nouveau la tête.

Il me fit une prise de sang et me demanda de lui montrer mes seins, que je gardais toujours bandés. Je défis les bandages de crêpe. La pièce semblait glaciale. Lindsey m'avait dit qu'à la seule vue de ses seins Ranulf Chéri avait perdu le contrôle de lui, mais le médecin ne fit pas de même à la vue des miens. Il détourna le regard et j'en fus heureuse. Tout ce que je voulais était m'en aller.

J'étais sur le point de le faire quand le médecin me dit :

— Attendez une minute. Je vais vous faire une ordonnance.

— Une ordonnance pour quoi ? demandai-je.

— Quelques cachets. Ils devraient provoquer vos règles. L'illusion dont vous souffrez est probablement liée à une déficience hormonale. Une fois que votre cycle sera établi, je suis sûr qu'elle disparaîtra.

Je pris l'ordonnance et sortis. Sans dire merci. Sans un mot.

Je m'assis sur un banc dans la rue principale de Swaithey, déchirai l'ordonnance et en éparpillai les morceaux dans l'eau du caniveau, où ils flottèrent comme des pétales blancs.

Plus tard cette année, alors que l'été était arrivé et que j'avais reçu une invitation pour le mariage de Lindsey, j'allai voir Edward Harker. C'était le jour du gymkhana équestre du village. Pearl aimait parfois à imaginer qu'elle était un poney. Elle hennissait, s'ébrouait et secouait sa crinière blonde. Elle laissait Billy monter sur ses épaules et lui fouetter le bras avec une branche de saule. Je savais donc que Pearl, Billy et Irene seraient au gymkhana et qu'Edward, qui souffrait du rhume des foins, serait sans doute seul dans son atelier du sous-sol.

Je m'étais rendu compte après ma visite au médecin que parler de moi à quelqu'un d'autre n'était pas aussi difficile que je l'avais imaginé. J'avais dit quelques mots et tout avait été fini. A part que ces mots n'avaient pas été crus. J'aurais pu aussi bien dire : « Je suis la Vierge Marie. » On croyait que je souffrais d'illusions. Ma mère m'avait dit qu'elle avait une amie, à Mountview, qui croyait être une poule. Et c'était pour cela que cette personne était enfermée là-bas. Personne n'avait cherché à voir si elle avait des plumes. Personne ne lui avait proposé un ver de terre. J'avais pensé lui écrire : « Ce pays a peur de tout ce qui est inhabituel », mais je m'étais rendu compte que l'idée d'écrire à une poule ne me plaisait pas. J'avais l'esprit aussi étroit que n'importe qui d'autre.

Le problème de savoir qui me croirait avait donc commencé à me tourmenter. Je passais en revue mentalement toutes les personnes de ma connaissance en imaginant que je leur faisais ma révélation. Seul mon père était absent de la liste. Je parlais à Cord, et il commençait à regarder vers le ciel. Je parlais à Timmy et il disait : « Il faut que j'aille à ma leçon de natation. » Je parlais à Lindsey, et elle se mettait à rire en disant : « Est-ce que cela veut dire que tu ne pourras pas être l'une de mes demoiselles d'honneur ? » Je parlais à ma mère, mais elle n'écoutait pas. Elle essayait de se rappeler les paroles d'une chanson de Perry Como. Je les congédiai tous, et ils s'en allèrent sans jeter un seul regard derrière eux.

Ce fut ensuite que je me souvins d'Edward Harker me disant, le jour de son mariage : « Tout, dans la nature, n'est que résurrection. » Je me dis alors qu'un homme croyant en des vies antérieures était la personne adéquate. Et il avait été constamment à ma portée...

Revêtu d'un tablier d'épicier, il était en train d'huiler une batte. L'éclairage de son atelier n'avait pas changé depuis que j'étais enfant. L'odeur de l'huile de lin était lourde et prenante comme celle de l'encens. Il caressa la batte de sa main imprégnée d'huile et me dit :

— J'espère que je ne perds pas ma touche, Mary.

— Vous pouvez garder un secret, Edward, n'est-ce pas ?

J'utilisai le même genre de mots que ceux que j'avais employés dans le cabinet du médecin, ajoutant :

— Il y a eu une erreur quelque part, Edward, et elle ne sera jamais rectifiée ou rendue plus supportable si personne ne croit ce que je dis.

— Je te crois, dit-il aussitôt.

Sur quoi nous nous assîmes l'un et l'autre là où nous nous trouvions. Je m'assis sur le dessus d'un tour de précision et Harker sur son bureau, en renversant une lampe. Nous restâmes un bon moment sans parler, et ce silence marqua la fin de quelque chose : la fin de mon isolement.

Je regardai la main de Harker se diriger droit vers la lampe renversée, la redresser et la reposer très exactement là où elle se trouvait auparavant.

CHAPITRE IX

1964

Marshall Street

Tous les jeudis matin, Sonny Ward conduisait Timmy dans sa camionnette jusqu'à la gare de Saxmundham et le mettait dans le premier train pour Londres.

Sa destination était la piscine olympique de Marshall Street. Il avait quinze ans. Sa voix s'était brisée, et il ne pouvait plus chanter dans le chœur de Swaithey. Cela lui manquait. Il regrettait la pureté de sa propre voix. Nager semblait être tout ce qui lui restait.

Un chasseur de talents, ancien membre de l'équipe olympique de natation de Grande-Bretagne en 1956, avait été invité à l'école de Timmy. Il était arrivé dans son survêtement des Jeux olympiques, très pâli par huit années de lessivages.

Le professeur d'éducation physique lui avait dit :

— Voilà celui qu'il faut surveiller : ce garçon mince avec un sourire idiot, au deuxième couloir.

Timmy avait nagé trois longueurs de bassin en brasse papillon, et le chasseur de talents avait été si impressionné qu'il avait senti son cœur battre plus vite. Il avait dit alors à Timmy :

— Je vais te sortir de l'obscurité de ton Fenland [1], Timothy.

Et Timmy avait répondu :

— On n'est pas dans le Fen, monsieur. C'est plus loin, au dessus de Cambridge.

— Où que ce soit, avait dit l'autre, je vais t'en sortir.

Le groupe que Timmy avait rejoint s'appelait « Les Loutres ». Ses membres avaient trois heures d'entraînement intensif de natation de dix heures du matin à une heure de l'après-midi. Ils devaient apporter leur déjeuner. De deux à trois, on leur apprenait à plonger. Chaque semaine, on leur disait qu'un jour leur pays serait fier d'eux.

Timmy était le plus petit des nageurs des Loutres. La peur que lui inspirait le grand plongeoir était intense, et cette terreur s'accroissait à mesure que les semaines passaient. Plonger de là, le corps à la verticale vers le bas, lui semblait épouvantable. Il trouvait injuste que, la natation étant ce en quoi il excellait, on attende de lui cette autre et terrible épreuve. Estelle elle-même lui répétait :

— J'espère que tu vas apprendre à plonger, Tim. C'est ce que j'attends pour venir te voir.

Il espérait qu'elle attendrait encore longtemps.

— Je ne suis bon qu'en brasse papillon, dit-il.

Elle eut son petit sourire lointain et lui dit :

— Les nages ont de drôles de noms, papillon et tout le reste. Qui les a inventés ?

Timmy lui répondit qu'il ne le savait pas. Il ne connaissait jamais la réponse aux questions que posait Estelle. Peux-tu mimer un danseur de claquettes ? Que sont les rêves ? Quand l'Histoire a-t-elle commencé ? Les questions flottaient simplement dans l'air, sans réponses.

La piscine de Marshall Street semblait très vaste. Il y avait, sur un côté, des gradins en pente raide

1. Région marécageuse et désolée, au nord de l'East Anglia. *(N.d.T.)*

pour les spectateurs, et, de très haut, des projecteurs éclairaient l'eau. Les commandements de Mr McKenzie, l'entraîneur olympique, résonnaient comme dans une cathédrale. S'il n'y avait pas eu le grand plongeoir, Timmy aurait trouvé l'endroit merveilleux. Quand il se tenait au départ d'une course de brasse papillon — trois longueurs, cent mètres — prêt à bondir, attendant, sur le starting-block, le coup de pistolet de Mr McKenzie, il goûtait plus l'existence qu'à aucun autre moment. La façon dont la surface de la piscine, si fort qu'elle ait été troublée par les nageurs précédents, retrouvait une immobilité de verre quelques secondes avant que la course commence ne manquait jamais de l'impressionner. C'était ce qu'il aimait dans la natation : on ne laissait aucune trace de soi, pas d'empreintes, pas de piste. On décrivait une ligne horizontale, qui se prolongeait devant soi, toujours devant, sans rien laisser derrière.

Mr McKenzie rappelait très régulièrement aux Loutres combien l'Angleterre pourrait un jour se sentir fière d'elles si elles accomplissaient bien leur entraînement.

— Timothy, disait-il, il faut que tu te fortifies les jambes, sinon le drapeau national ne sera jamais hissé pour toi.

Durant ses longs trajets vers Marshall Street, Timmy caressait l'idée de cette gloire future. Il s'apercevait qu'il ne la désirait pas tant pour lui que pour Sonny. La vie de Sonny s'effondrait lentement, sans espoir de retour, selon une courbe descendante impitoyable. La moissonneuse-batteuse se rouillait. Des pièces avaient été commandées à crédit et jamais payées. Des champs étaient laissés en friche parce que Sonny n'avait plus la volonté de les labourer. Des chardons poussaient un peu partout. Toute la ferme était envahie par les chardons, et Sonny n'y faisait rien. Timmy détestait voir le duvet des chardons voleter comme du coton au-dessus des champs.

La nuit, un rêve lui revenait. Sonny arrivait à

Marshall Street, portant un complet et une cravate. Il voyait Timmy gagner deux courses à la brasse papillon. Il se levait, applaudissait, et, de joie, agitait son mouchoir. Ils revenaient ensemble par le train, le père et le fils. Comme ils commençaient à voir les champs défiler par la portière, Sonny disait :

— C'est comme cela que tout apparaîtra dorénavant : bien plat, bien net et bien propre. Et ce sera à cause de toi.

Mais restait l'horrible problème du plongeon. Ses parents ne cessaient, l'un et l'autre, d'y faire allusion. C'était comme s'ils considéraient toutes les épreuves de natation comme une sorte d'apprentissage en vue de cette autre chose, tellement plus importante : le moment où Timmy se lancerait dans les airs et où ils le regarderaient tomber.

Un dimanche

On avait livré à Gilbert Blakey sa nouvelle voiture, une MGB décapotable avec des roues à rayons, le jour où Kennedy fut assassiné. Il entendit la nouvelle sur la radio de la voiture. Il en reçut un tel choc qu'il dut se garer sur un bas-côté et rester là, immobile L'intérieur de la voiture, noir avec des senteurs de cuir, merveilleux quelques instants plus tôt, lui faisait soudain l'effet d'une douillette chambre de mort. Il avait du mal à respirer. Il baissa sa vitre pour laisser pénétrer l'air acide dc novembre et posa la tête sur son volant.

Après cela, sa voiture lui inspira une peur suffisante pour l'amener à conduire plus prudemment qu'il l'eût aimé. L'hiver était rigoureux et les routes du Suffolk verglacées. Gilbert avait peur de retourner la MGB sur sa très vulnérable capote de toile. Il s'imaginait la tête en bouillie, comme Kennedy. Il aspirait à voir le printemps arriver. Il se forçait à croire que tout ce qu'il avait à faire était de passer l'hiver, après quoi tout redeviendrait doux et paisible : le temps, la marche du monde et le battement de son propre cœur. Mais une partie de lui-même savait cette espérance vaine. Aucun moment passé ne peut être revécu.

Il avait continué à soigner les gencives de Walter. Il avait dit à celui-ci qu'il voulait le voir régulièrement jusqu'à la guérison complète. Il lui précisait que si ses dents n'étaient pas sauvées au moment présent, il ne lui en resterait plus une seule lorsqu'il aurait trente-cinq ans.

— Il était extrêmement important, Walter, disait-il, que vous veniez me voir au moment où vous l'avez fait.

Au mois de janvier, Walter se retrouva avec une bouche redevenue rose et nette, et une haleine normale.

— C'est fini, maintenant, Mr Blakey ? demanda-t-il.

— Non, répondit Gilbert. Des contrôles mensuels doivent se poursuivre jusqu'au printemps.

Il raconta à Walter qu'il s'était acheté une nouvelle voiture, une MGB. Il ne précisa pas qu'elle lui faisait peur.

— Vous me faites envie, Mr Blakey, dit Walter. S'il y a une chose certaine pour moi, c'est que je n'aurai jamais de voiture de sport.

Gilbert répondit que rien n'était certain dans la vie, et ils se mirent à rire. Walter remarqua pour la première fois la ressemblance de Gilbert avec Anthony Eden, et se sentit flatté, curieusement flatté, de s'en être aperçu.

A partir de ce moment, ils prirent l'habitude de se raconter quelques petits détails particuliers de leurs existences respectives. Comme Walter ne se trouvait la plupart du temps pas en mesure de parler lorsqu'il était installé dans le fauteuil et comme Gilbert, de son côté, préférait garder le silence lorsqu'il travaillait, leurs échanges se limitaient à de petites choses. Gilbert apprit ainsi que l'oncle de Walter vivait dans un trolleybus installé dans un champ. Et Walter put savoir qu'une douzaine de fois par an, la mère de Gilbert sortait avec une mesure d'arpenteur de cinq mètres quarante et calculait la distance séparant la porte de sa maison de l'extrémité des falaises de Minsmere. Ils trouvaient ces détails fascinants. Walter avait été surpris de découvrir qu'il n'était pas le seul habitant du Suffolk à mener une existence solitaire dans la maison de sa mère. Gilbert trouvait l'histoire de l'oncle vivant dans un bus peu banale et rendant Walter moins ordinaire qu'il ne l'avait d'abord pensé.

Walter était très heureux du changement qui s'était produit en lui. Sentir comme le cadavre d'Arthur Loomis ne l'avait pas enchanté. Lorsqu'il ouvrait maintenant la bouche et contemplait ses gencives roses et ses dents blanches et brillantes, il se disait qu'il avait été sauvé de choses affreuses, et peut-être de la mort. Un homme et un seul l'avait sauvé : Gilbert Blakey. Et ce, non seulement de la décomposition, mais aussi de ses cauchemars. Car Arthur commençait à laisser Walter tranquille. Lorsqu'il apparaissait encore, il ne puait plus, il n'était plus nu et il avait cessé de brandir son sexe ; il portait des vêtements normaux et un tablier de boucher.

Walter vouait à Gilbert une gratitude et une admiration confinant à l'adoration. Eden avait fait un pas dans le présent et lui avait souri. En retour, le fantôme d'Arthur était revenu à un état de quiétude d'avant l'affaire de Suez. La prochaine tranche de la vie de Walter pouvait dorénavant commencer.

Mais quelle prochaine tranche ? Aucun changement n'apparaissait dans sa routine quotidienne. Il n'y avait que le printemps, venant lentement envelopper toute chose, et la lumière se reflétant dans la blancheur du comptoir et du carrelage. Grace célébra son cinquante-troisième anniversaire. Ses sœurs vinrent passer le week-end, se parlant en chuchotant, comme elles l'avaient fait après la mort d'Ernie.

De leurs voix feutrées, elles félicitèrent Walter pour la façon dont il tenait le magasin. Il leur versa du sherry, inclina la tête mais ne les remercia pas.

On l'envoya acheter des gâteaux, et, chez le boulanger, il tomba sur Sandra et sa crevette. Celle-ci ne dormait pas mais se tenait à genoux dans sa poussette, toute rose et piaillante. Walter se dit que la crevette allait bientôt marcher et avoir son existence propre, alors que rien ne lui arriverait à lui. Puis Sandra aurait un autre bébé du vétérinaire, une deuxième horrible crevette avec un bonnet saumon, tandis qu'il ne ressentirait, quant à lui, que le passage du temps.

Il rapporta les gâteaux et les disposa sur une assiette avant de les apporter au salon, où les sœurs se trouvaient réunies. Leurs voix rappelèrent à Walter le vent soufflant le long de la rivière et venant relever les jupes des saules. Il revit Sandra dans le bateau à coque vernie. Il ramait. Elle couvrait ses genoux avec sa jupe. Il prit un gâteau et le dévora à toute vitesse, avec avidité. Il se dit que toutes les bonnes choses appartenaient au passé. Et même celles qui n'étaient qu'à moitié bonnes. Des choses comme cette journée sur la rivière. Et toutes ses chansons. Tout.

Arriva une chaude journée dominicale.

Walter dit à sa mère :

— Mr Blakey m'a invité à faire une promenade dans sa voiture.

— Une promenade ? fit Grace. Et pourquoi irais-tu ?

— C'est une voiture de sport, précisa Walter. Une décapotable.

— Décapotable ? demanda Grace. Qu'est-ce que cela veut dire ?

— C'est un terme, dit Walter.

Il n'aurait rien dû dire à Grace. Elle faisait paraître la chose puérile. Les petits garçons veulent faire des promenades en voiture, pas les hommes approchant de la trentaine. Mais il n'en avait cure. Il se réjouissait d'avance de cette promenade, de circuler à grande vitesse sur ces routes familières. Puis d'arriver à la mer, puisque telle était leur destination. Mr Blakey avait dit :

— Pour cela, je suis très conformiste, Walter. J'aime que chaque déplacement ait un but.

C'était la première journée vraiment chaude de l'année, un dimanche de mai. Gilbert avait lavé et astiqué la voiture, dont les roues étincelaient. La capote de toile noire était repliée. Quand Walter s'installa sur le cuir chaud de son siège, Gilbert lui sourit, de son sourire à la Eden, et Walter s'en sentit heureux et flatté, comme si on lui avait adressé une carte de vœux avec un message personnel à l'intérieur.

Le soleil faisait briller les dents de Gilbert. Il portait une chemise bleue avec un pull-over sans manche ressemblant à un gilet et une cravate de soie rouge. Walter ne l'avait jamais vu autrement qu'en blouse blanche. Et il ne s'était encore jamais trouvé seul avec lui. Il se sentit soudain le souffle court. Il se dit que c'était comme se retrouver seul avec un personnage célèbre. Cela vous coupait un peu le souffle.

Ils prirent la direction d'Aldeburgh. L'air avait une clarté que Walter ne se rappelait pas avoir jamais constatée auparavant.

Ils parlèrent du meurtre de Kennedy. Gilbert raconta à Walter comment il avait dû s'arrêter sur un bas-côté et poser sa tête sur son volant. Walter dit à Gilbert qu'il avait appris l'assassinat par Pete, qui était entré dans la boutique en pleurant. Parler de Kennedy semblait créer un lien entre eux. Ils se turent un moment, et le son du merveilleux moteur de la MGB fut le seul bruit qu'on entendit alors. Puis Gilbert ôta sa main gauche du volant métallique et la posa doucement sur le genou de Walter.

Walter ne bougea pas. Il regardait la main comme s'il s'était agi d'une chose venue de l'espace. C'était une main pâle, légèrement marquée de taches de rousseur, avec de fins poils blonds à son dos. Les doigts étaient très longs et les ongles parfaitement entretenus.

Walter se demandait s'il devait dire quelque chose. Il avait envie de poser la question : « Voulez-vous que je dise quelque chose, Mr Blakey ? » Il tourna la tête, un tout petit peu seulement, de façon à voir le visage de Gilbert et son expression. Gilbert regardait la route devant lui. On eût dit que la main posée sur le genou de Walter ne lui appartenait pas, qu'il n'avait pas remarqué qu'elle était là. Walter se dit que, dans un instant ou deux, il allait retirer sa main, qu'ils allaient tous deux reprendre leur conversation sur un sujet anodin, et que ce moment n'aurait jamais existé. Ce serait comme tout le reste ; cela appartiendrait au passé sans avoir connu d'accomplissement.

Il était en érection. Cela ne lui arrivait pas souvent. Pas depuis Sandra, la mort de Cleo et la vision de la crevette. Il voulait que la main de Gilbert reste où elle était et que l'érection persiste. Il ne voulait pas que ces choses disparaissent dans le gouffre du temps. Aussi posa-t-il sa propre main, large et volumineuse, sur celle si fine de Gilbert. Toucher celle-ci était comme toucher un météorite, tout aussi extraordinaire. Il fit remonter cette main le long de sa cuisse. Il éprouvait une âpre et chaude sensation de bonheur.

La lumière changea. Ils longeaient l'extrémité de la forêt de Tunstall. Le bruit du moteur changea. Ils ralentissaient. Gilbert retira sa main pour changer de vitesse. La voiture tourna et s'engagea dans un chemin forestier au-dessus duquel de grands arbres penchaient leur feuillage, masquant le soleil.

Walter attendait. Il aurait presque voulu hurler quelque chose, un mot, un son qu'il n'aurait jamais émis auparavant mais que tout le monde — sa mère, Sandra, le vétérinaire, la crevette — entendrait et qui pétrifierait tout le monde de terreur.

Puis il sentit la bouche de Gilbert sur la sienne. La petite moustache frottait sa lèvre supérieure. Il se dit qu'une fois de plus Gilbert Blakey l'avait mis dans une situation où il ne pouvait parler, mais que c'était probablement mieux ainsi. C'était l'avenir, mais un avenir sans mots. Des choses seraient faites, mais on n'en parlerait jamais.

La mémoire de Sonny

Sonny avait du mal à se souvenir.

Il se disait qu'il y avait des trous dans les années écoulées. Des espaces sans rien.

Irene lui demandait :

— C'est la boisson qui te liquéfie le cerveau, Sonny, ou quoi ?

Il n'arrivait pas à s'arrêter de boire. C'était presque le seul plaisir qui lui restait. Il avait perdu la moitié d'une oreille pour l'Angleterre. L'Angleterre lui devait quelque chose, quelques verres de quelque chose tous les soirs. « Pour sûr », comme dirait John Wayne. Ce vieux John Wayne buvant son whisky Black and White et chevauchant son cheval noir et blanc sur un écran noir et blanc. Sonny était sûr que John Wayne n'avait pas de trous dans son passé, mais qu'il avait toujours une femme en noir et blanc à embrasser et à emporter sur son cheval vers le futur. Pour sûr.

Il sortit un matin pour nourrir les poules. Il était seul. Nourrir les poules n'intéressait plus Timmy. Sonny vit toutes les poules qui se tenaient immobiles dans leur champ, sans bouger le moins du monde. On aurait cru qu'elles étaient fausses. Sonny se le demanda.

Il resta lui aussi sur place, sans avancer. Il posa le seau de grain. Il était tôt, le soleil était encore bas et les ombres projetées par les cages à poules étaient longues. Sonny avait très mal à la tête. Il était tenté de s'allonger là où il se trouvait.

Il préféra s'asseoir. Le sol était dur et plein d'aspérités sous lui. Il plongea une main dans le seau, pour s'assurer que le grain était toujours là. Les poules étaient en état de choc. C'est du moins ce qu'il semblait.

Sonny se demanda si un renard n'était pas venu les terroriser durant la nuit. Mais il n'y avait pas d'odeur de renard.

Puis il sut ce qui s'était passé. Un sort avait été jeté sur les poules. Il le voyait très clairement. Il voyait Mary, dans le sombre cottage où elle vivait avec son institutrice écossaise, pratiquant la sorcellerie. Elle était passée de la prestidigitation à la vraie magie, dangereuse, mortelle. Elle se vengeait de lui. C'était Mary qui apportait la ruine à la ferme.

Sonny se leva. Il se sentait les genoux raides. Il souleva le seau et éparpilla sur le sol quelques poignées de maïs, mais les poules ne semblèrent pas le remarquer et restèrent totalement immobiles, comme des poules dans une peinture.

Il savait qu'il y avait certaines mesures qu'il devait prendre, certaines choses qu'un homme doué d'une mémoire convenable ferait, mais il n'arrivait pas à trouver lesquelles. Il mourait d'envie d'avaler sur-le-champ une longue lampée de bière brune, douce et amère, pour étancher une soif qui, avec ces vents chauds et secs, semblait permanente.

Il pensa ensuite qu'il ferait mieux d'aller voir cette petite sorcière dans son cottage et lui dire qu'il savait à quoi elle jouait, lui dire que si elle n'arrêtait pas de jeter des sorts sur sa terre, il la ferait enfermer. Il ferait mieux de lui faire peur. Elle aurait intérêt à se rappeler qu'il était son père. Elle lui devait la vie, et il avait encore le pouvoir — le pouvoir de lui prendre la sienne.

Pour sûr.

Il n'y alla pas ce jour-là. Il ne fit rien ce jour-là, et il ne parla pas à Estelle des poules ni de la sorcellerie. Parce que, depuis quelque temps, Estelle s'était comportée différemment avec lui, et il voulait que cela continue. Ce n'était pas un effet de son imagination ; le comportement d'Estelle à son égard avait changé.

Elle lui avait demandé de lui faire l'amour. Elle avait relevé sa chemise de nuit. Elle n'avait pas voulu le laisser l'embrasser. Il mourait d'envie de l'embrasser sur la bouche, mais elle n'avait pas voulu. Mais elle lui avait permis de lui caresser les cheveux, puis de se mettre sur elle et de se soulager en elle. Elle n'avait elle-même connu aucun plaisir. Elle était restée étendue, les yeux fermés et détournant la bouche, mais, au moins, elle l'avait laissé faire cela, elle l'avait *invité* à le faire.

— Ce soir est un bon moment, avait-elle dit. Alors, tu peux le faire, Sonny. Je veux que tu le fasses.

Et son désir d'antan était revenu sournoisement. Tant qu'il ne regardait pas ses pieds, qu'elle avait eus superbes mais qui, maintenant, lui paraissaient affreux, il pouvait retrouver sa vieille passion pour elle. Pas trop quand même, se disait il. Il ne fallait pas qu'il la laisse revenir en torrent, car lorsque Estelle aurait une nouvelle crise de folie, commencerait à errer dans les champs et à refuser de se laisser approcher, il risquait de se noyer.

Il ne savait pas, d'une nuit à l'autre, ce qu'elle allait faire. Il attendait dans le grand lit de fer, creusé par toutes ces années. Quand elle avait ses règles, elle allait se mettre tout à l'extrémité du lit et s'y recroquevillait comme une enfant, comme quelqu'un de blessé. Puis, quand c'était passé, soit elle se couchait sur le ventre, en se détournant de lui, soit elle lui prenait la main, où qu'elle se trouve et quel que soit ce qu'il avait bu dans la soirée, relevant en même temps sa chemise de nuit, et lui disait :

— Tu peux le faire, Sonny. Je veux que tu le fasses.

Ce soir-là, après l'affaire des poules, Estelle se tourna vers Sonny. Il crut qu'elle allait lui prendre la main et retrousser sa chemise de nuit, mais il n'en fut rien. Etendue, immobile, elle lui dit :

— Sonny, tu sais que j'ai peint la chambre de Mary.

— Oui, dit-il. Tu l'as peinte en gris.

— Depuis, je l'ai repeinte.

Elle croit, pensa-t-il, qu'elle peut effacer Mary avec de la peinture. Il fut tenté de lui dire : « La peinture ne suffit pas, Estelle. Il faut beaucoup plus fort que cela, car, maintenant, elle jette des sorts. » Mais il se tut.

— Voudrais-tu aller voir la chambre ? demanda Estelle.

— Entendu, dit Sonny. J'irai demain. Quelle couleur as-tu employée cette fois ?

— Va voir maintenant, insista-t-elle.

Il ne voulait pas aller voir maintenant. Ce qu'il espérait faire maintenant, c'était l'amour, et même en forçant Estelle à le regarder et à le laisser l'embrasser sur la bouche. Il y avait bien longtemps, avant la naissance de Mary, elle lui disait :

— C'est merveilleux de s'embrasser. Tu ne trouves pas, Sonny ?

Il sortit du lit. Il avait bu de la bière forte, un certain nombre de bouteilles, et il aurait préféré ne pas avoir à marcher.

Il prit le couloir. Il n'arrivait pas à se rappeler quand il s'était rendu dans la chambre de Mary pour la dernière fois. Et il se rendit soudain compte qu'il ne croyait plus qu'il y avait une chambre là. Ce qu'il croyait, c'était qu'il y avait juste une porte, et que cette porte était un élément de décoration sur le mur, sans rien derrière.

Il ouvrit la porte et alluma l'électricité. Il y avait une chambre. Elle était glaciale et elle sentait la peinture fraîche. Sonny regarda les murs. Ils étaient bleu pâle comme un ciel de mai. Puis il constata que tout ce qui se trouvait dans la pièce, tout ce qui y était resté après le départ de Mary, la commode en bois, le lit, la table de nuit et la chaise, avait également été peint en bleu.

Il cligna des yeux en pensant que sa vue lui jouait des tours. Ou bien que c'était Estelle qui se moquait de lui.

Puis il perçut un son inhabituel. Il était plaisant et délicat. Il semblait venir de très loin, mais Sonny savait que l'origine n'était pas très loin, mais quelque part dans la pièce. Il leva les yeux et vit qu'il y avait quelque chose accroché au plafond. C'était une petite barre en bois comme celles auxquelles sont attachées les marionnettes. De là partaient des fils avec, à leur extrémité, des morceaux ovales de verre fin. Le courant d'air provoqué par l'ouverture de la porte les faisait se heurter entre eux en tintant doucement.

Sonny se demandait d'où venait cette chose et pourquoi elle avait été mise là. Il fit jouer la porte plusieurs fois d'avant en arrière et d'arrière en avant, regardant et écoutant.

Quand il revint dans sa chambre, il demanda à Estelle :

— Qu'est-ce que c'est que cela ? Cette chose qui fait un petit bruit ?

Mais Estelle ne répondit pas. Elle était couchée à l'autre extrémité du lit. Elle dormait ou elle faisait semblant, Sonny ne put le savoir.

Mary :

Lindsey et Ranulf se sont mariés à l'automne. Ils pensaient qu'une lumière dorée, comme dans un tableau de Samuel Palmer, baignerait cette merveilleuse scène. Ils avaient oublié qu'en octobre il pleut à verse et que le vent d'est vous donne l'impression d'être coupée en deux.

Je me rendis au mariage en autocar. Il me fallut changer trois fois. La pluie tombait si dru qu'elle éteignait les feux de souches. Les cars empestaient la cigarette et le tweed mouillé. A bord du deuxième car, je me mis à penser que j'endurais tout cela uniquement parce que je voulais voir combien Lindsey paraîtrait belle dans sa robe de mariée, qu'en d'autres termes je voulais seulement la contempler pendant une fraction de seconde avant de reprendre d'autres cars pour regagner ma chambre-cercueil. C'était bien là le déplacement le plus stupide que j'eusse jamais fait.

Quand j'arrivai, j'avais l'air d'un égoutier sortant tout juste de son égout. Mes cheveux collaient à ma tête comme un bonnet de bain. Mes souliers étaient pleins d'eau. Ma peau dégageait une odeur de terreau mouillé. Je portais un long manteau vert appartenant à Miss McRae, et il me tombait jusqu'aux pieds. Dans la poche, il y avait un paquet de confetti : « Les véritables confetti du Grand Jour », fabriqués à High Wycombe. Je n'arrivais pas à me rappeler s'il y avait une note sur les confetti dans mon *Dictionnaire des inventions,* aussi en avais-je confectionné une pour passer le temps dans un autocar particulièrement lent : « Confetti. Rinaldo Confetti. Italien. 1920. » Et j'avais décidé que ce Rinaldo Confetti était un poinçonneur de billets de la gare de Naples. Tous les petits morceaux des billets poinçonnés tombaient à ses pieds, multicolores et incroyablement légers. Il les trouvait curieusement beaux. Un jour, il se baissa et en ramassa une poignée. Il se sentait heureux, ce jour-là. Il venait de se fiancer à Luminata, la fille de ses rêves. Il décida alors que, jusqu'à son mariage, il poinçonnerait les billets debout sur une couverture, et qu'ainsi il pourrait recueillir, après chaque passage des voyageurs, les morceaux de billets restés propres. Puis, le jour du mariage, lorsqu'il quitterait la fraîcheur de l'église pour le soleil brûlant de l'extérieur, il arroserait sa jeune épouse de tous ces morceaux de billet multicolores.

— Qu'est-ce que tout cela, Rinaldo *mio* ? demanderait-elle.

— C'est notre avenir, Luminata, répondrait-il. Ce sont des milliers de petits morceaux d'amour.

Me trouvant à bord du troisième car, je vis quelques éclairs illuminer au loin les champs plats et sombres, et je me rappelai qui avait inventé le paratonnerre : Benjamin Franklin. Américain. 1752. Puis je me souvins d'une autre chose, une chose horrible : dans tout le *Dictionnaire des inventions*, qui s'étendait sur neuf siècles, il n'y avait qu'une seule femme inventeur. Une seulement ! Même la machine à peigner la laine et celle à tricoter les chaussettes avaient été inventées par des hommes. Cela me fit sentir horriblement déprimée ; triste comme le vent. Je me dis que lorsque j'aurais jeté mon petit coup d'œil à Lindsey, je rentrerais chez moi pour proposer qu'on élève un petit monument à la seule femme à avoir, en mille ans, inventé quelque chose. Elle s'appelait Miss Glover. Son prénom n'était même pas mentionné. Son invention remontait à 1841. C'était le tonique Sol-fa.

Dans l'un de mes cauchemars, je m'étais vue demoiselle d'honneur au mariage de Lindsey, mais, bien sûr, elle ne me l'avait jamais demandé. Je n'avais pas l'allure d'une demoiselle d'honneur. Elle avait, pour remplir ce rôle, sa sœur Miranda et son amie Jennifer. Elles avaient dû mettre des robes de satin rose, porter de petits bouquets à la main et des couronnes de fleurs sur la tête. Elles avaient l'air complètement ridicules. Elles ressemblaient à des couvertures de rouleaux de papier toilette. Je m'imaginais leurs pieds de satin rose coincés dans des tubes de carton.

J'arrivai tard à l'église. J'étais la dernière personne avant la mariée. Ranulf Chéri attendait déjà, debout à côté de l'autel. Les rouleaux de papier toilette étaient blottis sous le porche glacial, tentant de protéger avec leurs petits bouquets de fleurs leurs bras envahis par la chair de poule. Jennifer me lança un regard noir. Mon amour pour Lindsey l'avait toujours rendue jalouse.

— Qu'est-ce que tu portes là, Marty ? me demanda-t-elle. C'est épouvantable.

— C'est ce que je mets toujours pour aller dans les égouts, lui dis-je, avant de pénétrer dans l'église.

Les gens se retournèrent pour me regarder. Toutes les femmes portaient des chapeaux et du rouge à lèvres. Il était évident qu'aucune d'elles n'avait jamais rêvé voir tomber de la pluie un jour pareil. Ni rêvé que quelqu'un comme moi pourrait être invité. L'un des maîtres de cérémonie vint vers moi et me demanda :

— La mariée ou le marié ?

— Pardon ? fis-je.

— De quel côté êtes-vous ?

Il semblait très élégant malgré la pluie. Je me dis que les femmes résistaient moins bien aux éléments. C'est un fait.

— Je suis du côté de Lindsey, répondis-je. Malgré tout.

Il fit la grimace. Il m'installa tout au fond de l'église et s'éloigna de moi aussi vite qu'il put. Je lui enviai en un éclair ses longues jambes élégantes et ce qu'il portait entre elles. Les cloches de l'église carillonnaient frénétiquement, elles carillonnaient pour célébrer cette réunion des deux « côtés » — la femme et l'homme. Je me dis qu'elles sonnaient comme elles sonnent à la fin de toutes les guerres. Elles pensent que tous les soldats sont rentrés chez eux. Elles ne savent pas que je suis encore là, dans la boue, dans le *no man's land*.

Quand les cloches cessèrent de sonner, je sus que Lindsey allait arriver et que j'étais sur le point d'avoir droit à mon petit coup d'œil. Elle fit son entrée. Elle resta un instant à la porte, au bras de son père, Mr Stevens. Elle tremblait. Sa longue chevelure s'étageait artistiquement sous un diadème, comme si elle avait été une princesse royale, et un voile tombait du diadème, lui recouvrant le visage. J'avais oublié qu'il existait des voiles. J'avais pensé pouvoir regarder son visage et le graver à tout jamais dans ma mémoire, mais cela m'était impossible. Je mis la main dans ma poche et ouvris le paquet de confetti. J'avais décidé d'attendre jusqu'au moment où je pourrais lui en lancer une poignée — mes mille morceaux d'amour —, puis de m'en aller attraper mon autocar.

Je ne pus entendre grand-chose de la cérémonie, seulement des échos, au loin. J'aurais voulu retirer mes souliers et les vider de l'eau qui s'y trouvait. Je n'aimais pas le son mouillé qui en sortait chaque fois que je bougeais les pieds. Je me disais que c'était le genre de bruit que Lindsey et Ranulf faisaient dans leurs moments d'extase. Ce que Ramona, la cuisinière espagnole, devait supporter à travers la mince cloison.

De la vapeur commença à s'élever de mon manteau. Et j'avais une faim atroce. Je savais qu'à la réception il y aurait des vol-au-vent aux crevettes, des morceaux de fromage et d'ananas sur des bâtonnets de bois, et je me dis que la vie était ainsi faite : nous nous laissons détourner des voies que nous avons choisies par les choses les plus infimes. Nous méritons de mourir.

Quand je relevai la tête après avoir contemplé mes souliers pleins d'eau, Lindsey et Ranulf redescendaient de l'autel, souriants. L'orgue jouait une marche. Je pouvais maintenant voir le visage de Lindsey, admirer son sourire et l'éclat de sa peau. Mais je pouvais aussi voir — pour la première fois — le visage de Ranulf, son visage radieux, tout à côté de celui de Lindsey, le visage de l'homme qu'à l'âge de seize ans elle avait épousé sept fois dans son livre de géographie. Et je ressentis un choc. Ce n'était pas un beau visage. Il était blanc comme du saindoux, avec de petits yeux et de grosses joues. Il était presque gras. Lindsey m'avait décrit Ranulf comme un être beau comme un dieu.

— C'est ainsi que je le vois, Mary, me disait-elle. Comme un dieu grec.

Et je n'avais jamais été en mesure de la contredire. Je n'avais jamais été en mesure de lui dire :

— Dans l'ensemble, Lindsey, les Grecs n'avaient pas de doubles mentons.

J'en arrivais à me demander si elle n'avait pas voulu dire romain au lieu de grec. Un empereur romain ? Elle n'avait jamais été bonne en histoire.

Elle pensait que Michel-Ange avait vécu au temps de la Bible, et que Cléopâtre était un personnage imaginaire, comme David Copperfield.

En attendant, j'avais eu droit à mon coup d'œil, et la vue du visage bouffi de Ranulf m'avait coupé l'appétit. Je voulais m'en aller. Je sortis mon paquet de confetti et en pris une grande poignée. Puis je me dis qu'avec la pluie, tout cela allait devenir une sorte de magma rose et jaune ressemblant à du vomi. Rinaldo le poinçonneur pouvait garder ses confetti au sec ; il avait, au-dessus de lui, le dôme de verre de la gare, et, au-dessus du dôme, le soleil.

Le jour du mariage de Lindsey, ma vie allait changer. Je ne le savais pas encore.

Dans le dernier des cars que je pris pour retourner à Swaithey, je me mis à penser, non à Ranulf, mais aux théories d'Edward Harker quant à ma vie antérieure. Je ressentis soudain une grande envie de me trouver dans l'atelier de Harker, à l'écouter citer le Talmud, Aristote ou son auteur favori, Sholem Asch. Dans le Talmud, il est dit que l'homme parcimonieux est puni de son avarice en étant réincarné en femme dans son existence suivante. Aristote croit à l'immortalité de toutes les âmes. Il présente le séjour de l'âme dans le corps comme une maladie. Et Solomon Asch écrit : « Si la loi de transmigration des âmes est authentique, celles-ci doivent, entre les échanges de corps, traverser une mer d'oubli. »

Harker en était venu à croire que tous mes tourments avaient été causés par l'Ange de l'Oubli, qui gouverne la mer supposée.

— Ce qui est arrivé, Mary, me disait-il, c'est ceci. L'Ange de l'Oubli commet lui-même — de temps à autre — un oubli. Il oublie d'effacer de nos mémoires toutes les traces de nos vies antérieures. Et quand cela se produit — comme cela s'est produit avec toi —, la personne est hantée par la conviction qu'il ou elle ne se trouve pas dans la vie adéquate. Cela se tient parfaitement, n'est-ce pas ?

Je lui répondais que cela se tenait effectivement, mais que cela ne m'apaisait pas totalement pour autant. Et je pouvais voir que Harker était un peu déçu. Il voulait m'aider. Il pensait qu'une explication pourrait suffire.

— Edward, lui disais-je, on explique aux prisonniers pourquoi ils se sont retrouvés enfermés dans une cellule avec un lit de fer, une couverture grise et un seau. Cela ne suffit pas à leur faire aimer la prison.

Mais parler à Harker sous la lumière de sa lampe, lui dire combien mon corps me faisait horreur et ma passion pour Lindsey Stevens — maintenant devenue Mrs Ranulf Morrit et perdue pour moi à tout jamais — était devenu ce qu'il y avait de plus réconfortant pour moi. Harker savait écouter. Il travaillait sur un morceau de bois de saule, hochait la tête ou soupirait, et, de temps à autre, hochait la tête et soupirait en même temps, puis il me disait :

— Oui, tout cela concorde, Mary. Tout cela concorde.

Dans le car, je me dis qu'Edward Harker m'avait sans doute sauvée de la folie. Sans lui, j'aurais risqué de me retrouver à Mountview. J'aurais risqué de partager la chambre d'une poule.

Il n'en parlait à personne d'autre. Il me l'avait juré en posant sa vieille main flétrie sur la plaque : « Harker's Bats. Estb. 1947 ». Il m'avait dit qu'Irene n'en savait rien, absolument rien, pas plus que Billy.

— Et Pearl ? avais-je demandé.

— Pearl non plus.

— Alors, avais-je demandé, de quoi croient-ils que nous parlons ici ?

— De la réincarnation, bien sûr. Mais de mes convictions, pas des tiennes.

Puis il m'avait dit savoir, pour autant que ce fût possible, ce que Billy avait été auparavant ; il avait été un lutteur. Il était mort de son excès de poids. En quelques secondes. Il était tombé, et son contact avec la terre lui avait été fatal.

— Je ne voulais pas vraiment Billy, m'avait-il dit. Mais Billy nous voulait, Irene et moi. Il avait soif de renaître.

Quand j'arrivais à Swaithey, il faisait déjà nuit. J'avais perdu la notion du temps. Je me dis que les Morrit étaient peut-être déjà au lit, émettant leurs petits bruits mouillés. La pluie avait cessé, mais on sentait toujours le vent, avec l'hiver juste derrière lui, impatient d'arriver.

Ma fringale était revenue. J'espérais que Miss McRae avait préparé un peu de soupe au panais. Et j'espérais aussi qu'elle avait fait du feu, afin que je puisse me sécher et me réchauffer après cette journée stupide entre toutes.

Mais quand j'entrai dans le cottage, il y régnait une horrible odeur et Miss McRae était à genoux dans le petit vestibule, frottant le linoléum avec du Dettol. On ne sentait ni les effluves du feu dans l'âtre ni ceux de la soupe mijotant sur le feu, mais seulement l'odeur du Dettol mêlée à une autre, insupportable.

— Ah, Mary, fit Miss McRae.

— Qu'est-il arrivé ? demandai-je.

— Tu sembles un peu abattue, ma chérie. Que dirais-tu d'un bon bain chaud ?

— Qu'est-ce que cette odeur ?

— Va prendre ton bain pendant que je finis cela. Ensuite, je te dirai ce qui est arrivé.

Je fis ce qu'elle me disait. C'était comme cela avec Miss McRae : je lui obéissais.

Mais je restai trop longtemps dans le bain. Je le laissai refroidir. Ma peau était toute rose, mais j'avais de nouveau froid, et, comme je tentais de me réchauffer en me frottant avec la serviette, la peur commença à m'envahir. Je pensai que quelque chose d'horrible était arrivé. Je le sentais, maintenant.

Nous nous installâmes dans le salon obscur devant le petit radiateur électrique. Je portais une vieille robe de chambre de Cord avec des poches fourrées. Miss McRae tenait contre son nez un mouchoir bordé de dentelle. L'odeur du Dettol était si forte qu'il eût été préférable de ne pas respirer du tout.

Miss McRae parla d'une voix grave, teintée de frayeur. Elle me dit que mon père était venu au cottage. Il était ivre mort. Il ne portait pas de manteau. Il avait une barbe de trois jours. Il était entré de force, me cherchant. Il s'était mis à hurler mon nom. Il avait dit qu'il était venu me trouver parce que j'étais une sorcière. Je jetais des sorts sur sa ferme. J'empoisonnais ses poules. Il était venu me régler mon compte, une fois pour toutes.

Il avait poussé Miss McRae contre le mur et s'était mis à la secouer en l'accusant de cacher une personne néfaste, une adepte de la magie noire. Elle avait eu peur, mais elle s'était rappelé son enfance dans le phare, toutes les tempêtes qu'elle avait supportées, et elle était restée calme. Elle lui avait dit :

— Mr Ward, vous vous trompez complètement. Mary est une fille normale.

— Normale ! avait-il hurlé. Normale est précisément ce qu'elle n'est pas ! C'est une sorcière pervertie, et je suis venu mettre fin à tout cela !

Je demandai s'il avait une arme, un couteau, un marteau ou quelque chose d'autre.

— Non, Mary, dit Miss McRae. Juste ses mains.

Elle ferma les poings au bout de ses bras maigres et les agita comme un boxeur à l'entraînement. L'une de ses mains s'était refermée sur son mouchoir. Elle avait près de soixante-dix ans. Je me dis que jamais je ne l'oublierais. Jamais.

Elle me dit ce qui était arrivé ensuite : Sonny avait vomi dans tout le vestibule. C'était de là que venait cette puanteur : du contenu de l'estomac de mon père. Puis il était parti. Il s'était détourné et avait disparu dans la nuit. Si j'étais arrivée dix minutes plus tôt, je l'aurais trouvé là. La lenteur des autocars m'avait sauvée. Pour cette fois. Ou, lorsqu'on y repensait, c'était Lindsey qui m'avait sauvée en épousant son bouffi ce jour-là.

Je tremblais de tous mes membres. J'avais les dents qui claquaient. J'aurais voulu étreindre à pleins bras le radiateur électrique.

Miss McRae se leva et dit qu'elle allait nous faire un peu de bouillon. Je lui dis que je me sentais un peu mal, que c'était sans doute le Dettol.

Lorsque Miss McRae eut quitté la pièce, j'eus soudain le sentiment que quelque chose prenait fin. J'avais projeté de rester encore un an à Swaithey pour repasser mon examen de fin d'études secondaires, auquel j'avais échoué en raison de mon amour insensé pour Lindsey, avant d'essayer d'entrer dans une université loin du Suffolk et loin de tous ceux que j'avais connus. Et là, je me rendais compte qu'il me fallait partir immédiatement. Pas exactement ce soir-là, dans la vieille robe de chambre en poil de chameau de Cord, mais dès que je le pourrais, dès que j'aurais trouvé quelque chose — un endroit pour vivre et un emploi, à la poste, dans un magasin ou dans une fabrique de planeurs, peu importait. Il fallait que je transporte dans une autre vie, non pas mon âme, qui resterait probablement là, cachée dans les chemins creux du Suffolk ou dans un fossé, comme ma vieille balle de tennis, mais mon corps. Il fallait que je le transfère, sans quoi il mourrait ici. Même Miss McRae ne pourrait le sauver.

TROISIÈME PARTIE

CHAPITRE X

1966

Un poème

Le dernier élément de son ancien paysage que Mary put apercevoir fut le visage de Cord à la portière du train. Il pleurait d'un œil, celui qui était paralysé. Sa moustache façon Beatles paraissait jaune, mais sa bouche tentait de sourire. Puis le train s'ébranla en direction de Londres et Mary ferma les yeux.

Elle trouva un travail dans une cafétéria, où elle lavait les tasses. L'évier qu'il lui fallait utiliser était vieux et profond, comme celui d'Estelle à la ferme. Les tasses étaient en verre et c'était l'époque des rouges à lèvres pâles. Des centaines de tasses avaient, à leur rebord, une petite demi-lune rose bonbon. De superbes filles aux lèvres pâles, en jupe courte et bottes blanches, peuplaient les rêves de Mary.

Cord lui avait dit :

— L'endroit où trouver une chambre, c'était autrefois Earl's Court, Martin. Essaie de ce côté, mon vieux.

La chambre qu'elle avait trouvée était à l'arrière d'un immeuble de six étages. Elle était qualifiée de « studio ». Elle ouvrait sur un puits dallé et entouré de fenêtres et d'escaliers d'incendie, dans lequel le soleil ne pénétrait jamais. Des échos d'autres vies montaient de ce puits, des choses qui n'étaient pas destinées à être entendues. Et Mary aimait cela. Elle aimait entendre les gens hurler, pleurer et jurer. Cela la faisait se sentir moins seule — comme si elle s'était trouvée à bord d'un grand navire plein de monde sur un vaste océan.

Les murs de son studio étaient verts. Ce n'était pas la couleur favorite de Mary. Elle aurait bien aimé ses vieux décalques pour recouvrir ce vert. Elle se demandait si on l'expulserait au cas où elle repeindrait les murs en blanc et gris.

Le lit était vaste, assez large pour deux personnes. Il avait des montants en acajou bien ciré et un matelas qui se creusait au milieu. Le premier mois, elle se coucha sur l'un des côtés. Puis elle alla occuper le creux au milieu. Elle se dit que, dorénavant, elle prendrait possession des choses et les ferait siennes.

Elle acheta deux pots de peinture, l'un de gris et l'autre de blanc. Puis elle alla frapper à la porte de son plus proche voisin à l'étage et lui demanda s'il n'avait pas un escabeau.

— Non, ma fille, lui dit-il. Je n'en ai pas.

Il était sud-africain, mais son visage était blanc comme du papier.

— Pourquoi diable avez-vous besoin d'un escabeau ?

Mary lui exposa son projet. Il lui dit s'appeler Rob. Il était jeune et mince, avec des cheveux couleur de sable.

— Que faites-vous à Londres ? lui demanda Mary.

— Je vis ici, dit-il.

Il avait un fort accent. Il ajouta :

— En ce moment, je dirige une revue de poésie.

— Oh, très bien, fit Mary.

Elle se dit qu'à Swaithey la seule personne à avoir jamais entendu parler d'une revue de poésie devait être Miss McRae.

— Désolé pour l'escabeau, reprit Rob.

— Cela ne fait rien, dit Mary. Quand j'aurai

repeint ma chambre, je vous inviterai à prendre un café. Nous en avons de temps à autre des paquets gratuits là où je travaille.

Elle fit tout le travail debout sur une pile de livres posés sur une chaise. Elle peignit deux murs en blanc et deux murs en gris. Quand elle eut fini, les quatre murs paraissaient semblables. C'était la faiblesse de la lumière qui produisait cet effet.

Mary s'acheta des jeans et jeta par la fenêtre, au fond du puits, toutes les jupes qu'elle possédait. Elle put les voir gisant sur le sol, des dizaines de mètres plus bas : des jupes suicidées.

Elle avait acheté les jeans dans une boutique de King's Road pleine de lumières et de musique. Dans la salle où l'on se changeait en commun, des filles à longues jambes se regardaient dans la glace en faisant la moue. Aucun type de jeans n'allait à Mary ; elle était trop courte de jambes. Mais le contact de la toile rêche dans son entrecuisse lui procurait une vive sensation. Elle se sentait plus grande qu'elle ne l'était. Elle coupa de quinze centimètres les jambes de ses jeans. Elle avait vu des gens les porter ainsi, avec les extrémités effrangées. Quand ils avaient besoin d'être lavés, elle se mettait dans la baignoire avec eux et les savonnaient entièrement. Ce faisant, elle se laissait aller à rêver de filles aux yeux noirs et aux lèvres pâles, dans des robes-sacs sans manches. Elles lui donnaient le bout de leurs seins à sucer et lui disaient :

— Amusons-nous un peu, Martin.

Elle n'avait pas encore vu la Tour de Londres. Elle ne connaissait que quelques parties de la capitale. Le reste était là, quelque part, l'attendant. Elle avait acheté des cartes postales représentant les endroits où elle n'était pas allée : la Monnaie Royale, l'observatoire de Greenwich, Carnaby Street, Petticoat Lane, et les avait épinglées sur ses murs gris et blancs. Elle pensait qu'on pouvait passer toute une vie à Londres sans jamais aller là.

Elle écrivait à Miss McRae et à Cord. Elle se disait

qu'il était quand même étrange que les deux seules personnes à se soucier d'elle aient l'une et l'autre soixante et onze ans. Dans deux de ses lettres, elle écrivait :

« La principale chose que j'ai remarquée à Londres, c'est que les gens sont pour la plupart jeunes. Je ne sais pas où sont allés ceux qui étaient plus vieux. Je pense qu'ils ont dû partir pour le Suffolk ou pour High Wycombe. La seule personne âgée que je vois tous les jours est le vendeur de journaux à la station de métro d'Earl's Court. Il crie un mot de deux syllabes pendant si longtemps que cela devient un mot de deux syllabes tout à fait différent, comme dans un jeu. Je ne sais pas de quel mot il est parti, mais quand j'aurai un peu plus de courage, je le lui demanderai peut-être. Alors, il pourra revenir à la première version. Et, parfois, les choses qu'on dit en premier ont plus de sens que ce qu'on imagine ensuite. »

Cord répondit :

« A ce que je crois comprendre, Martin, ton marchand de journaux disait à l'origine : *News* et *Standard* [1]. » Ainsi, tu vois, quatre syllabes peuvent devenir deux syllabes sans que personne n'ait rien fait pour cela ; c'est l'américanisation de la langue anglaise. »

Quant à Miss McRae, elle écrivit :

« J'ai été très frappée par tes réflexions sur le vendeur de journaux, Mary. Pourquoi ne pas essayer d'écrire sur lui un poème que ton ami sud-africain pourrait publier ? »

Mary commençait à détester son travail, fastidieux et futile, l'odeur de l'eau de vaisselle et le fait d'être seule toute la journée, malgré les allées et venues des serveuses avec leurs plateaux chargés de tasses. Et, un soir, surtout poussée par son habitude d'obéir à Miss McRae, elle s'assit à sa table et écrivit un

1. L'*Evening News* et l'*Evening Standard* sont les deux quotidiens du soir londoniens. *(N.d.T.)*

poème, non sur le marchand de journaux, mais sur toutes les journées sans fin passées à son évier. Elle l'appela *Prisonnière de Brown.* Ce ne fut que le lendemain, lorsqu'elle se relut, qu'elle s'aperçut qu'elle avait écrit un texte protestataire.

Quelques jours plus tard, elle tomba sur Rob, le Sud-Africain, dans les escaliers. Il transportait une garde-robe en matière plastique.

— Voudriez-vous, lui demanda-t-elle, venir prendre un café l'un de ces soirs ?

Il posa la garde-robe en plastique sur une marche et regarda Mary. Elle pouvait le voir l'évaluer : visage plat, cheveux courts, jambes courtes, des lunettes. Et elle lui dit :

— Je n'essaie pas de vous séduire. Je n'aime pas les hommes. J'ai écrit un mauvais poème, c'est tout.

Elle put voir que c'était le terme « mauvais » qui l'intéressait. Si vous dites à quelqu'un qu'une chose est mauvaise, il va vouloir voir, décider par lui-même.

— C'est sur quel sujet ? demanda-t-il.

— Le fait de se retrouver prisonnière des choses.

— Il faut que je vous prévienne, fit-il, que je n'aime pas tant que cela la poésie. La plupart de ce que nous recevons est de la merde.

— C'est précisément de la merde, dit-elle.

Et cela le fit sourire. Il lui dit qu'il viendrait prendre un café le mercredi à neuf heures.

La revue de poésie s'appelait *Liberty*.

— Elle vise à réveiller les consciences, précisa Rob. En principe, tout ce que nous publions devrait avoir trait à la répression politique, mais l'ennui est qu'il n'y a pas assez de bons poèmes sur le sujet. Alors nous devons parfois boucher les trous avec des trucs sur les cimetières de campagne, Kafka ou la bonne ville de Leeds.

Le poème de Mary, *Prisonnière de Brown,* ne fut jamais publié dans *Liberty*.

— C'est loin d'être de la merde, Martin, dit Rob

après l'avoir lu, mais on peut voir que c'est un premier essai, non ? Vous n'êtes pas à l'aise dans le genre, pas encore.

Mary n'en fut nullement affectée. Elle n'avait écrit ce poème que pour Miss McRae et pour protester contre la monotonie de son travail à la cafétéria. Elle ne voulait pas devenir poète.

Mais elle devint, comme elle l'avait plus ou moins prévu, l'amie de Rob. Elle lui repeignit sa chambre. La couleur qu'il avait choisie était le rouge. Ils dînaient de temps à autre ensemble dans un bistrot grec. Elle lui parla de son amour pour Lindsey. Il lui parla de son amour pour son pays, où il ne retournerait jamais. Elle lui décrivit le mariage de Lindsey. Il lui décrivit le ciel d'été au-dessus du Cap. Ils restaient assis l'un en face de l'autre au bistrot grec, chacun contemplant son propre passé. Puis, un soir, Rob dit :

— Laisse tomber la cafétéria. Viens travailler à *Liberty.* Nous avons besoin de quelqu'un pour donner un coup de main. Et nous te laisserons *faire* le café, et pas seulement laver les tasses...

Liberty était installée dans deux pièces, au-dessus d'un salon de coiffure. Les coiffeurs faisaient jouer de la musique toute la journée : les Hollies, Marvin Gaye, Dionne Warwick, les Beatles. Les escaliers au-dessus du salon sentaient l'eau oxygénée. Parfois, on entendait de petits cris, de ravissement ou d'horreur, c'était difficile à dire. Sur la porte du salon, un panneau précisait : « Ceci est l'entrée du salon *Comme il faut* [1]. *Liberty* est au premier étage. »

Dans des lettres à Cord et à Miss McRae, Mary décrivait les bureaux de *Liberty* et le rôle qu'elle y jouait.

« Je travaille avec Rob et son associé, Tony, qui est australien. La revue est internationale, mais il n'y a pas beaucoup de nations où l'on en a entendu parler.

1. En français dans le texte.

Je pense que nous avons plus de collaborateurs ou d'aspirants-collaborateurs que de lecteurs. Je suis chargée des abonnements. Mon bureau est une table à liqueurs sur roulettes qui se trouvait là quand Rob a loué le local. J'ai retiré les roulettes. On m'a dit de lancer une campagne d'abonnements.

« Rob et Tony sont très gentils avec moi. Ils m'appellent Mart. Tony a des cheveux jaunes, qu'il porte en catogan. Il préférerait être poète plutôt que rédacteur en chef d'une revue de poésie, et, parfois, nous publions des textes de lui. Ce sont des poèmes au sujets des “Abos [1]” et de leur terre perdue. Les Abos d'Australie et les Noirs d'Afrique du Sud sont les deux groupes ethniques auxquels *Liberty* essaie de venir en aide. Rob et Tony disent qu'il faut amener les classes moyennes d'Angleterre à prendre conscience du drame vécu par ces peuples. J'avais besoin, moi aussi, d'en prendre conscience. J'avais entendu parler de l'Afrique du Sud, mais je ne savais pas — pendant toutes ces années où je vivais à Swaithey — que les Abos vivaient un drame.

« Je ne voudrais pas le dire à Rob ou à Tony, mais je pense que la revue vit elle aussi un drame. Lundi, j'ai trouvé une facture d'imprimeur de 197 livres et 3 shillings, et d'anciens collaborateurs passent leur temps à écrire pour réclamer les cinq livres que nous payons en principe pour chaque poème publié. J'en ai parlé à Tony, qui n'a pas paru se démonter. Il m'a dit : “Calme, Mart, calme. Tu leur envoies quelques lettres pour les faire patienter. D'accord ?”

« J'aime travailler ici. J'aime arriver le matin, ouvrir la fenêtre près de ma table, arroser la plante verte et mettre de l'eau à chauffer pour faire le café. J'aime l'odeur de papier qui nous entoure en permanence, à cause des piles d'invendus qui s'entassent dans un coin. J'aime ouvrir les enveloppes brunes contenant les envois des collaborateurs présomptifs

1. Nom familier des aborigènes d'Australie. *(N.d.T.)*

et j'aime essayer de décider, avant de transmettre les textes à Rob ou à Tony, s'ils sont bons ou non. Il en est arrivé un, la semaine dernière, qui m'a beaucoup plu. Il parlait d'un éléphant coincé dans une fosse en béton au milieu d'une plaine. Cela m'a fait prendre conscience de ce que doivent subir les éléphants. Mais Tony a dit que c'était sentimental et Rob a jugé que c'était de la merde. Aussi le texte a-t-il été renvoyé avec pas mal d'autres, reçus entre lundi et vendredi. *Liberty* est trop pauvre pour qu'on affranchisse les lettres de refus.

« Elle est également trop pauvre pour me payer beaucoup. Je touche onze livres par semaine, dont trois s'en vont pour le loyer de ma chambre. Je me nourris surtout de boîtes de soupe à la tomate, mais nous allons toujours au bistrot grec. Et ce qui est étrange, c'est que c'est là que j'ai le plus le sentiment d'être à Londres. Plus seulement d'y être mais aussi d'en faire partie. »

Couchée dans son lit en écoutant les fragments d'autres vies qui montaient du puits obscur, Mary se dit qu'elle n'avait jamais été aussi près du bonheur. Elle s'agenouilla sur le lit, ouvrit la fenêtre et se pencha pour regarder au fond de la cour. Cela faisait longtemps que ses jupes mortes avaient disparu, mais elle pensait que ce sentiment de bonheur était né à ce moment, lorsque les jupes s'étaient jetées dans le vide.

Un soir, en rentrant de son bureau, Mary trouva une lettre de Cord, disant : « J'ai une bonne et une mauvaise nouvelles à t'annoncer, cher vieux. » L'écriture était minuscule et tremblée. Il y avait des taches brunes sur le papier, des taches de thé ou de Wincarnis.

« La bonne nouvelle, écrivait Cord, est que mon œil a cessé de faire des siennes et s'est remis en parallèle avec son partenaire. Personne ne sait pourquoi ni comment. Ni le médecin ni moi. Mais tout est comme cela, de nos jours. Personne ne sait plus rien de rien. Est-ce que tu écoutes ce type nommé Bob Dylan ? Il a une voix gémissante, mais, parfois, un gémissement est précisément ce que l'on veut entendre. Il dit que le vent emporte toutes les réponses, et il a sacrément raison.

« Maintenant, la mauvaise nouvelle. Ta mère est de nouveau internée à Mountview. Elle y est allée d'elle-même. C'est ce qu'on appelle un internement volontaire. Je suis allé la voir, bien sûr — et, égoïstement, j'aurais souhaité que tu sois avec moi. Elle semblait calme et paisible. Nous sommes allés nous promener dans les jardins, qu'elle admire. Je lui ai demandé pourquoi elle s'était fait interner là, et elle m'a répondu que c'était sa maison, sa deuxième maison.

« J'ai eu une petite conversation avec un homme en vêtements blancs, qui paraissait important. Il m'a dit que le genre de dépression dont souffrait ta mère était comme une maladie, pas différente du béri-béri ou des oreillons. Et qu'ils allaient essayer les électrochocs. Tu sais ce que c'est, n'est-ce pas ? Alors, je lui ai dit que je préférerais qu'on ne fasse pas cela, que j'avais perdu ma femme dans un planeur et que je ne voulais pas perdre mon unique enfant. Mais il m'a répondu qu'il n'y avait rien à craindre. Que c'était la meilleure réponse. Je me suis abstenu de lui parler de ce Bob Dylan. Je suis parti parce qu'il n'y avait rien d'autre à faire. »

Mary replia la lettre de Cord et la mit de côté. Elle sortit au milieu de la bruyante circulation de cette fin de journée. Elle ne savait pas où elle allait. Elle se sentait réconfortée par le bruit, les fumées et la lumière du néon.

Elle entra dans un bar en sous-sol devant lequel elle était passée des centaines de fois. Cela s'appelait « Chez Ethel ». Les marches de l'escalier sentaient les algues. Elle s'assit sur un haut tabouret recouvert de matière plastique et regarda autour d'elle. Les murs étaient peints en noir, mais des pinceaux de lumière blanche les éclairaient violemment. Il y avait de la musique : Joan Baez chantant *Copper Kettle*.

La fumée venait s'accrocher aux pinceaux lumineux et y restait en suspension. Les visages que Mary pouvait distinguer étaient tous féminins. Elle commanda une demi-pinte de Guinness qu'elle avala presque d'un trait, comme Sonny le faisait. Puis elle commença à regarder autour d'elle afin d'emplir son esprit de cette vision immédiate, sans y laisser place pour celle de Mountview ou d'un quelconque épisode du passé. Les femmes la regardèrent à leur tour.

Elle commanda un autre verre en se disant que personne à Swaithey ne pouvait imaginer qu'un bar de ce genre existait. Personne, pas même Edward Harker.

A l'extrémité du bar, il y avait une femme seule, plus âgée que Mary, élégamment vêtue d'un tailleur vert acide. Elle regardait Mary comme une lionne guette sa proie. Quand le regard de Mary trouva le sien, elle descendit de son tabouret, prit son cocktail et alla s'asseoir près d'elle. Elle était très parfumée, et la main qui tenait le verre à cocktail avait de longs ongles vernis.

— Je m'appelle Georgia, dit-elle.

Elles restèrent un moment immobiles et silencieuses, côte à côte. Mary se dit que Georgia était un joli nom, encore plus joli que Pearl. Elle dit à son tour :

— On m'appelle Marty ou quelquefois Mart.

— Je vous appellerai Marty, si vous le permettez, fit Georgia.

— Les noms sont importants, ne croyez-vous pas ? remarqua Mary.

Puis elle regarda intensément Georgia et constata que le nom était plus joli que la femme.

Georgia dit qu'elle aimerait emmener Mary dîner à Soho. Dans le taxi, Georgia prit la main de Mary et la posa sur son sein gauche. Le restaurant qu'elle avait choisi était russe. Il y avait des bougies rouges sur les tables et des icônes dorées aux murs. Georgia et Mary s'installèrent face à face sur deux banquettes de velours, et, se penchant vers Mary avec un sourire qui découvrait ses grandes dents, Gloria dit :

— Ne regardez pas tout de suite, mais dans le coin là-bas, il y a Darryl Zanuck.

Elles burent de la vodka dans de petits verres. Mary sentit son anxiété, et notamment celle causée par la lettre de Cord, disparaître comme dans un grand trou noir.

Elle regardait sans cesse Georgia. Celle-ci ne ressemblait guère aux filles à lèvres pâles de ses rêves. Elle n'avait pas de grâce véritable. Mais il était suffisant qu'elle désire Mary. Bien suffisant. Nul ne l'avait encore fait auparavant, mais, avec Georgia, cela y était ; elle flirtait du regard et son pied touchait celui de Mary sous la table.

Le fait d'être désirée donnait à Mary un sentiment de pouvoir — ne fût-ce que pour un moment. Et ce sentiment était quelque chose de sublime. Comme eût dit Rob, c'était loin d'être de la merde.

Estelle :

Sonny m'a donné un chien. Ne pouvant me donner le bébé que je désirais depuis que j'avais tenu Billy Harker sur mes genoux, il a pensé que je pourrais, à la place, m'attacher à un chien. C'était un petit berger allemand. Sonny me l'a mis dans les bras en me disant :

— Il s'appelle Wolf.

Il s'attendait, je suppose, à ce que je me mette à roucouler de bonheur et à bercer le chien contre ma poitrine. Mais je n'en avais aucune envie, zéro, comme ils disent à « Top of the Pops ». Je le laissai tomber. Sonny se mit à jurer. Il a complètement oublié qu'à une époque, il a eu de bonnes manières. Je me suis éloignée. Puis je me suis retournée et je l'ai regardé. Il a ramassé Wolf, s'est assis et a posé le petit chien sur son genou.

C'est lui qui est capable d'aimer un chien, pas moi.

Je suis retournée à Mountview parce que j'étais sur le point de commettre un crime. Je l'avais déjà préparé. Dans mes rêves et ailleurs. J'étais sur le point de prendre le train pour Lowestoft avec tout ce qui était nécessaire dans une valise... Mais je vois maintenant la gravité de la chose. Je vois la terreur et la douleur que j'aurais provoquées. J'ai vu tout cela juste à temps.

Et j'ai été récompensée. Je suis amoureuse. Mon amour est loin et ne me parle jamais, mais c'est ainsi que vont les choses, en ce monde. C'est Bobby Moore, le capitaine de l'équipe d'Angleterre. Ses cheveux, sur l'écran de la télévision, sont blancs. Il a un sourire plein de fossettes. Tout ce qui m'importe maintenant est ce qui lui arrive et ce qui arrive à son équipe. Et c'est tout ce qui nous importe à tous, à Mountview : le football. Nous avons oublié nos vies et leur contenu. Nous rêvons totalement et uniquement de la gloire de l'Angleterre. Assis dans le noir, nous scandons avec la foule : « Angleterre, Angleterre, Angleterre ! » Et nous avons de nouveaux ennemis ; leurs noms sont Pelé, Jairzinho, Eusebio, de Michele, Weber et Beckenbauer. Dehors, c'est l'été, mais nous le remarquons à peine. Et même les infirmiers et infirmières, qui n'ont rien à soigner et rien à oublier, sont entrés dans le jeu. On les voit soudain s'arrêter et regarder l'écran et l'on peut voir que leurs têtes se vident de tout sauf du football. Ils oublient l'heure. Ils oublient de nous dire d'aller aux soins. Ils glissent. Nous glissons tous. Et nous ne voulons pas que cela s'arrête.

L'Angleterre est dans le Groupe Un. Nous avons fait match nul zéro à zéro avec l'Uruguay. Nous avons battu le Mexique deux à zéro et la France deux à zéro. Mon amour et mon héros, Moore, est, à ce que disent les commentateurs, un capitaine visionnaire. Il sait déchiffrer le jeu, transformer la défense en attaque. D'après les experts, son seul point faible est sa tête. J'ai donc envie de lui écrire, comme le ferait une petite fille : « Cher Bobby, nous avons une seule et unique chose en commun : on ne peut se fier à nos têtes... »

Ma tête m'a transportée jusqu'à un parc à caravanes. Je pouvais tout voir très clairement : de vieilles caravanes dont la peinture partait en lambeaux et qui attendaient sous le grand soleil. Je pouvais voir les familles installées sur leurs petites parcelles de terrain et tout ce qui les entourait, les tricycles, les couvertures et les anoraks. Et les voitures d'enfant. Parfois elles étaient vides et parfois elles ne l'étaient pas. Parfois elles se trouvaient rangées à l'ombre de la caravane, avec un voile de mousseline blanche tendue, et, sous ce voile, un bébé endormi.

Je sais que si j'y étais allée, l'endroit aurait été exactement comme je l'avais vu en esprit. Ce n'est pas en ce domaine que ma tête est faible : je peux voir des choses à l'avance et savoir précisément comment elles se présenteront quand je les aurais vraiment sous les yeux. J'allais voler un enfant, acheter des boîtes de lait, des langes et de la crème adoucissante, et l'emmener en Ecosse, dans un endroit perdu où l'on ne nous retrouverait jamais. Je savais que c'était un acte criminel, mais je savais aussi que j'allais le commettre. Je ne pensais pas à ce qui arriverait ensuite.

Les quarts de finale arrivent. Oh, mon Dieu ! Si Bobby et l'équipe perdent, tout le monde pleurera ici. Même parmi les infirmières. C'est pourquoi j'ai dit à Miss Matthews :

— Préparez les médicaments. Prévoyez une drogue capable de nous faire dormir pendant quatre ans, jusqu'à la prochaine Coupe du monde. En plus, cela vous permettra d'économiser sur le temps, sur le thé et sur les frais de blanchissage.

J'ai ri, et Miss Matthews a ri aussi. Elle m'a regardée d'un air approbateur. Les gens, à Mountview, pensent que si vous êtes capable de faire une plaisanterie, vous êtes presque guérie, presque prête à être renvoyée là d'où vous venez.

L'endroit d'où je viens a changé, beaucoup

changé. Grace Loomis elle-même a commencé à se plaindre de ce que les mauvaises herbes qui envahissent notre terre se réensemencent dans ses champs. C'est l'époque de la moisson, et Sonny, Tim, la moissonneuse-batteuse et le chien Wolf sont incapables d'y faire face. J'ai dit à Sonny, le matin où il m'a conduite ici :

— Vends la terre. C'est le mieux que tu puisses faire. Vends aux Loomis, et nous pourrons tous nous reposer.

Il conduisait sans rien dire. Il a cinquante ans, mais il a l'air d'un vieillard. Aux portes de Mountview, il m'a dit :

— Jamais.

Puis nous nous sommes arrêtés, il est descendu, m'a tendu ma valise et a répété :

— Jamais, Estelle.

Nous jouons contre les Argentins. Ils ont battu l'Espagne, l'Allemagne occidentale et la Suisse. On prétend qu'ils sont fous de football. Dans tous les faubourgs et les bas quartiers de leurs villes, jour et nuit, été comme hiver, leur folie se donne libre cours. Quand ils s'alignent sur le terrain de Wembley et qu'on joue leur hymne national, ils se signent. Comme Timmy, ils croient en un Créateur. Mais leur Créateur ne les sauve pas d'une tête de Hurst. Leur gardien de buts est à genoux sur le sol. Il voudrait ne pas être là, mais très loin dans son pays, dans quelque ruelle chaude où pend du linge à sécher.

Le jour de la finale, Angleterre contre Allemagne fédérale, je devais subir une séance de traitement, mais je ne voulais pas y aller. Car, après le traitement, on se réveille et on ne ressent plus rien, ni colère ni joie ni désir ni tristesse, rien. Tout l'amour que vous pouvez porter à quelque chose a disparu. Vous êtes amorphe, vide et blanche. Rien ne vous agite plus. Vous n'arrivez plus même à comprendre que vous avez pu, à un moment, vous lever devant la télévision en criant : « Angleterre ! Angleterre ! »

J'allai me cacher dans l'une des serres. On y faisait

pousser des tomates et l'air y était humide. Je m'assis dans une petite zone d'ombre, près du réservoir d'eau. J'avais peur pour l'Angleterre et pour Bobby Moore et son sourire. Ma mère était une personne qui rêvait de gloire, et elle m'avait légué cette aspiration. Je voulais que Tim devienne un plongeur de haut vol. Je n'avais jamais remarqué qu'il avait peur. Et maintenant, j'attendais dans la serre que l'heure du match arrive. Je me disais que la pire chose qui pourrait arriver serait une panne de courant. Ne pas voir le match, ne pas souffrir devant ce spectacle, serait pire que de le voir, et de le voir perdu. Car ce n'est que de loin en loin que je suis capable de me soucier, d'une façon ou d'une autre, de quelque chose dans ma vie.

Je me souciais de l'enfant. J'avais sa chambre qui l'attendait — l'ancienne chambre de Mary — peinte en bleu et ornée de mobiles en verre et en bois de balsa. Pendant deux ans, j'avais subi les tentatives de fécondation de Sonny, jusqu'au moment où je m'étais aperçue qu'elles étaient vaines. Puis j'ai projeté mon crime. La seule chose qui m'a empêchée de le commettre a été un souvenir. Il concernait Mary. C'était un souvenir si lointain qu'il semblait appartenir à une autre vie, et non à la mienne. Je me souvenais avoir perdu Mary dans un champ, dans l'obscurité. Elle avait été perdue pendant trois heures — une heure pour chaque année de sa vie — et Sonny et moi étions au désespoir.

Je m'imaginai donc ce que cela allait être pour la mère du bébé volé. Je la voyais arriver devant le landau et le trouver vide. Je la voyais saisir le petit couvre-pieds et le presser contre sa bouche. Je voyais toute l'horreur de la chose. Je m'assis et décrochai notre vieux téléphone noir. Je composai le numéro du médecin et dis :

— Je voudrais aller à Mountview. Je voudrais avoir mon ancienne chambre, s'il vous plaît, avec la vue sur le jardin.

Ils me trouvèrent dans la serre. Ils furent compréhensifs. Ils dirent que j'aurais mon traitement un autre jour. Ils me demandèrent tout doucement si j'avais mangé beaucoup de tomates. Je répondis que je n'en avais mangé aucune, car j'étais malade de peur pour l'équipe. Et ils me dirent :

— Eh bien, venez, Estelle. C'est presque l'heure.

Là, nous en sommes aux prolongations. Le score est de deux partout. Ce temps de « prolongations » a une qualité différente, il est chargé d'une impression de fatalité, comme si la fin du monde était là. Dans la pièce, il n'y a plus que souffrance. Il n'y a plus de cris « Angleterre ! Angleterre ! » Il règne une odeur d'urine et de chagrin. Un vieil homme qui a été autrefois facteur dit :

— Ils sont finis. Regardez-les.

Mais je vois que Bobby continue à pousser ses hommes. Il crie, son visage ruisselle de sueur, ses chaussettes sont sur ses chevilles, mais il continue à vouloir les faire attaquer. Et ils n'ont pas renoncé : Jackie Charlton, Bobby Charlton, Nobby Stiles, Martin Peters, Ray Wilson...

Je me retourne pour dire à l'ancien postier :

— Ils ne sont pas finis. Pas encore.

Et, à cette seconde, alors que j'ai la tête tournée, Geoff Hurst marque. Son tir a heurté le poteau et est retombé derrière la ligne de but. Une acclamation balaie à la fois Wembley et la pièce où nous nous trouvons. Une acclamation, puis un silence. Le but est contesté. Les Allemands déposent une réclamation. Les visages de Haller, de Weber, de Beckenbauer semblent pétrifiés. Le but est accordé. Une nouvelle acclamation s'élève, plus puissante encore. Miss Matthews pleure. Le postier est monté sur sa chaise et agite les bras. Et nous la voyons revenir vers nous : la gloire.

Nous sommes au bout de ce que nous pouvions endurer. Le temps des « prolongations » passe plus lentement que le temps ordinaire.

— Ils devraient se limiter au temps normal, dis-je à haute voix.

Quelqu'un me crie de ne pas parler. Je mets mes doigts sur mes yeux exactement comme je l'avais fait quand on m'avait annoncé que Livia était morte en plein ciel.

Puis c'est fini. Dans les dernières secondes, Hurst marque de nouveau. C'est gagné. C'est sûr. Mon amour, Bobby, et son Angleterre sont au sommet du monde, et les fous de tous les comtés et de toutes les villes d'Angleterre hurlent et pleurent à s'en déchirer le cœur.

Je voudrais me jeter, comme Livia, dans les nuages. Je voudrais me dissoudre dans l'air.

Un nez pour cela

Walter se sentait troublé. Ses propres sentiments le troublaient. Ils n'étaient pas ce qu'il avait attendu.

Il avait pensé, ce dimanche dans la forêt de Tunstall où Gilbert Blakey l'avait touché pour la première fois, puis dans la salle d'attente du cabinet dentaire, qu'il laissait tout cela se passer pour devenir un marginal, pour se séparer du monde des salles de séjour bien rangées et des bébés en bonnet saumon. Il avait attendu le sentiment de dégoût de soi-même qui devait suivre.

Ce qui avait suivi n'avait pas été le dégoût de soi-même, mais le soulagement et un sentiment d'être enfin adulte. Et là commençait le trouble : Walter se sentait heureux. Il ne s'était pas attendu au bonheur.

Quand il regardait Gilbert — toutes les fois où il le regardait —, il le trouvait parfaitement beau. Comparée à lui, Sandra n'avait été que mignonne, mignonne comme un paquet-cadeau, pas belle un seul instant, même le jour dans le bateau.

Il considérait dorénavant ses sentiments envers Sandra et ses après-midi avec Cleo comme des maladies de fin d'adolescence. Il ne savait rien, il avait envie d'amourettes et confondait ensuite celles-ci avec l'amour. Mais ce n'était pas l'amour. Ce qui était l'amour, c'était Gilbert. C'était Eden — ou peut-être l'Eden, il ne savait plus.

Puis — et c'est là que le bonheur commença à lui échapper — il commença à se rendre compte que son amour pour Gilbert n'était pas payé de retour. Quelque chose lui était donné, mais ce n'était pas de l'amour. Et, ainsi, son trouble ne fit que s'accroître. C'était Gilbert qui avait tout commencé : il avait acheté sa décapotable, il avait parlé de Kennedy à Walter de façon très personnelle, il lui avait mis sa main fine sur la cuisse, il s'était penché et l'avait embrassé sur la bouche. Walter considérait tout cela comme une façon de faire la cour, comme un prélude soigneusement étudié à une liaison amoureuse. Et la liaison fut de longue durée. Gilbert la qualifia, au bout d'un moment, de « nécessaire ». Mais elle ne recelait pas d'amour. Elle ne contenait que ce que Walter y mettait. Et, maintenant, quand Gilbert l'embrassait, Walter avait l'impression d'étouffer.

Un soir, il tenta de décrire tout cela à son amant. Gilbert était étendu, nu, sur le canapé de la salle d'attente, la tête détournée. Walter était agenouillé près de lui. Sans se retourner, Gilbert lui dit :

— C'est parce que tu te laisses aller à *sentir* les choses. Essaie de ne pas sentir. Essaie simplement d'*être*.

Walter ne pouvait pas ne pas sentir. Il pouvait tuer une génisse sans le moindre état d'âme, vider un poulet de son cœur et de ses entrailles. Mais le seul fait de *voir* Gilbert était déjà sentir et ressentir. Il en avait mal dans le corps tout entier, derrière les yeux, dans les épaules, dans ses énormes pieds. Il ne vivait que pour être touché par Gilbert. Ce n'était pas logique. Il s'était attendu à ressentir du dégoût et à vouloir mettre fin à l'aventure, mais rien de tel ne s'était produit. La passion s'était installée. Elle ne voulait plus s'en aller. Un nouvel été s'était passé. Il n'y avait plus de promenades dans la MGB. Il n'y avait plus que les rencontres dans la salle d'attente, et l'amour obstiné et incompréhensible de Walter.

Il ne pouvait en parler à personne. Pas même à Pete. A une certaine époque, il aurait tenté d'écrire une chanson sur le sujet, mais le style « country » ne semblait guère convenir à quelqu'un de la classe et du raffinement de Gilbert. Dernièrement, Gilbert avait même commencé à se plaindre de la vie à la campagne. Il avait dit que les gens du Suffolk étaient étroits d'esprit, mesquins dans leurs ambitions, et que, sous peu, il serait peut-être temps pour lui de s'en aller.

Le trentième anniversaire de Walter approchait. Sandra Cartwright avait maintenant deux enfants. Un homme de peine, qui avait le mot « Maman » tatoué sur le cou, avait été engagé pour seconder Pete à l'abattoir. La tante Josephine séjournait de plus en plus longuement dans la maison, qu'elle emplissait d'une odeur de talc et de lait bouilli au milieu de la nuit. Walter supportait toutes ces choses, mais en ressentait le caractère atroce.

— Ne pourrions-nous nous en aller quelque part ensemble ? demanda-t-il à Gilbert.

— Où cela ?

— Je ne sais pas. Je ne connais pas le monde.

— Non, c'est vrai, dit Gilbert. Si c'était le cas, tu n'aurais pas posé la question.

Une fois tous les six mois, Walter devait se faire détartrer les dents par Gilbert. Il se retrouvait assis, la tête rejetée en arrière, sous la lueur du projecteur. L'assistante s'agitait quelque part sur sa gauche. Il pouvait voir le visage de Gilbert penché sur le sien, à l'envers, méconnaissable, comme s'il portait un masque. Le contact de ses doigts, toutefois, demeurait familier, ainsi que le ton précieux et un peu sec qu'il adoptait pour reprocher à Walter de négliger sa bouche. Ces quarts d'heure dans le fauteuil de dentiste confirmaient à Walter qu'il se trouvait à la merci d'une chose qu'il ne parviendrait jamais à comprendre totalement.

Walter était heureux que le fantôme du vieil Arthur ait cessé de lui rendre visite. Mais il lui arrivait parfois de penser qu'il aurait peut-être pu se confier à son ancêtre, et que, si l'on en jugeait par son comportement passé, le fantôme n'en aurait pas, sous le choc, trépassé une deuxième fois. Le besoin que ressentait Walter de confesser son amour à quelqu'un devenait de plus en plus fort.

Margaret Blakey avait remarqué des changements dans le comportement de son fils. Elle pensait qu'il tentait de les cacher, mais qu'il avait oublié qu'elle avait un nez pour ce genre de choses. Ils avaient vécu ensemble fort longtemps. Treize mètres de falaise s'étaient engloutis dans ces années passées en commun. Une femme vivant au bord d'un précipice était fatalement sensible au changement. Mais Gilbert semblait avoir oublié ce détail.

Il était nerveux. Il restait très tard à son cabinet certains soirs. Il lui parlait avec condescendance, comme quelqu'un revenant d'un endroit lointain où elle ne se rendrait jamais. Il lui faisait l'impression d'être au bord de la catastrophe. Il avait commencé à teindre ses cheveux et sa moustache en un jaune brillant comme un sorbet.

— Je sais, lui dit-elle un soir, que tu n'aimes pas m'entendre dire des choses de ce genre.

— De quel genre ? demanda-t-il d'un ton las.

— Je m'inquiète pour toi, dit-elle. Je ne saurais te dire pourquoi, mais tu n'es plus toi-même.

Gilbert ne pouvait supporter la manie qu'avait sa mère de s'exprimer à travers des clichés, comme si elle n'avait jamais appris à utiliser autrement la langue anglaise.

— Je ne vois pas ce que tu entends par « tu n'es plus toi-même », fit-il.

— Mais si, affirma Margaret. Tu n'es plus calme et satisfait comme tu l'étais.

— Je ne vois toujours pas ce que tu veux dire.

Margaret renifla.

— Si quelque chose est arrivé, insista-t-elle, je pense que tu me dois de me le dire.

Gilbert resta silencieux. Ils pouvaient entendre le

bruit de la mer. Gilbert se laissa aller à imaginer le silence qui allait s'installer quand, finalement, il quitterait la maison pour aller recommencer sa vie ailleurs. Cela le remplissait tout à la fois d'exaltation et de terreur.

— Rien n'est arrivé, Mère, dit-il. Seulement le temps qui passe.

Un soir de novembre, après leur heure dans la salle d'attente, Gilbert déclara à Walter :

— Il vaut mieux que je te le dise, je boucle tout ici, à Swaithey. J'aurais dû le faire depuis des années. J'étais trop lâche. Mais cette période est différente.

Walter eut l'impression d'avoir avalé une pierre. Une pierre ayant à peu près la taille d'une pomme de terre. Sa surface était lisse mais son poids énorme. Elle s'était logée au-dessus de son cœur.

Il s'habilla. Il regarda Gilbert remettre son pantalon. Il se dit que si le véritable Eden avait succombé à son échec et à son humiliation, celui-là était bien vivant et allait de l'avant. Et il se hâterait sans nul doute d'oublier le moment que tous deux vivaient présentement.

— Où vas-tu ? lui demanda-t-il.

Sa voix était affaiblie par le poids de la pierre.

— A Londres, répondit Gilbert. Je m'associe à un cabinet dentaire dans Flood Street.

— Et où est Flood Street ?

— Dans Chelsea. Le quartier qui bouge, à Londres.

Et Gilbert ajouta, avec un sourire rêveur :

— Il est temps que je bouge, moi aussi, avant de devenir trop vieux. Tu ne crois pas ?

Walter n'était jamais allé à Londres. Il se représentait la capitale comme un endroit rouge et noir : des autobus rouges, des églises noires, des gardes en rouge, des portes noires, des cabines téléphoniques rouges, de l'eau noire. Il savait que cette image était aussi inexacte que puérile. Il dit simplement :

— Ce que je crois n'a aucune importance.

Gilbert sortit un peigne et le passa dans ses cheveux, qu'il portait beaucoup plus longs qu'auparavant.

— Peut-être vaut-il mieux, dit-il, que nous mettions un terme à nos rencontres, non ? C'est surtout à toi que je pense.

Walter restait assis sur place, sans bouger ni même cligner des yeux. La pierre l'immobilisait. Et il se sentait à demi aveugle, comme si sa tête était noyée dans le brouillard. Après un temps qui lui parut très long, il se décida à dire quelque chose.

— Et que va-t-il arriver à mes dents ? demanda-t-il.

Il entendit Gilbert se mettre à rire. Puis le rire s'éteignit. Walter l'imagina retentissant de nouveau à Londres, à l'impériale d'un autobus rouge. Debout à côté de lui, Gilbert caressait du bout de ses longs doigts son amorce de tonsure.

— Cela te regarde, Walter, dit-il. Tout te regarde.

Lorsque Walter sortit, l'air du soir l'assaillit. Il sentit sa gorge se contracter. Il aurait voulu pouvoir se dire qu'il avait eu le dernier mot. Et que ce dernier mot avait été grossier. Il se mit à jurer silencieusement, tout en sachant que Gilbert était dorénavant hors de portée. Hors de la portée des mots comme des sentiments.

En rentrant chez lui, il dit à Grace qu'il ne se sentait pas bien, qu'il ressentait une douleur dans la poitrine. Elle lui lança un regard effrayé.

— Ce n'est pas ce que tu as déjà eu, Walter ? demanda-t-elle.

— Quoi donc ?

— Cette chose à la voix, dans ta gorge ?

— Non, fit Walter. Non.

Il ajouta qu'il ne voulait pas qu'on s'occupe de lui. Grace lui posa une main sur le front. Il était frais, et même froid. Elle lui dit qu'elle allait lui apporter une bouillotte.

Walter se mit en pyjama. Il pouvait encore sentir l'odeur du corps de Gilbert sur ses mains. Il s'étendit sur le dos, comme un cadavre, les mains croisées sur la poitrine.

Grace lui apporta la bouillotte et l'embrassa sur le front.

— Au moins, dit-elle, tu vas pouvoir dormir tard. Demain c'est dimanche.

Il resta étendu dans le noir, pleurant. Il entendit sa mère et Tante Josephine monter dans leurs chambres, et, un peu plus tard, la seconde se relever pour descendre à la cuisine faire chauffer son lait. Elle lui avait dit que l'inanition pouvait vous tuer quand vous étiez vieux. Que vous pouviez vous réveiller et vous retrouver au plafond, regardant d'en haut votre propre cadavre.

Les larmes de Walter finirent par se tarir et il ferma les yeux. Il se sentait épuisé. Il attendit que le sommeil vienne l'envelopper, comme un amant.

Le lendemain soir, il alla voir Pete. Il ne lui parla pas de Gilbert.

— Je ne comprends plus rien à la vie, lui dit-il simplement.

Pete fit du café très fort. Autour du bus, la nuit était silencieuse. On n'entendait que le grésillement de la lampe Tilley.

— Quelque chose en particulier ? demanda Pete.

— Non, dit Walter. C'est tout à la fois. Je ne sais pas où je vais ni pourquoi.

— Là, remarqua Pete, tu n'es pas le seul.

— Je suis sérieux.

— Moi aussi, dit Pete. On se passe quelques vieux Elvis ?

Le vieux phonographe finissait par ressembler à une pièce de musée. Et le son qui en sortait semblait vieux lui aussi, fluet et fantomatique. Walter avait voulu faire cadeau à Pete d'un véritable électrophone, mais le bus n'avait pas le courant et Pete se déclarait très heureux ainsi. Selon lui, c'était une erreur que de croire avoir besoin de quelque chose simplement parce que les autres l'avaient.

Ils écoutèrent une chanson intitulée *Workin'on the Building*. C'était un spiritual, et Elvis avait eu recours à un groupe de chanteurs spécialisés pour l'appuyer. Pete connaissait les paroles et il se mit à chanter en même temps.

C'est à ce moment, comme Pete se penchait sur le phonographe, le visage violemment éclairé par la lampe, que Walter remarqua pour la première fois la transformation de son nez. L'un des côtés avait enflé, et la chair en était boursouflée et piquetée comme un croupion de poulet. Walter fut horrifié. On aurait dit un abcès sur le point d'éclater.

Pete s'arrêta de chanter, et Walter lui demanda :

— Qu'est-ce qui arrive à ton nez, Pete ?

— Oh, rien, fit Pete. Rien du tout.

— L'un des côtés est devenu plus gros que l'autre.

— Oui.

— Eh bien ?

— C'est ce que peut faire un nez : grandir irrégulièrement. C'est la seule partie de notre corps qui ne cesse pas de grandir. Tu ne le savais pas ? Tout le reste se ratatine, mais le nez se développe — jusque dans la tombe.

— Quelqu'un devrait y jeter un coup d'œil, Pete.

— Pourquoi ?

— Au cas où quelque chose n'irait pas.

Pete se remit à chanter en accompagnement d'Elvis.

— Tu m'écoutes ? demanda Walter.

— Oui. Je t'écoute, Walt. Mais tout va bien. C'est juste mon nez qui fait des siennes.

Walter se sentait abattu, vaincu. Il était venu dans le bus pour parler, pas spécialement de Gilbert, mais de la façon dont les choses le troublaient et le déconcertaient, de son incapacité à prévoir la façon dont quoi que ce soit allait évoluer. Et maintenant, avec le grossissement du nez de Pete, il se retrouvait aux prises avec un autre mystère. Il but silencieusement son café, et Pete continua à chanter, ignorant sa morosité. Walter se dit que c'étaient les *causes* qu'il n'arrivait jamais à comprendre. Les causes et les effets. Il n'avait pas la moindre idée des raisons pour lesquelles il avait voulu épouser Sandra. Il ne savait pas pourquoi il ressentait de l'amour pour Gilbert et non de la répulsion. Et s'il ne pouvait comprendre les causes, il ne comprenait pas, bien sûr, les effets.

Il dit soudain à Pete

— Je voudrais écrire une chanson. Je voudrais revenir à tout cela. Peux-tu m'aider ?

Pete eut un hochement de tête affirmatif. Il se leva, un peu raide, et alla chercher du whisky dans sa minuscule cuisine. Il avait l'impression que la nuit allait être longue.

CHAPITRE XI

1967

Mary :

Mon amante, Georgia Dickins, avait trente-neuf ans. Elle travaillait pour un hebdomadaire appelé *Woman's Domain*. Elle y dirigeait la page des conseils aux lecteurs sous le nom de plume de D'Esté Defoe. Elle trouvait ce nom merveilleux, bien supérieur à Georgia Dickins, et ses lecteurs l'aimaient aussi. Particulièrement les lecteurs stériles. Ils ajoutaient parfois à leur lettre :

« J'espère que vous ne m'en voudrez pas de vous dire que si Dieu est assez bon pour me donner une belle petite fille, je la baptiserai "D'Esté". »

Je trouvais, quant à moi, ce nom ridicule. Il sonnait faux et mal. Mais je ne le disais pas. J'avais déjà assez de choses blessantes à dire. Il me fallait déjà dire :

— Je ne sais pas si je t'aime, Georgia. J'aimerais pouvoir te dire que ce que je ressens est de l'amour, mais j'ai l'impression que ce n'en est pas.

Elle se mettait quelquefois à pleurer et son mascara lui faisait des zébrures sur le visage. Elle se regardait ensuite et disait :

— Mon Dieu, je suis une serpillière ! Je ressemble à un blaireau. Pas étonnant que pas une foutue personne ne veuille m'aimer !

Elle m'avait appris à jurer et à boire du Campari. Elle m'avait montré St. James's Park et les grands magasins. Elle avait tenté de m'amener à aimer mes seins. Elle m'avait invitée à venir vivre avec elle dans son appartement de Notting Hill Gate, mais j'avais refusé. Je m'étais attachée à mon immeuble et à ma chambre grise. Et je ne voulais pas me réveiller quelque part ailleurs, avec Georgia.

Elle était fière de sa page de conseils aux lecteurs.

— D'Esté Defoe, disait-elle, est une femme qui a la connaissance des autres et de leurs problèmes. Ses lecteurs lui font confiance. Et puis c'est une professionnelle. Elle a une équipe de médecins et de psychiatres pour la conseiller. Elle propose de véritables solutions.

Elle parlait toujours ainsi, Georgia. Comme si elle avait quelqu'un à convaincre ou quelque chose à vendre. Elle me disait que son appartement était très bien situé, que Londres était la perle du monde.

J'allais avoir vingt et un ans. J'étais toujours petite. Il m'arrivait de me suspendre au linteau de la porte, comme autrefois. Je voulais atteindre 1 mètre 70. Je n'avais renoncé à rien, pas même à grandir. Et je sentais qu'était arrivé le moment de passer à l'action. Je me souvenais de Cord me disant : « Sans action, Martin, rien ne peut commencer. » Il m'avait dit cela alors que nous étions assis sur le tapis en train de confectionner des guirlandes en papier. Nous étions tous deux ivres. On se souvient parfois des paroles prononcées en état d'ébriété car elles sont étonnamment sages.

J'écrivis donc à la page de conseils aux lecteurs de *Woman's Domain*. Chaque lettre devait commencer par « Chère D'Esté Defoe ». Je rédigeai plusieurs versions de la mienne avant de la dactylographier dans les bureaux de *Liberty* entre deux lettres de refus. Elle se présentait comme suit :

« Chère D'Esté Defoe,

« Vous serez peut-être choquée par le contenu de

cette lettre. Mon problème n'est partagé par aucune autre de vos lectrices, pour autant que je le sache.

« Je suis une femme de vingt et un ans. Ou, plutôt, mon corps est féminin, mais je ne me suis jamais sentie femme et n'ai jamais accepté le mensonge de mon corps. A l'intérieur de moi-même, je suis, et j'ai toujours été depuis l'enfance, mâle. C'est là une conviction définitive. Je ne suis pas du bon sexe.

« Je m'habille comme un homme. J'abomine mes seins et tout ce qu'il y a de féminin dans mon corps. Je n'ai jamais été attirée sexuellement par un homme. Je ne rêve même pas de Sean Connery.

« Aidez-moi, s'il vous plaît. Dites-moi, s'il vous plaît, si quelqu'un d'autre a déjà ressenti cela. Et dites-moi, s'il vous plaît, s'il sera un jour possible que mon corps corresponde à mon esprit. Depuis l'âge de six ans, j'ai beaucoup souffert, et je voudrais faire enfin quelque chose. Je n'ai pas d'amis à qui je puisse me confier. »

Je signai « Divisée, Devon ». Je pensais que D'Esté Defoe serait attirée par la lettre. Je ne faisais aucune confiance à Georgia, mais c'était l'équipe de médecins et de conseillers dont elle avait parlé qui me donnait espoir.

Lorsque j'allai ensuite passer la soirée dans l'appartement si bien situé de Georgia, elle me montra une nouvelle sorte de pamplemousse qu'elle avait trouvée, avec la chair rose. Elle adorait les choses nouvelles. En coupant pour moi le pamplemousse rose, elle me dit :

— D'Esté a reçu aujourd'hui une lettre extraordinaire. D'un transsexuel.

Je n'avais jamais entendu ce mot auparavant. Et je me dis que s'il y avait un mot pour désigner cela, c'était que la chose existait chez d'autres gens, que je n'étais pas seule.

Il me fut difficile de me concentrer sur une autre chose, sur le pamplemousse ou sur les lèvres de

Georgia, qui sentaient le Revlon. J'aurais voulu être dans ma chambre grise, seule et tranquille.

Deux semaines plus tard, une réponse à ma lettre parut dans *Woman's Domain* :

« Chère Divisée, Devon,

« J'ai beaucoup pensé à votre problème, et non, votre cas n'est pas unique. D'autres ont souffert comme vous souffrez actuellement, et ont été soulagés par des conseils et, dans certains cas, par la chirurgie. La première opération de changement de sexe a été effectuée sur un ancien soldat américain, George Jorgensen, en 1952, et, maintenant, il ou elle vit heureux sous le nom de Christine Jorgensen. En 1958, il a été révélé que le médecin d'un paquebot, Michael Dillon, était né Laura Maude Dillon, et avait changé de sexe par la chirurgie.

« Mais un mot d'avertissement, Divisée, Devon. La route qui mène à la salle d'opération est longue. Et ce n'est pas une route que tous peuvent emprunter. La première chose que vous ayez à faire est de voir votre médecin habituel et de lui demander de vous envoyer à un psychiatre spécialisé dans les conseils d'ordre sexuel. Lui seul pourra déterminer quelle voie vous devez prendre. Lui seul pourra voir si vous êtes en mesure de vous adapter à la vie d'un membre du sexe opposé. Mettez-vous entre ses mains et il vous aidera à construire votre avenir.

« Bonne chance et *bon voyage* [1],

« D'Esté Defoe. »

La personne entre les mains de laquelle je me mis s'appelait le docteur Beales. C'étaient les équipes d'experts de *Woman's Domain* qui me l'avaient trouvé.

J'aurais pensé que tous les gens comme lui avaient des cabinets de consultation dans Harley Street,

1. En français dans le texte.

mais tel n'était pas le cas du docteur Beales. Il avait son cabinet à Twickenham, et, en partant d'Earl's Court, le trajet était d'une heure et demie. Twickenham n'est même pas vraiment dans Londres, mais dans le Middlesex. Le long de la maison du docteur Beales coulait lentement un morceau de Tamise à l'eau brune comme du thé. L'odeur qui en montait me rappela celle du fossé où j'avais retrouvé ma vieille balle de tennis, dans le Suffolk. Et, après ma première visite à Beales, je rêvai de mon enfance à la ferme. Je ramassais des pierres et la nuit tombait.

Le visage du docteur Beales, petit et aplati, avec des yeux brillants, ressemblait un peu à celui d'un chaton. Il avait une quarantaine d'années, des cheveux noirs et la manie de se pincer la peau juste sous le menton. Il était habillé comme un instituteur, en velours marron. Il me fit asseoir sur une chaise recouverte de cuir, avec vue sur le fleuve, et me regarda.

— Vous êtes toute petite, remarqua-t-il. Peu d'hommes ont cette taille.

— Grandir, lui répondis-je, est ce que j'essaie de faire depuis des années et des années.

Il sourit. Il avait un sourire très fugitif, comme le soleil d'un printemps anglais. Il commença à prendre des notes sur un bloc. Je pensai qu'il notait ce qu'il pouvait remarquer de moi et de mon apparence : ma chemise à col ouvert, mon pantalon et mon blouson en jean, mes lunettes à grosse monture, mes cheveux bruns coupés à la Beatle par les soins de Rob, mon regard terrorisé.

Il m'invita à me détendre, à m'installer confortablement sur ma chaise, à regarder l'eau couler au-dehors. Je me sentais lasse et très loin de tout ce que je connaissais. L'eau sale du fleuve n'offrait pas un spectacle réconfortant.

Le docteur Beales commença à me poser des questions. Il me demanda si je savais changer un fusible et si je connaissais les règles du cricket.

— Est-ce que les tâches domestiques, comme passer l'aspirateur, vous plaisent ou vous répugnent ? me demanda-t-il.

Et aussi :

— Etes-vous jalouse de la force physique supérieure qu'ont les hommes ?

Je gardais un œil sur le fleuve, imaginant des crevettes et des serpents d'eau tentant d'y rester en vie et expirant dans cet égout avant de flotter à la surface entre les plumes ou les bouts de ficelle. Je dis au docteur Beales que je n'avais jamais possédé d'aspirateur, et que je pensais que les hommes utilisaient leur force pour annihiler les femmes, comme mon père avait tenté de m'annihiler.

— Si je m'étais laissée aller à être une vraie fille dans mon enfance, dis-je, j'aurais été détruite.

— J'aimerais que vous me parliez de vos parents, demanda alors le docteur Beales.

Je détournai mon regard du fleuve pour le braquer sur lui. J'étais sur le point de dire que je rêvais encore d'être Galahad pour aller sauver ma mère de Mountview et de Sonny quand le docteur Beales eut l'un de ses sourires fugitifs et précisa :

— Vous savez, bien sûr, qu'ils seront appelés à jouer leur rôle dans tout cela. Le soutien de la famille est vital pour ce que vous tentez de faire. Les sujets dont la famille est hostile doivent livrer un combat quasi impossible.

Et, soudain, je les vis arriver dans ce cabinet : Sonny dans ses vêtements de travail, empestant la bière, et Estelle avec sa robe à pois et ses cheveux gris dépeignés.

— Ils sont morts, affirmai-je.

— Ah ! fit le docteur Beales en notant sur son bloc.

J'étais sur le point de lui dire que mon père avait été tué sur le Rhin, mais je calculai à temps que, si mon père était mort pendant la guerre, je ne pouvais être née. Je continuai donc à mentir.

— J'avais six ans quand ils sont morts, dis-je. Ils sont morts à bord d'un avion allant de Southampton à Cherbourg. L'un de ces avions où vous pouviez mettre votre voiture pour aller en France. La leur était une Humber Super Snipe, et elle a péri dans l'accident, elle aussi.

Le docteur Beales le nota également.

— Que vous est-il arrivé alors ? demanda-t-il.

Je pensai à Cord et à Miss McRae, et me dis que ni l'un ni l'autre ne voudraient se rendre à Twickenham.

— Je suis allée vivre avec une famille nommée Harker, affirmai-je. C'étaient des amis de ma mère. Edward Harker est un homme très intelligent et très compréhensif. Il sait ce que je subis et il pourrait venir vous voir si c'était nécessaire.

— Et votre mère adoptive ?

— Irene ? Je ne lui en ai jamais parlé. C'est une femme très simple et bonne.

— Si elle est « bonne », comme vous le dites, elle pourrait sympathiser avec vous.

— Non. Cela la dépasse. C'est au-delà de ce qu'elle peut comprendre.

— Vous ne pouvez en être sûre.

— Si.

— Mais il faudra bien qu'elle sache, à la fin.

— Vous voulez dire à la fin, quand je serai un homme ?

— Vous ne serez jamais un homme. Pas un véritable mâle biologique. Il est important que vous le compreniez. Vous le comprenez ?

— Oui.

— Vous serez — si vous subissez, si je recommande que vous subissiez un traitement par hormones et finalement une opération chirurgicale — en mesure de passer pour un homme dans quatre-vingt-dix-neuf pour cent des situations de la vie. Mais vous ne serez pas un homme. Vous ne serez plus, non plus, une femme. Vous avez entendu ce que je vous ai dit ? Vous restez détendue ? Continuez à regarder l'eau pendant que vous répondez.

Je regardai l'eau. Une péniche passa. Elle semblait chargée de pierres.

— Que serai-je ? demandai-je.

Le docteur Beales se pinça la peau sous le menton et tira dessus. Je l'imaginai vieux, ressemblant à un dindon.

— Vous serez, dit-il, un mâle partiellement construit. Les autres vous prendront pour un homme et vous ressemblerez à un homme — à vos propres yeux. Ainsi, la conviction que vous avez en vous d'être essentiellement mâle recevra confirmation quand vous vous regarderez dans la glace. Et votre angoisse cessera, il faut du moins l'espérer.

La péniche avait disparu de mon champ de vision. Les rives du fleuve étaient encore éclaboussées par les remous qu'elle avait soulevés dans l'eau brune. Je me dis que lorsque les eaux seraient redevenues calmes, mes cinquante minutes chez le docteur Beales seraient passées.

— Est-ce ce qui s'est passé jusqu'ici ? demandai-je.

— Qu'entendez-vous par là ?

— Pour les autres personnes telles que moi. Leur angoisse a cessé ?

— Je le suppose d'après ce qu'elles m'ont dit, répondit le docteur Beales. Mais n'allons pas trop vite en ce qui vous concerne. Car, dans l'état actuel des choses et de ce que je sais de vous, il se pourrait que votre conviction soit illusoire ou, tout simplement, que vous mentiez. Je ne sais encore rien.

— J'ai menti sur une chose, fis-je.

— Oui ?

— A propos du cricket. Je connais ses règles essentielles. Mon père adoptif, Edward Harker, fabrique des battes de cricket, il m'a appris les règles. Je m'entraînais dans sa cour, et, dès l'âge de douze ans, j'avais le dessus sur lui.

A ce que je pouvais constater, il n'y avait aucun moyen de transport normal pour aller à Twickenham ou en revenir. Il n'y avait pas de station de métro, la ligne finissant bien avant, et je n'avais vu passer aucun autobus.

J'avais pris le métro d'Earl's Court jusqu'à Richmond, et ensuite j'avais marché, me guidant avec un plan, comme une touriste

En quittant la maison du docteur Beales, je décidai de longer le fleuve en empruntant le vieux chemin de halage où circulaient autrefois les chevaux tirant les péniches. Je me sentais un peu comme un cheval, essayant moi aussi de faire avancer quelque chose, de faire avancer en moi-même l'idée qu'un chirurgien pourrait me transformer et que je deviendrais alors Martin. Le plus curieux était que, toute ma vie, j'avais pensé que cela arriverait un jour, j'y avais cru sans savoir par quels moyens cela pourrait se produire. Et, maintenant que je connaissais les moyens en question, j'avais du mal à y croire. L'esprit humain est ainsi : parfois il a moins de mal à admettre un rêve qu'une réalité.

Et en plus j'avais peur. Je me demandais si Mary allait complètement disparaître. Si je voulais la voir disparaître en totalité ou seulement en partie. S'il y avait quelque chose de Mary que j'aurais aimé conserver.

Des marches descendaient vers les eaux sales du fleuve et je m'y assis, regardant passer les bateaux. Non loin des marches, il y avait une vieille péniche d'habitation, équipée de pneus de tracteur en guise de défenses et d'un mât métallique auquel flottait un drapeau britannique. Le petit plan d'eau entre la péniche et la rive avait été recouvert d'un grillage de poulailler. Plusieurs familles de canards y nageaient en rond, et une échelle leur permettait de gagner le pont de la péniche. Il ne semblait y avoir, à bord de celle-ci, personne d'autre que ces canards patriotes. Nous croyons toujours qu'un être humain doit se trouver là, au centre de toutes choses, et parfois nous nous trompons.

Le soleil se leva soudain et vint faire scintiller la

surface de l'eau. Je ne savais pas au juste où je me trouvais. J'entourai mes genoux de mes bras et restai ainsi, sans bouger. L'apparition du soleil m'avait fait m'interroger sur l'amour. Je me demandais, par exemple, si Pearl continuerait à m'aimer lorsque Mary serait partie.

La lettre de Mary

Une lettre de Mary parvint à Edward Harker. Elle était marquée « Confidentiel ». Irene reconnut l'écriture sur l'enveloppe et demanda :

— Est-ce qu'elle a des ennuis, Edward ?

Edward descendit la lettre dans son atelier et la lut à la lueur des lampes recouvertes de parchemin. Mary lui demandait s'il accepterait de se rendre à Londres et de parler au docteur Beales en prétendant qu'il était son père adoptif.

— Eh bien ? demanda Irene quand il remonta.

— Eh bien quoi ? fit-il.

— Qu'est-ce qui lui est arrivé, Edward ? J'ai le droit de savoir. Je l'ai eue chez moi quand elle était petite. J'ai été comme une mère pour elle à une certaine époque.

— Je ne trahis jamais une confidence, dit Edward.

Plus tard, durant le dîner, Pearl demanda à son tour :

— Est-ce que Mary a vraiment des ennuis, Edward ?

Il la regarda, ainsi qu'Irene. Il contempla leurs doux visages avec une totale affection. Et, parlant doucement, il dit :

— Mary m'a demandé mon aide pour opérer quelques changements dans sa vie. C'est tout ce que je puis dire. Elle n'a pas d'« ennuis », comme tu dis, Pearl. Elle essaie simplement de trouver la meilleure voie pour elle.

Cette nuit-là, Irene rêva de Mary le jour torride du Concours du plus beau bébé. Elle s'éveilla et trouva

Edward également éveillé, lisant *Les Voyages de Gulliver*.

— S'il y a quelque chose que je puisse faire pour cette pauvre Mary, dit-elle, je veux être sûre que tu me le diras.

— Pas cette *pauvre* Mary, fit-il.

— Mais tu me le diras ?

— Oui, Irene. Maintenant, rendors-toi.

— J'ai eu un horrible rêve. Lis-moi un peu de ton livre, veux-tu ?

Il entreprit alors de lui lire à haute voix un passage du chapitre VII. Il n'eut pas à le faire longtemps. Irene s'était rendormie et il savait qu'elle n'avait pas compris un mot de ce qu'il lisait.

Il posa son livre, retira ses lunettes, éteignit la lumière et resta assis dans le noir, comme s'il attendait que quelqu'un ou quelque chose arrive.

Il ne pouvait chasser de son esprit le contenu de la lettre de Mary. Cela l'exaltait. Edward était un homme tranquille avec une passion secrète pour l'insolite, le miraculeux. Son désir pour Irene, la naissance de Billy avaient représenté de petits miracles. Mais ce que Mary se proposait de faire était exceptionnel, hors des limites de la plupart des expériences humaines. Il se dit que personne, dans la maison, ne le comprendrait, pas même Irene, qui aimait Mary. Ou Pearl.

Il s'étendit et ferma les yeux. En ce qui lui restait de vanité, Edward Harker était flatté d'avoir été choisi pour incarner un père. Il se dit qu'avant d'avoir rencontré Irene, il n'aurait pu jouer ce rôle, mais qu'ayant eu ces années de pratique avec Pearl et avec Billy il savait dorénavant ce qu'un père devait essayer d'être.

Dans sa petite chambre près de celle d'Edward et d'Irene, Pearl révisait son cours de biologie à la lueur d'une lampe électrique. Elle aimait savoir les choses par cœur, mot à mot.

Elle était en train d'enregistrer la description d'un

insecte appelé le scarabée d'eau brun. De son écriture ronde et nette, elle avait noté dans son cahier de biologie :

« Le scarabée d'eau brun a un corps ovale et brun avec une rayure jaune juste au-dessus des ailes. Il nage très vite à la recherche de moucherons qui sont sa nourriture préférée. »

Maintenant, elle se récitait ce passage, les yeux fermés. Elle tentait de le scander comme un poème ou une chanson. C'était plus facile de s'en souvenir ainsi :

> Le scarabée d'eau *brun*
> A un corps ovale et *brun*...

Quand elle eut fini, elle tenta de s'imaginer mangeant des moucherons. Elle se les représentait vivants dans sa bouche, tentant de s'échapper en bourdonnant, puis se faisant avaler. La biologie était une chose très particulière. C'était sa matière favorite.

Elle avait quinze ans. Ses cheveux couleur de citron ne s'étaient jamais assombris. Les gens regardaient sa chevelure et la regardaient, mais elle restait indifférente. Son regard bleu et clair maintenait les autres à distance. Elle voulait choisir, et non être choisie. Et elle ne se sentait pas prête à choisir. Pas encore.

Elle aimait sa chambre, les rideaux blancs que lui avait confectionnés Irene, les murs vert pâle, ses vieilles poupées bien alignées, ses livres en ordre précis. De sa fenêtre, elle pouvait voir l'église de Swaithey où, un samedi par mois, elle allait arranger les fleurs devant l'autel. Elle était beaucoup plus douée qu'Irene pour cela. Il lui suffisait de jeter un coup d'œil à une brassée de fleurs de couleurs et de longueurs différentes pour savoir aussitôt dans quel ordre elles devaient aller dans le vase. Elle disait à Irene :

— Disposer les fleurs a ses règles. Tout a ses règles.

Pearl éteignit sa lampe électrique et s'étendit. Tous les soirs, après avoir révisé, elle envisageait son avenir. Elle serait assistante d'un dentiste. Elle avait déjà déposé sa candidature à l'école où elle serait formée à Ipswich. Elle porterait un bel uniforme blanc et nouerait ses longs cheveux en un chignon sur lequel elle attacherait sa coiffe d'infirmière avec des pinces. Elle serait celle qui place la petite pilule mauve dans le verre permettant au patient de se rincer la bouche, celle qui lui dispose autour du cou un petit bavoir, qui le nettoie et lui fait garder son calme. Elle aspirait à cette existence. Elle savait que chaque vie doit s'appuyer sur un projet, et c'était le cas pour elle.

Mais, ce soir-là, elle se surprit à penser à Mary. Edward avait dit qu'elle « essayait de trouver la meilleure voie pour elle ». Et Pearl se dit que peut-être Mary, si intelligente qu'elle fût, n'avait jamais eu de *projet* dans la vie. Et peut-être, maintenant, était-elle perdue, comme on peut se perdre dans une forêt.

Le lendemain, Pearl décida de parler à Edward seul à seul. Elle attendit qu'Irene fût montée donner son bain à Billy.

— Edward, demanda-t-elle, Mary est-elle perdue ?

— Perdue ?

— Oui.

— Que veux-tu dire par là : perdue ?

— Je ne sais pas. Puis-je la voir ? Peut-elle venir ici ?

— Non. Je ne pense pas. Mais je vais aller à Londres. Tu peux lui écrire une lettre ou une carte et je la lui apporterai.

— Puis-je aller à Londres aussi ?

— Non, Pearl.

— Et pourquoi ?

— Parce que.

— Est-elle malade ?

— Non.

— Dis-moi, Edward.

— Je ne puis te le dire. J'ai donné ma parole.

— Oublie ta parole. Dis-le-moi, juste à *moi*.

— Non.

— Se sent-elle mal ?

— Non.

— Je suis sûre que si. Je pense que quelque chose d'affreux lui est arrivé, après toutes les choses affreuses qu'elle a subies quand elle était petite. Et je ne veux pas !

Pearl se mit à sangloter. Elle se dit qu'en fait elle avait pleuré toute la journée à l'intérieur d'elle-même, mais que, maintenant, cela sortait.

Edward la prit dans ses bras. Il trouva dans sa poche un mouchoir qui sentait l'huile de lin et il le lui donna.

— Ecoute, lui dit-il tout doucement. Ecris une lettre à Mary et je la lui apporterai. Je lui dirai aussi que tu aimerais la voir et peut-être qu'elle t'invitera à Londres pour la journée. Si elle t'invite, tu pourras y aller. Elle t'emmènera peut-être au Muséum d'Histoire Naturelle.

— Elle a eu une vie horrible ! fit Pearl.

Entendant sa fille pleurer, Irene descendit l'escalier en toute hâte. Billy suivait, rose comme un bonbon et traînant derrière lui une serviette jaune moutarde.

Pearl passa des bras d'Edward à ceux d'Irene. Elle sanglotait si fort qu'elle ne pouvait plus parler et que sa poitrine commençait à lui faire mal. Elle entendait Billy se mettre à gémir à l'unisson et se rendit compte qu'Irene pleurait elle aussi. Elle pensa alors : nous avons notre séance de chagrin. Ce sont des choses qui arrivent.

Elle se sentait soudain plus calme. Elle décida d'écrire à Mary, et elle savait comment commencerait la lettre :

« Chère Mary,

« Nous avons tenu une séance de chagrin pour toi vendredi. Nous étions tous au bas de l'escalier en train de pleurer. Je pense que, si tu était arrivée et tu nous avais vus, tu aurais bien ri. »

L'angle de Timmy (2)

Timmy se demandait quoi faire.

Il avait dix-huit ans. Il n'était pas devenu un nageur olympique. Il travaillait douze heures par jour dans une ferme où tout semblait s'effondrer tout autour de lui. Il faisait la course avec la ruine, mais la ruine ne restait pas dans son couloir, ne portait pas de numéro et ne semblait jamais fatiguée.

Il n'y avait personne d'autre en course. Sonny et le chien, Wolf, passaient le plus clair de leur temps dans la grange, où trônait également la moissonneuse-batteuse recouverte de vieux sacs pour la protéger de la rouille et du gel. Wolf dormait sur le sol en terre battue. Sonny bricolait de vieux engins hors d'usage ou, assis sur une balle de paille, parlait à son chien.

Il était devenu très maigre. Il ne mangeait presque plus, se bornant à boire. Avec ses vieux vêtements et ses poils de barbe blancs, il avait l'air d'un clochard. Il avait dit à Timmy :

— La ferme est à toi. Chaque mètre carré est à toi. Tu le sais ? Je ne l'ai gardée en état que pour toi.

Timmy s'était débarrassé des poules. Grace Loomis en avait maintenant trois cents, qui pondaient vingt-quatre heures sur vingt-quatre dans un hangar en aluminium éclairé par des projecteurs. Timmy avait dit à son père :

— Nous ne pouvons plus lutter. Pas au prix où ils font maintenant les œufs.

Sonny avait répondu, en caressant la tête de son chien :

— De toute façon, les poules, c'est une drôle d'engeance. Tu te rappelles le jour où je les ai toutes vues immobiles ?

Il avait oublié ses accusations de sorcellerie. A certains moments, il semblait avoir oublié jusqu'à l'existence de Mary.

Rien n'était venu remplacer les poules dans leur champ.

— Mets-y du colza, avait dit Sonny. C'est ce qui va donner le mieux.

Mais le champ avait été tout simplement abandonné. Des orties et des plantes folles poussaient autour des anciens poulaillers. Timmy contemplait tout cela. Dans l'un de ses plus lointains souvenirs, il se voyait donnant à manger aux poules. Avec Mary. Mary portait le lourd seau de grain. Les poules couraient vers eux et s'assemblaient autour de leurs mollets. Et Mary disait :

— Imagine qu'elles sont le peuple, et que nous sommes le Shah de Perse.

Un soir, Timmy se souvint qu'il avait un jour considéré sa vie sous la forme d'un angle à 90°, formé par la ligne verticale représentant sa pratique du chant religieux et la ligne horizontale figurant sa pratique de la natation. Il n'avait pas été en mesure, alors, de voir ce qui emplissait les 90° entre les deux bras de l'angle, mais, cette fois, il le sut : c'était son emprisonnement dans la ferme vouée à la ruine.

Il était tard. La maison était silencieuse et sentait l'humidité, comme si l'automne venait s'y infiltrer à travers le plâtre. Timmy enfila sa robe de chambre. Il s'en alla déterrer un vieux cahier, un crayon et une règle, puis il entreprit d'exécuter le dessin de son existence.

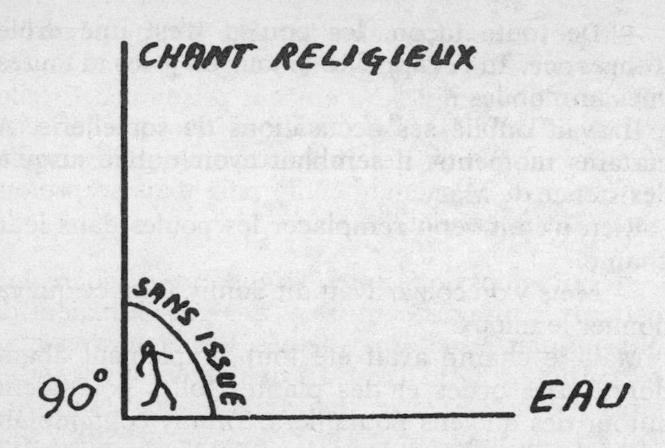

Se voir sous la forme d'une minuscule silhouette bloquée dans ce coin lui donna une sensation d'étouffement. Il se dit qu'il se retrouvait là parce qu'il avait eu peur de plonger. S'il avait osé devenir un plongeur de haut vol au lieu d'être simplement un nageur, sa mère aurait été transportée d'aise et aurait continué à payer les leçons à la piscine de Marshall Street. Mais nager ne suffisait pas. Cela n'intéressait pas assez sa mère. Elle lui avait dit un jour :

— La brasse papillon est une nage affreuse, Timmy.

Elle avait donc laissé son père intervenir et mettre fin à l'entraînement à Marshall Street. Timmy avait cru la ligne horizontale infinie, mais elle s'était révélée très courte.

Il resta un long moment assis, à regarder son angle. Il pouvait entendre Sonny ronfler dans la pièce voisine, l'ancienne chambre de Mary, où il dormait dorénavant, cette chambre que sa mère avait préparée pour un enfant qui n'était jamais arrivé. Sonny ronflait sous une frise en papier représentant des tigres et un mobile en balsa qui tintait comme des clochettes dans la montagne. Estelle avait proposé de les retirer, mais Sonny lui avait dit de ne pas s'en soucier. Il lui avait dit qu'il aimait cela.

Pitié et rage alternaient quand Timmy pensait à ses parents. Là, en face de son angle, il voyait en *eux* les deux lignes qui l'avaient fait prisonnier. Estelle, c'était la ligne verticale, avec sa tête quelque part dans le ciel. Sonny, c'était l'horizontale, plate comme les champs, ne menant nulle part mais se prolongeant désespérément.

Il était temps de récolter les betteraves à sucre. Les betteraves rapportaient bien. Les gens aimaient de plus en plus les choses sucrées. Les betteraves et le colza, c'était là qu'il y avait de l'argent à gagner — ainsi que dans l'élevage des poulets en batterie. Mais Timmy détestait déterrer les betteraves. Elles sentaient fort et adhéraient trop au sol. On avait l'impression de déterrer des morts. Et la machine qui devait faire monter les betteraves jusque dans le camion tombait souvent en panne. Les courroies de transmission sautaient, les roues se détachaient ou se bloquaient, malgré les heures de bricolage de Sonny. On pataugeait dans la boue, et la pluie de novembre vous glaçait.

Estelle était à la maison. Elle était entrée dans une période de calme. Elle ne pleurait ni ne criait jamais. Elle s'exprimait avec raffinement. Elle disait : « Il est dans mes intentions de regarder "Match of the Day" à dix heures dix. » Nul ne savait combien cette période de calme allait durer.

Sonny rentrait rarement pour le dîner. Il restait assis sur sa balle de paille, dans la grange, à gratter les oreilles de son chien et à boire de la Guinness par pleines bouteilles. Mais Timmy, lui, rentrait toujours. Il s'asseyait et Estelle déposait devant lui de quoi manger. Depuis son séjour à Mountview, elle ne faisait plus cuire de pain et elle ne confectionnait plus de ragoûts. Elle aimait les aliments en boîte et le pain blanc coupé en tranches sous plastique. Elle adorait la sauce de salade toute préparée.

Le lendemain du jour où Timmy avait dessiné son angle, Estelle lui servit des spaghetti en boîte. Ils étaient trop chauds pour qu'il pût les manger tout de suite. Une peau se formait sur la sauce visqueuse. Timmy reposa ses couverts et attendit. Estelle mangeait des radis. Elle avait étalé de la margarine sur une tranche de pain. Ses cheveux gris étaient noués en chignon. Toute sa beauté avait disparu, et Timmy se demanda où l'on pouvait encore trouver un peu d'harmonie.

Il se souvint alors des dimanches à l'église de Swaithey. Il entendit le chœur et vit la lumière filtrer à travers les vitraux. Et il se dit, à ce moment, que sa ligne verticale était peut-être toujours là. Il ne pouvait plus chanter avec la voix d'une fille, mais il pouvait prier. La façon dont sonnait la prière importait peu. Elle pouvait même être silencieuse.

— A quoi penses-tu ? demanda Estelle. Au champ des poules ? A ces petites maisons qui sont toujours là ?

— Non, fit Timmy.

Ce soir-là, Timmy s'en alla fourrager dans le placard où semblait avoir été jetée, pièce à pièce, toute son enfance. Il retrouva un petit livre relié de cuir que lui avait donné le Révérend Geddis lorsque sa voix s'était brisée et qu'il avait dû quitter le chœur. Il s'intitulait *La Lumière du jour sur le chemin du jour,* et il se présentait comme « un recueil de textes pieux pour chaque jour de l'année dans les termes mêmes des Ecritures, avec des lectures supplémentaires pour les occasions particulières ». L'un de ces textes s'intitulait « Espoirs déçus ». Timmy s'y arrêta et lut :

« Même si le figuier ne fleurit pas, si la vigne ne donne pas de raisins, si l'olive ne mûrit pas et si les champs ne produisent aucun blé, je trouverai la joie dans le Seigneur, la joie dans le Dieu de mon salut. »

Timmy aurait voulu laisser éclater sa joie. Il savait que, de façon tout à fait inattendue, il venait de tomber sur une source d'espoir.

Quelque chose de différent

Pete Loomis avait dit : « C'est juste mon nez qui fait des siennes. »

Ce que faisait son nez, en fait, c'était de laisser croître un cancer.

Il atteignit d'abord la taille d'une grosse fraise, puis celle d'un citron. Pete avait toujours pensé que les cancers étaient des choses internes. Il croyait qu'ils ne se développaient jamais à l'extérieur, et que tout ce qui pouvait se voir ne pouvait être un cancer mais quelque chose de peu d'importance.

Il fut transporté dans un hôpital d'Ipswich. L'hôpital était construit sur une colline et dominait la peu engageante ville. A la fenêtre de sa chambre, Pete se demandait si ce serait là le dernier spectacle qui s'offrirait à lui.

Les chirurgiens durent l'amputer de la moitié du nez, dont une narine entière. Ils disaient qu'en faisant cela, ils avaient « enrayé » l'évolution du cancer. Ce qui restait de son nez était empaqueté dans d'épais bandages. Il ressemblait à un bonhomme de neige auquel on aurait planté un navet au milieu du visage.

Walter et Grace vinrent le voir. Grace lui avait apporté quelques chrysanthèmes dorés. Les mains bien serrées sur son sac, qu'elle tenait sur ses genoux, elle lui dit :

— Quand tu sortiras d'ici, Pete, tu ferais mieux de venir un moment vivre avec nous, au-dessus du magasin, jusqu'à ce que tu aies récupéré. Tu pourras prendre la chambre de Josephine.

Pete n'y tenait nullement. Il savait que Grace était une brave femme, mais elle était brave d'une façon qu'il trouvait souvent fatigante.

— C'est très gentil à toi, dit-il. Mais ce n'est pas comme si j'avais perdu une jambe. Je peux très bien me débrouiller dans le bus.

— Je pense que je dois insister, fit Grace. Ce n'est pas ton avis, Walter ?

Walter était resté jusque-là silencieux. Il s'était borné à regarder Pete avec beaucoup de peine. Il avait les yeux humides.

— Tu ferais mieux de venir, Pete, dit-il. Ne serait-ce qu'un moment. C'est l'hiver, tu sais.

— Qu'est-ce que c'est que cela, l'hiver ? demanda Pete avec un large sourire. J'aurais pu me réveiller dans ma tombe.

— Chut ! fit Grace. Plus de morts, Pete ! Il suffit d'un dans la famille.

Pete la regarda, malgré le bandage obstruant partiellement son champ de vision. Il regarda son visage blanc ridé, comme un lis desséché, ses cheveux gris bien tirés, ses mains soigneusement posées sur le sac acheté chez Cunningham. Et il se dit que c'était cela même qui le repoussait : cette netteté et cette implacable précision. L'infirmière de service leur avait dit :

— Ne restez pas trop longtemps. Il est beaucoup plus faible qu'il ne le croit.

Ils n'évoquèrent bien sûr pas l'apparence qu'allait avoir Pete avec la moitié de son nez en moins. Grace parla de l'élevage des poules en batterie. Elle dit que des commandes massives commençaient à venir des restaurants de routiers, et qu'elle en venait à se demander s'il ne faudrait pas construire un deuxième hangar.

Walter, dont la tête massive semblait tomber un peu, ne parla pas beaucoup. Il dit quand même qu'il avait terminé sa chanson, celle avec laquelle il se battait depuis si longtemps.

— Bien, fit Pete. Tu ne veux pas la chanter pour nous remonter un peu le moral ?

— Non, dit Walter. Pas maintenant.

— De toute façon, cela ne te remonterait pas le moral, intervint Grace. Walter me l'a fait entendre. C'est une chanson morbide.

— Vraiment ? fit Pete. C'est réellement morbide, Walter ?

— Pas vraiment, répondit Walter. Pas si on la comprend.

— Ce qui n'est pas mon cas, je suppose ? fit Grace.

— Non, dit Walter.

Puis ils se retirèrent. Pete fit un signe de main de son lit lorsqu'ils eurent gagné la porte, mais Walter suivait Grace et aucun d'eux ne se retourna.

Pendant que Pete était à l'hôpital, Walter se rendit à Londres. Il prit un train tôt le matin. Il avait dit à Grace que Gilbert Blakey l'avait invité dans la capitale pour lui montrer les joyaux de la Couronne. Il savait que la mention des joyaux l'impressionnerait. C'était un mercredi, jour où la boucherie n'ouvrait que la demi-journée.

Il prit un bus pour touristes, et s'installa sur l'impériale, en plein air, avec une petite pluie fine qui tombait. On lui donna un plan de l'itinéraire que le bus allait emprunter. Il put voir que le véhicule passerait à l'extrémité de King's Road, tout près de l'endroit où Gilbert devait se trouver. Une partie de lui souhaitait ardemment le voir, et l'autre priait pour le contraire. Il ne savait pas quelle partie était sincère.

Il était allé à Londres parce qu'il fallait à toutes forces qu'il puisse porter les yeux sur un endroit nouveau. Il lui fallait se rappeler qu'un monde existait en dehors de Swaithey. Swaithey commençait à le tuer tout doucement. Il savait que s'il restait là, travaillant à la boucherie, vivant avec sa mère, il prendrait un jour un couteau à découper pour se le planter dans le cœur. Il savait cela depuis un certain temps. Il avait tenté de se remettre de la perte de Gilbert en écrivant des chansons, mais cela n'avait pas suffi. Il avait trente et un ans. Il devait soit trouver un autre but à sa vie, soit mettre fin à celle-ci. Il avait choisi Londres à cause des couleurs hantant son imagination : le noir et le rouge.

Sur l'impériale avec Walter se trouvait un groupe

de Canadiennes portant des chapeaux imperméables et s'émerveillant de tout :

— Oh ! s'exclamaient-elles toutes les quelques minutes, regardez un peu cela, les filles !

Comme le bus descendait Whitehall, Walter s'aperçut que c'était l'impression de solidité dégagée par Londres qui lui semblait si étrangère, si peu familière. A Swaithey, quand les brumes d'octobre s'abattaient sur le village et quand le sommet des haies se confondait avec le ciel, on pouvait s'imaginer que tout allait s'évanouir dans le brouillard pour ne plus jamais réapparaître. Mais Londres semblait éternel, et jetait des ombres carrées et bien contrastées. On avait l'impression d'être dans la capitale du monde.

Walter commença à parler avec les Canadiennes. La pluie s'était arrêtée. En tapotant leurs cheveux permanentés, les Canadiennes précisèrent à Walter qu'elles étaient de Medicine Hat, dans l'Alberta. Elles ajoutèrent que Medicine Hat n'avait ni Tour, comme celle de Londres, ni Abbaye, comme celle de Westminster, mais une bonne école et une patinoire. Elles lui dirent leurs noms : Mavis, Jane, Cecilia Ann, Beth, Nettie et April.

— C'est notre premier voyage, Walter, firent-elles. Nous ne voulions pas attendre plus longtemps.

— C'est mon premier voyage aussi, répondit Walter. Mais je pense que je vais venir vivre ici quelque temps.

— Vraiment ? s'exclamèrent-elles toutes ensemble.

Elles semblaient avoir l'habitude de toujours dire en chœur la même chose. Walter se demanda si elles avaient appartenu à une chorale quand elles étaient jeunes.

— Que faites-vous dans la vie ? demandèrent-elles.

— De la country music, répondit-il en souriant.

— Mon Dieu, comme c'est intéressant !

C'était, exceptionnellement, Nettie toute seule qui ajouta :

— Je ne savais pas que les Anglais chantaient de la country.

— Il n'y en a pas beaucoup, dit Walter.

— Ce n'est pas à Londres que vous devriez aller, poursuivit Nettie. C'est à Nashville, dans le Tennessee. J'ai un cousin à Nashville. Il a épousé une fille du Sud. Ils ont une pharmacie. Je pourrais vous donner leur nom.

Le bus descendait Knightsbridge, passait devant la boutique de Mary Quant et devant le magasin Harrods. Walter s'imagina entrant chez Harrods et, avalé, n'en sortant plus jamais.

— Regardez cela, les filles ! s'exclamèrent April et Jane. Tout illuminé pour Noël. Ouah !

On gelait sur l'impériale, mais l'excitation des Canadiennes leur tenait chaud. Walter était heureux de ne pas être seul, surtout lorsqu'ils atteignirent King's Road. Il aurait détesté que Gilbert puisse voir passer le car de touristes et remarquer une tête solitaire à l'impériale : la sienne.

Il dit aux Canadiennes :

— J'ai un ami qui habite pas loin d'ici.

— Vraiment, Walter ?

— Il est dentiste.

— Ah, oui ? fit Beth. On m'a dit un jour, à Medicine Hat, que les Britanniques ne soignaient pas leurs dents. Y a-t-il du vrai là-dedans ?

Walter sourit.

— Oui, dit-il. Je dois le reconnaître.

— Vous n'utilisez pas de fil dentaire, c'est cela ?

— De quoi ?

— De fil dentaire, reprécisa Nettie.

Walter se souvint qu'il avait entendu Gilbert utiliser ce terme une fois. Il secoua la tête. Puis il se détourna de Nettie et de Beth pour regarder la rue au-dessous de lui. Elle était pleine de bruit et d'animation. Le cœur de Walter commença à battre très fort. A tout moment, un passant pouvait s'avérer être Gilbert. Il aurait changé et serait devenu plus beau que jamais. C'est ce qui arrivait dans les romans d'amour que sa mère lisait ; quand le héros revenait après ses exploits sur le Niger, il était encore plus beau et plus irrésistible que lorsqu'il était parti.

Mais le car poursuivit sa route, dépassa Flood Street et descendit vers le fleuve sans qu'il eût aperçu la moindre trace de Gilbert. Une partie de Walter avait ressenti une cruelle déception, et une autre éprouvait un sentiment de délivrance. Les impressions alternaient, en vagues successives. Walter s'accrochait au dossier du siège se trouvant devant le sien. Le circuit était presque terminé. Walter se demanda s'il n'allait pas rester et le refaire en entier, comme il lui arrivait de rester au cinéma de Leiston afin de revoir le film. Mais il savait que les Canadiennes allaient s'en aller et que, sans elles, il allait se sentir seul et stupide.

Il était tard lorsqu'il regagna Swaithey. Il s'attendait à ce que Grace soit endormie, mais elle l'attendait, assise dans son fauteuil.

— Comment étaient les joyaux de la Couronne ? demanda-t-elle.

— Superbes, répondit Walter. Eblouissants.

— Mr Blakey t'a-t-il montré un peu Londres ?

— Oui.

— Eh bien, c'est parfait. Maintenant, tu l'auras vu.

Walter s'assit. Il avait froid et il se sentait épuisé. Il aurait voulu dire sur-le-champ à sa mère qu'il ne pouvait continuer à vivre là, comme cela. Que si elle l'y obligeait, il se tuerait. Qu'il voulait avoir sa vie à lui. Mais Grace l'observait comme un chat. Depuis quelque temps, elle l'observait ainsi de sa cabine dans le magasin, ses yeux suivant chacun de ses mouvements. C'était comme si elle savait ce qu'il avait en tête.

Pete quitta l'hôpital d'Ipswich. Il s'était attaché à l'une des infirmières. Il s'était cru trop vieux pour rêver de femmes, mais il ne l'était pas, il se dit qu'on n'était peut-être jamais trop vieux. On pouvait vous couper le nez, les oreilles, les bras et les jambes, mais la verge continuait à rêver.

Il alla s'installer dans la chambre de Josephine. De la fenêtre, il vit le champ et son vieux bus, attendant que les choses redeviennent ce qu'elles étaient avant. Il savait que cette attente était vaine.

Grace lui faisait absorber quantité de viande. Elle lui autorisait une lampée de whisky le soir. Il souffrait, et restait assis près du feu, les yeux clos. La seule chose qu'il désirait vraiment, c'était entendre la nouvelle chanson de Walter.

Celui-ci ne voulait pas la rechanter en présence de Grace, qui l'avait jugée morbide. Il attendit un soir où elle se rendait à un concours de whist dans l'ancien baraquement des scouts et des guides, maintenant reconstruit en brique et utilisé pour les réunions du conseil municipal et diverses autres manifestations. On y évoquait parfois la soirée où Mary Ward avait compromis tout un spectacle de danse en y apparaissant en bottes de caoutchouc. Mais on ne s'en choquait plus, on en riait en disant :

— Quel culot a toujours eu cette pauvre enfant !

Grace partie, Walter alla chercher sa guitare et prit place en face de Pete. Avant de commencer à chanter, il déclara :

— Il faut que je te dise quelque chose : un de ces jours, une de ces années, je vais m'en aller. Je sais que je vais tourner le dos à des générations de Loomis, mais je ne peux pas faire autrement. Je vais m'en aller, et c'est ainsi. C'est une décision définitive. J'ai besoin d'avoir une vie avant qu'il ne soit trop tard.

Pete approuva de la tête. Il regarda autour de lui, promenant son regard sur le salon impeccable, avec ses rideaux de cretonne et ses meubles méticuleusement astiqués, et dit :

— Moi, je ne pourrais pas vivre ici. Tu as eu du mérite de rester si longtemps.

— J'ai trente et un ans, rappela Walter.

— Pour sûr, fit Pete. Trente et un. Et maintenant, chante.

Walter entreprit d'accorder sa guitare. Il informa Pete que sa chanson s'intitulait *Quelque chose de différent*.

— Je l'ai écrite, expliqua-t-il, quand j'ai constaté qu'il y avait un tas de choses que je ne comprenais pas, même à mon âge.

— Ton âge ne fait rien à l'affaire, rétorqua Pete. Maintenant, vas-y.

Walter s'éclaircit la gorge. Il était fier de sa chanson. Il imaginait de futurs admirateurs prenant de l'âge, se souvenant d'elle et disant : « C'était l'un des classiques de Walter Loomis. » L'air était mélancolique, en si mineur. Il se mit à chanter :

J'ai voulu savoir pourquoi la terre existait.
J'ai creusé le plus profond que j'ai pu.
J'ai rêvé que soudain je savais,
Mais au réveil rien n'était résolu.

J'ai voulu savoir pourquoi le ciel existait.
J'ai grimpé sur un arc-en-ciel pour voir.
Le chaos de partout m'entourait,
Et moi, je suis resté dans le noir.

Le refrain était :

Il y a toujours quelque chose de différent, vois-[tu,
Derrière ce qui t'est simplement apparu.
Le monde est rempli de secrets
Dont je n'aurai jamais le secret.

Walter chanta ensuite les deux autres couplets :

J'ai voulu savoir pourquoi mon amour existait
Et je l'ai demandé à celle que j'aimais.
Elle m'a dit de ne pas l'interroger
Et surtout de ne pas la toucher.

J'ai voulu savoir pourquoi ma vie existait,
Seul dans mon lit, j'ai commencé à chercher
Mais quand je m'acharnais à trouver,
C'est ma mort que je découvrais.

Pete fut ému par la chanson de Walter. Il avala une gorgée de whisky et dit :

— Si mon vieil ami le pasteur de Memphis avait pu entendre cela, Walter, cela l'aurait peut-être fait pleurer.

Walter haussa les épaules :

— L'ennui, fit-il, c'est que mes chansons ne changent rien à rien.

CHAPITRE XII

1968

Révolution et révélation

Cord rédigeait une lettre à l'intention du ministère des Transports. Cette lettre aurait cent quatre-vingt-neuf signataires. Elle informait le ministre qu'il avait « compté sans les habitants de Gresham Tears ».

Une nouvelle route était projetée, qui couperait en deux les vertes prairies que les villageois contemplaient depuis quatre cent trente-deux ans, ferait disparaître plusieurs hauts lieux de Gresham Tears, dont la vieille forge, et remplirait l'air d'un incessant bourdonnement de moteurs.

Le fait d'avoir à combattre ce projet avait guéri Cord de sa paralysie partielle. Elle avait tout simplement disparu. Il avait formé le Groupe d'Action des Habitants de Gresham Tears contre la Route, et il haranguait en ces termes les villageois assemblés :

— Ils pensent que nous ne comptons pas. Nous devons leur démontrer le contraire. Il se peut que nous ayons à nous coucher devant les rouleaux compresseurs. Je n'exclus ni la veille permanente ni les marches forcées. Je suis, pour ma part, prêt à envisager le sacrifice suprême.

Lorsqu'il avait dit cela, les villageois l'avaient regardé d'un air un peu inquiet. Ils lui avaient dit ne pas penser qu'on en arriverait là.

— On est en Angleterre, Thomas, avaient-ils souligné. Pas en Hongrie.

Dans l'esprit de Cord, la campagne contre la route avait été merveilleusement relancée par les événements survenus en mai à Paris. Assis sur son tapis de yoga, il parlait silencieusement à Livia et lui disait :

— Nous entrons dans une période de contestation, et j'aurais aimé que tu puisses voir cela. L'espoir est en nous, maintenant. J'aurais aimé que tu puisses voir cela. Les déshérités et ceux qui sont sur le point de l'être — nous, à Gresham — ont trouvé une voix. Nous nous remuons enfin. Nous disons des choses que nous n'aurions jamais pensé dire. Et même dans le Suffolk — ne ris pas, Liv — nous dresserons des barricades si c'est nécessaire. En l'absence des pavés parisiens, nous lancerons des mottes de terre...

Il s'était entièrement mobilisé sur ces affaires, et les choses de la vie quotidienne n'avaient plus d'importance pour lui. Elles lui semblaient, en fait, un peu futiles. Il restait assis dans son jardin à méditer et à rêver. Les mauvaises herbes et les plantes folles poussaient très haut tout autour de lui, et il ne les remarquait même pas.

Quand Timmy vint le voir et lui fit une remarque à ce sujet, Cord le regarda et dit simplement :

— Ah, oui ? Chaque chose en son temps, c'est la règle.

Timmy venait rarement le voir. Tout se passait comme s'il savait que Cord préférait Martin. Mais, cette fois, il s'était décidé, et Cord s'aperçut soudain qu'il avait l'air effrayé. Il cessa alors de parler de la contestation et lui demanda :

— Que se passe-t-il, mon vieux Tim ?

— Tout, répondit Tim.

— Tout quoi ?

— La ferme. C'est fini.

— Ne dis pas cela. C'est toute la vie de ton père.

— Oui. Mais pas la mienne.

— Elle sera à toi un jour.

— Je n'en veux pas. Je la déteste. C'est pourquoi je suis venu te voir.

— Allons, Tim.....

— C'est pour cela que je suis venu. Pour te dire que j'allais quitter la ferme.

— Allons...

— Ne me dis pas que je n'en ai pas le droit. Tu parlais de protestation, à l'instant. Je proteste, moi aussi. J'abomine cette ferme. La seule chose que je veuille, c'est Dieu.

— Attends une minute...

— Arrête de dire cela ! Je suis venu te demander ton aide.

— Mon aide pour quoi ?

— Je voudrais que tu le dises à mon père et à ma mère.

— Que je leur dise quoi ?

— Que je m'en vais. Je me suis inscrit au collège de théologie. Je rentre dans le clergé.

Cord sortit son mouchoir et s'essuya l'œil gauche. C'était une habitude qui lui restait du temps de sa paralysie. Il regarda Timmy. Celui-ci était assis à l'extrême bord de son fauteuil, serrant très fort les accoudoirs et clignant des yeux.

— Du calme, Tim, fit doucement Cord. Les habitants d'ici m'ont fait cadeau d'une bouteille de sherry pour me remercier d'avoir organisé la pétition auprès du ministère des Transports. Prenons-en une goutte ensemble et discutons tranquillement de tout cela.

— Entendu, dit Timmy. Mais ne t'imagine pas que je ne suis pas sérieux. Ne crois pas que tu pourras me faire changer d'avis.

— Jamais je n'imaginerais cela, répondit Cord. Mon respect pour la liberté individuelle s'accroît de jour en jour.

Cord versa le sherry dans deux grands verres. Ces temps-ci, il se sentait excessif dans tous les domaines. Il ressentit une bouffée d'envie en pensant à la jeunesse de Timmy et à toutes les années que celui-ci avait devant lui. Il se disait que s'il était jeune, il ne choisirait pas l'Eglise. Oh, non ! Il emmènerait Livia à Paris et il lancerait des pavés. Il courrait avec elle sur le quai des Invalides et regarderait sa chevelure flotter au vent.

— Ça va ? demanda Timmy.

— Quoi donc ?

— Tu m'écoutes ?

— Oui, dit Cord. Je t'écoute. Vas-y.

Timmy se renversa dans son fauteuil. Il ne regarda pas Cord, qui buvait de grandes lampées de sherry ; il renversa la tête en arrière et se mit à fixer le plafond.

Il entreprit de décrire son angle à 90°.

— C'est comme les soues en tôle galvanisée qu'on construit pour les cochons, dit-il. Il y fait noir et froid. Il y a de la boue. De la merde. Et je ne peux même pas m'y mettre debout.

— Depuis combien de temps vois-tu cela ? demanda Cord.

Timmy parla alors des deux bras de l'angle, et de ce qu'ils avaient représenté un moment.

— Nul ne peut vivre sans lumière, ajouta-t-il. Sans merveilleux.

— Ce n'est pas l'avis de tout le monde, dit Cord.

— Moi, en tout cas, je ne peux pas, rétorqua Timmy. Je ne peux pas. Je préférerais être mort. Mais mon père ne comprendra pas. Il va penser que je le laisse tomber. Il ne va rien comprendre.

— Et ta mère ?

— Elle devrait. Elle comprendra. Je ne sais pas. Mais c'est mon père qui m'arrêtera. Pas elle.

— Comment pourrait-il t'arrêter si ta décision est prise ?

— Il le fera, d'une manière ou d'une autre. Peut-être qu'il me tuera.

— Ne dis pas de bêtises, Tim.

— Il finira par tuer quelqu'un. Un jour. Je le pense depuis des années. Mais je ne pensais pas que ce serait moi.

Il y eut un long silence. Dehors, dans le jardin envahi d'herbes folles, tous les oiseaux chantaient l'été.

— Ecoute un peu cela, dit Cord. Tu n'entendras plus rien de pareil s'ils construisent la route.

— Non, fit Timmy.

— Je déteste le gâchis, reprit Cord. Dans tous les domaines. Et si tu penses que ta vie est gâchée, mon vieux Tim, je ferai tout ce que je peux pour t'aider. Entendu ?

Des mensonges qui tournent court

Les abonnements à *Liberty* se développaient. La revue avait treize lecteurs à Gibraltar. Elle publiait maintenant des analyses politiques, des échos et des dessins à la plume de Mary pour illustrer les poèmes. Beaucoup de ceux-ci étaient sur la guerre du Vietnam. Mary ne se hasardait pas à dessiner les visages. Elle dessinait le dos de gens en train de courir, des machines de guerre et des flammes.

Son salaire avait été augmenté. On lui avait donné un bureau pour remplacer sa table à liqueurs. Ses dessins étaient signés « Martin Ward ».

Le vendredi soir, Tony, Rob et elle allaient boire ensemble aux Drayton Arms. Ils commandaient une bouteille de vin rouge bulgare et ils parlaient de films étrangers et de la beauté de Jeanne Moreau. Parfois, le vin amenait Rob à repenser à son Afrique du Sud perdue et aux jacarandas en fleur. Sa tristesse lui faisait honte.

— Désolé, Tony, disait-il. Désolé, Mart. Oubliez-moi. Parlez-moi de quelque chose d'autre. Parlez d'Harold Pinter.

Mary rompit avec Georgia. Elle méprisait Georgia de la désirer. Elle tenta de lui expliquer qu'elle ne pouvait aimer que les femmes qui aimaient les hommes, et non celles qui aimaient les femmes.

Georgia lui lança une lampe à la tête. La lampe

alla exploser contre le mur. Puis Georgia commença à hurler et à pleurer, et son maquillage se mit à couler en longues lignes noires sur son visage blanc comme de la craie.

Elles se trouvaient dans l'appartement de Georgia. Celui-ci était toujours très bien situé, mais, par l'esprit, sa propriétaire était ailleurs, très loin. Elle fondait comme une chauve-souris sur tout ce qui l'entourait. Elle sortit de la penderie son ensemble vert citron et le mit en pièces en déchirant les coutures avec ses dents. Elle venait d'une famille où l'on avait des mains puissantes et de bonnes dents. Elle jeta les lambeaux du vêtement à la tête de Mary. Puis elle se déchaîna sur les oreillers. Elle les perça avec des ciseaux, les déchira, et en sortit des poignées de plumes qu'elle lança à travers la pièce, où elles se mirent à voleter comme des duvets de chardon dans le vent.

Mary tenta de sortir de la chambre à reculons, mais Georgia bondit sur elle.

— Personne ne sort ! hurla-t-elle. Personne ne me quitte ! Je suis D'Esté Defoe. C'est *moi* qui quitte les autres, putain de merde !

Mary tenta de parer les coups, mais elle était beaucoup plus petite que Georgia. Une main vint la frapper au visage et elle tomba en arrière dans le joli salon orienté au sud.

Etre frappée était la chose qu'elle redoutait le plus. Cela lui rappelait Sonny. Elle en avait des cauchemars.

Elle se remit sur pied et courut vers la porte, qu'elle réussit à claquer au nez de Georgia. Elle descendit les escaliers quatre à quatre. A la course, au moins, elle pouvait battre Georgia : elle avait des souliers appropriés.

Des lettres de Georgia commencèrent à arriver. Leur ton était calme et profondément triste. Elles amorçaient de petites plaisanteries douloureuses :

« J'étais Blanche-Neige, mais je suis devenue grise. »

« Tu es une personne pleine de dons, mais tu ne m'en as jamais fait aucun. »

Mary les mit d'abord dans un tiroir. Cela lui semblait cruel de les jeter. Puis elle se décida à les jeter. Ces missives la gênaient profondément. Elle était très heureuse de n'en avoir jamais écrit de ce genre à Mrs Ranulf Morrit.

Puis Georgia se mit à envoyer de l'argent. Mary le renvoya. Georgia le renvoya à son tour. L'argent allait et venait comme une balle de tennis. A la fin, Mary expédia dix livres à Cord pour son comité des « Habitants contre la Route », et envoya à Georgia une carte postale représentant Jeanne Moreau, au dos de laquelle elle avait écrit :

« Ton argent est allé à une œuvre charitable. Tout ce que tu tenteras encore de me donner prendra le même chemin. »

Après cela, elle ne reçut plus rien de Georgia. Celle-ci était toujours présente dans son journal, bien sûr. Semaine après semaine, les savants conseils de D'Esté Defoe parvenaient à un million de lectrices, mais Mary n'était pas de ce nombre.

Ses visites au docteur Beales se poursuivaient. Un jour, il découvrit le premier mensonge de Mary.

Elle lui avait affirmé qu'elle n'avait jamais de règles. Il l'avait regardée d'un air soupçonneux. En fait, ses premières règles étaient survenues peu après qu'elle eut jeté ses jupes dans la cour, peu après qu'elle se fut trouvée enfin heureuse. Elle avait regardé son sang d'un air stupéfait. Elle n'avait pas cru posséder des organes capables de le produire. Et maintenant, il était là, comme un châtiment. Les années malheureuses qu'elle avait passées à Swaithey avaient tout endigué. Et, soudain, le bonheur provoquait cette catastrophe.

Elle supportait ce saignement mensuel en affectant de l'ignorer. Elle ne regardait jamais ce qui se passait. Elle insérait et retirait les tampons en fermant les yeux. Elle se disait que ce petit flot n'était rien, comparé aux vagues qui s'échappaient du corps de Lindsey. Elle prenait régulièrement de l'aspirine pendant quatre jours et quatre nuits de façon à ne pas ressentir l'ombre d'une douleur. Elle faisait comme si rien n'arrivait.

Le docteur Beales lut la vérité dans son regard, soudain différent.

— Non, dit-elle. Vous vous trompez totalement. Cela n'est pas possible. Je n'ai pas de matrice.

Il se leva. Elle n'était là que depuis dix minutes, mais il lui dit que la consultation était terminée.

— Docteur Beales, dit-elle, il me faut une heure et demie pour venir ici.

— Très bien, fit-il. Cet effort vous sera épargné à l'avenir.

Elle le regarda, bouche bée. L'aspirine qu'elle avait absorbée et maintenant la terreur la rendaient soudain malade.

— Puisque vous ne me dites pas la vérité, Marty, poursuivit le médecin, je mets fin à cette consultation et à toute étude ultérieure de votre cas.

Elle dut plaider sa cause auprès de lui. Elle reconnut avoir menti sur ses règles. Elle lui expliqua que c'était un mensonge qu'elle-même voulait croire, qu'il lui arrivait de rêver qu'elle s'amputait de sa matrice pour aller l'enterrer dans l'Antarctique. Elle jura que c'était là son seul mensonge, et que tout le reste était vrai.

— Et vos parents adoptifs ? demanda Beales. M'avez-vous dit la vérité à leur sujet ?

— Oui, affirma Mary. Et j'ai écrit à mon père pour lui dire que vous souhaiteriez peut-être le voir.

— Et votre mère ? La personne que vous me décrivez comme « bonne » ?

Mary sortit un mouchoir de sa poche et le porta à sa bouche. Elle se sentait glacée. Elle sentait l'aspirine lui remonter dans la gorge. Elle s'excusa et quitta la pièce pour aller vomir dans les toilettes du docteur Beales. Elle se sentit soudain si fatiguée à la pensée de tous les mensonges qui allaient devoir suivre et de la prudence et de la vigilance qu'ils allaient requérir qu'elle aurait voulu se coucher sur le carrelage et dormir. Mais elle retourna voir le docteur Beales.

Celui-ci lui offrit un bonbon à la menthe et lui dit :

— Nous en resterons là pour aujourd'hui. La prochaine fois, amenez votre père.

Edward Harker n'aimait pas beaucoup Londres. Il trouvait que les Français savaient construire une ville, et les Anglais non. Mais il vint à Londres pour Mary. C'était par une chaude journée de juin, et il portait son panama. Il avait bronzé en jouant au cricket avec Billy dans le jardin, et semblait particulièrement alerte au milieu des autres voyageurs.

Mary et lui prirent le métro jusqu'à Richmond. Il donna à Mary une lettre de Pearl, qu'elle mit dans sa poche pour la lire plus tard, quand la journée se serait heureusement terminée.

— Si vous aviez été vraiment mon père, dit-elle à Harker, cela ne serait peut-être pas arrivé.

Harker sourit et lui dit :

— Je suis à peu près sûr de savoir ce qu'était Billy dans sa précédente vie. Te l'ai-je dit ?

— Un lutteur ?

— Non. Un prince indien.

— Pourquoi ?

— Cela se voit à sa façon de jouer au cricket. Il manie la batte d'un air merveilleusement dédaigneux. Comme le vieux Ranjit-sinhji.

Ils se mirent à rire et prirent un bus pour Twickenham. Sous le soleil, l'endroit semblait joli. Il y avait une ombre bleue sur les eaux du fleuve. Etant en avance pour leur rendez-vous avec Beales, ils s'assirent sur un banc pour admirer l'eau, imaginant qu'elle était propre. Au bout d'un moment, Mary demanda :

— J'espère que cela ne va pas vous gêner de dire des mensonges, Edward ?

Harker retira son panama et le secoua. Il avait parfois l'impression, lorsqu'il portait ce chapeau, qu'il y avait, prisonnier à l'intérieur, un petit animal qui n'allait pas tarder à le mordre. Il l'examina, s'assura qu'il n'y avait rien dedans et le remit sur sa tête.

— Cela m'est égal de mentir à ton psychiatre, dit-il. Ce qui va devenir difficile, ce sera de continuer de mentir à Irene.

— Le docteur Beales passe son temps à parler d'Irene, précisa Mary. Il dit qu'il lui faudra la voir, elle aussi.

Harker secoua la tête.

— Je pourrais tenter de lui expliquer, dit-il. Mais tu sais bien ce qu'elle va vouloir savoir, n'est-ce pas ? Elle va vouloir savoir le *pourquoi* de tout cela. Et ce pourquoi, aucun d'entre nous ne le connaît vraiment. Ni toi, ni moi, ni les médecins. Alors, cela va être dur.

— Je le connaîtrai, ce pourquoi. A un moment ou à un autre. C'est ce que je crois. Cela me viendra tout à coup.

— Peut-être, fit Harker. Ou peut-être pas. Le monde est plein de mystères, tu sais. Nous tendons à l'oublier, mais il en est bourré.

Le docteur Beales accueillit chaleureusement Harker. Sa secrétaire apporta des tasses de café. Mary s'appliquait à ne pas regarder les deux hommes. Elle contemplait, par la fenêtre, le ciel bleu et vide.

La conversation sembla d'abord très bien se passer. Harker déclara à Beales que, croyant à la réincarnation, il n'avait aucun mal à comprendre le problème de Mary. Mais il était un peu nerveux. Il s'embarqua dans une description tout à fait superflue de l'une de ses vies antérieures. Il expliqua au docteur Beales que, lorsqu'il était luthiste à la cour du roi de Danemark Christian IV, lui-même et les autres musiciens devaient jouer à la lueur de chandelles dans une cave humide située sous les salles de réception. Au-dessus de leurs têtes, une trappe ouverte permettait au roi d'entendre la musique, mais, quand il en était las, il refermait la trappe d'un coup de pied, soufflant ainsi les chandelles et laissant les musiciens dans l'obscurité la plus totale.

Beales ne parut pas passionné par cette histoire. En fait, il l'ignora purement et simplement. Il dit à Harker :

— Vous dites que vous comprenez — et je crois comprendre qu'il s'agit là d'une compréhension purement intellectuelle — les tourments de Marty. Ce que j'ai besoin de savoir, c'est si vous lui apporterez votre soutien pour le parcours de modification physique et de reconstruction qu'elle peut être finalement appelée à entreprendre.

— Oui, répondit Harker. Mary — ou Marty, comme vous l'appelez — a eu un début de vie difficile, et j'ai toujours espéré...

— Vous dites qu'elle a eu un début de vie difficile. Pourquoi a-t-il été difficile ?

— Pour des raisons qu'elle vous a sans doute exposées. Sa conviction de ne pas être, dans sa véritable essence, une fille lui a rendu toutes choses difficiles.

— En quel sens ?

— En quel sens ? Eh bien... Le comportement qu'on attend d'une fille est différent de celui qu'on attend d'un garçon, et, en conséquence...

— Décrivez.

— Je vous demande pardon ?

— Décrivez ces différences de comportement prévisibles.

— Eh bien, c'est un peu difficile, mais...

— Tâchez d'être précis.

— Eh bien, prenez les vêtements, par exemple...

— Les vêtements ?

— Oui. Mary, dès son plus jeune âge, détestait devoir mettre une robe. Ma femme m'a parlé d'un jour où Mary, alors qu'elle avait six ou sept ans, avait été ulcérée par le fait de porter une robe à smocks.

— Vous n'étiez pas présent ce jour-là ?

— Non, mais...

— Vous souvenez-vous avoir assisté vous-même à des scènes de ce genre ?

— Eh bien, en de nombreuses occasions. Elle disait qu'elle se trouvait affreuse, qu'elle se sentait stupide...

— Vous avez employé le terme « comportement ». Les vêtements conditionnent le comportement dans une certaine mesure, mais vous ne pouvez dire qu'ils *constituent* en eux-mêmes un comportement. Quels autres facteurs de comportement ont mis Marty mal à l'aise dans son enfance ?

— Mal à l'aise ? Eh bien, les jeux, je suppose. Nous nous attendions à la voir jouer à la poupée, jouer à la mère de famille...

— Et elle s'y refusait ?

— Oui. Cela ne l'intéressait pas.

— Mais vous insistiez pour qu'elle y joue quand même ?

— Non. Pas vraiment...

— Alors, où était le malaise ?

Mary lança un regard vers Harker. Celui-ci avait sorti de sa poche de pantalon l'un de ses mouchoirs imprégnés d'huile de lin et s'épongeait le visage. Il faisait chaud à Twickenham. Mary se sentit coupable de l'avoir fait venir dans cette fournaise.

Beales répéta sa question.

— Si vous n'insistiez pas pour qu'elle joue à ce genre de jeux, où l'angoisse de Marty a-t-elle pris racine ?

— Nous n'insistions pas. Mais je pense que nous continuions à attendre qu'elle joue avec ses poupées et à tout ce que Pearl...

— Pearl. C'est votre véritable fille ?

— Oui. Pearl adorait ses poupées. Elle avait un landau pour les promener et elle essayait de leur laver les cheveux...

— Alors, vous ne jouiez jamais au cricket avec Pearl ?

— Au cricket ?

— Oui.

— Non.

— Mais vous y jouiez avec Marty ?

Harker se tourna vers Mary. Il avait le visage écarlate.

— Au cricket ? Tu crois, Mary ? demanda-t-il.

— Oui, dit Mary. Tu ne te rappelles pas ? Dans le jardin. Je lançais, surtout — avec cette vieille balle de tennis.

— Ah, oui, fit Harker. Je me souviens. Je me souviens.

Le docteur Beales écrivait sur son bloc. Harker se moucha. Mary tentait de se rappeler ce qu'elle avait dit exactement au docteur Beales à propos du cricket. Elle s'attendait à une nouvelle question à ce sujet, mais celle-ci ne vint pas. Le docteur Beales recapuchonna son luxueux stylo et se tourna vers Harker. Il lui demanda d'un ton grave :

— Lors de sa première visite, Marty m'a dit que, dans son enfance, vous aviez tenté de l'annihiler. Que croyez-vous qu'elle entendait par là ?

— Cela vous dérangerait-il que je retire ma veste ? fit Harker.

— Allez-y.

Comme Harker se débattait pour s'extraire de sa veste de toile, Mary se débattait, elle, pour tenter de se rappeler l'âge qu'elle s'était attribué à la mort supposée de ses vrais parents. Elle pensait que, se souvenant des deux minutes de silence, elle s'était sans doute donné six ans, mais elle n'en était pas certaine. Elle avait oublié avoir jamais parlé de Sonny, avoir jamais utilisé le verbe « annihiler ». Quand elle se trouvait avec Beales, elle finissait par croire qu'Edward et Irene étaient son père et sa mère.

Elle se leva et dit :

— Ce n'était pas lui, docteur Beales.

— Comment ?

— Ce n'était pas Edward. C'était mon vrai père dont je parlais. Il avait tenté de m'annihiler. Avant de mourir dans l'accident.

— Il avait tenté de vous annihiler quand vous aviez quatre ou cinq ans ?

— Oui.

Beales se tourna vers Harker.

— Vous saviez cela ? demanda-t-il.

— Eh bien...

— Vous ne le saviez pas ?

— Oh, si ! Je savais qu'il y avait eu des problèmes. Sonny essayait toujours...

— Que signifiait, en l'occurrence, le terme « annihilation ».

— Eh bien...

— C'est un terme grave, non ?

— Oui, bien sûr.

— Mais pas, bien sûr, un mot qu'une enfant de six ans pourrait connaître. A quels événements survenus avant que vous ne deveniez son père adoptif Marty faisait-elle allusion ?

— Je ne sais pas exactement...

— Vous avez été son père adoptif pendant quinze ans et vous ne vous êtes jamais soucié de découvrir quel mal avait pu lui être fait dans sa prime enfance ?

Harker se retourna vers Mary. Il s'épongea le visage avec son mouchoir.

— Je crois que tu parlais de cela à Irene, lui dit-il. Pas à moi.

— Oui, fit Mary. Je ne pense pas t'en avoir jamais parlé.

Le docteur Beales rejeta violemment son stylo sur son bureau.

Il se leva, alla à la fenêtre et y resta, le dos tourné à Harker et à Mary, regardant à l'extérieur. Harker forma silencieusement avec les lèvres, en direction de Mary, les mots : « Je suis désolé. »

Seul le bourdonnement d'une grosse mouche

contre une vitre rompait le silence régnant dans la pièce. Mary se dit que le silence, c'était parfait lorsqu'on savait ce que pensait une personne, mais oppressant quand on ne le savait pas.

Elle regardait autour d'elle. Elle vit que l'étiquette à l'intérieur du veston de Harker portait les mots : « Milson et Sand (Norwich) Ltd. Tailleurs pour hommes. Estb. 1895. » Elle souhaita à Edward de se retrouver chez ces tailleurs de Norwich, libre de sortir au soleil s'il le voulait.

Elle contempla un moment l'écritoire en cuir et porcelaine qui se trouvait sur le bureau de Beales. C'était le genre d'objet dont Georgia eût peut-être tiré fierté, mais il ne semblait pas avoir été beaucoup utilisé.

Plusieurs minutes s'écoulèrent avant que le docteur Beales ne se décide à venir se rasseoir à son bureau. Il arborait un sourire mystérieux, comme s'il avait vu, par la fenêtre, quelque chose qui l'avait amusé. Il lança un regard affectueux à Harker, posa les coudes sur son buvard et, à la grande surprise de Mary, remit la conversation sur la réincarnation. Le mot « annihiler » semblait lui être sorti de l'esprit.

Il parut écouter très attentivement Edward Harker, qui lui racontait tout ce qu'il pouvait se rappeler de sa vie antérieure de nonne, le froid, la beauté des psaumes et l'odeur du savon au goudron. Mary pouvait voir que Harker s'était détendu. Il semblait penser que l'ère des mensonges était révolue. Mais Mary avait remarqué le sourire de Beales. Il allait laisser Harker divaguer tout à son aise, puis il reviendrait au sujet de son enfance.

Il n'en fut pas ainsi. Beales continua à écouter très courtoisement jusqu'au moment où Harker se trouva à court de réminiscences. Puis il se leva, remercia Harker d'être venu et lui demanda de retourner dans le salon d'attente.

Harker parut troublé. Il entreprit de défroisser son veston de la main en s'excusant pour sa mauvaise mémoire, mais Beales l'interrompit. Il ne souriait plus.

— Si vous voulez bien aller attendre dans le salon, fit-il. Merci.

Quand il eut quitté la pièce, Beales se rassit et ferma les yeux. Il ne ressemblait plus, ainsi, ni à un chaton ni à un renardeau, mais à un César ascétique faisant exécuter son effigie en bronze.

Les yeux toujours fermés, il déclara :

— En agissant ainsi, vous avez fait reculer votre affaire de six mois, peut-être plus. Peut-être même l'avez-vous compromise à tout jamais.

— En agissant comment ? demanda Mary.

Beales ignora la question et dit :

— Cela veut dire que toutes mes notes sont sans valeur.

Il ouvrit les yeux d'un air las, prit quelques feuilles dans le dossier de Mary et les dispersa sur la table.

— Pourquoi ? demanda Mary.

— Pourquoi ? fit Beales. Vous savez pourquoi.

— Non.

— Parce que vous n'avez cessé de mentir, d'inventer, de raconter des histoires. Vos parents ne sont pas morts. Vos parents sont John « Sonny » Ward et Estelle Maria Ward, née Cord. Ils vivent à Elm Farm, à Swaithey, dans le Suffolk. Vous avez inventé leur mort, comme vous vous êtes inventé ce charmant père. J'en conclus que vous avez également inventé tout ou partie de ce que m'avez dit jusqu'ici. Cela rend nulles et non avenues toutes les consultations que nous avons eues. Je vous avais déjà donné un avertissement au sujet du mensonge. Alors, c'est fini. Vous devrez trouver quelqu'un d'autre pour se charger de votre cas — si vous le pouvez. Je n'ai plus de temps à vous consacrer.

Mary sentit un poids s'abattre sur sa poitrine. Elle se dit que ce devait être ce qu'on ressentait — pendant un dixième de seconde — lorsqu'on recevait une balle de revolver. On regardait son assassin d'un œil incrédule, exactement comme elle regardait à ce moment le docteur Beales, puis on s'effondrait et l'on cessait d'exister.

A la gare, Edward lui dit :
— Je n'ai pas été à la hauteur. C'est ma faute.
— Non, rétorqua Mary. Il savait la vérité depuis le début. Rien de ce que vous auriez pu dire n'aurait changé quoi que ce soit.
— Que vas-tu faire maintenant ?
— Trouver quelqu'un d'autre.
— Ce sera difficile ?
— Tout cela est difficile, Edward.
Harker embrassa Mary sur le front, puis monta dans le train, où il s'installa en se faisant l'impression d'être un vieil imbécile.
Il agita la main en direction de Mary, qui se tenait sur le quai et agita la main à son tour. Ils pensaient que le train partait, mais, en fait, il n'avança que de quelques mètres avant de s'arrêter. Ils se sentirent un peu stupides et, lorsque le train démarra vraiment, ils osèrent à peine esquisser un geste, de crainte que ce ne soit de nouveau un faux départ.

Mary regagna sa chambre et resta un instant debout au milieu de la pièce en faisant l'inventaire de ses biens. Il y avait longtemps qu'elle préparait cette chambre à devenir celle de Martin Ward. Elle avait mis au mur ses dessins de guerre. Elle avait peint le plafond en noir. Au-dessus du réchaud, elle avait épinglé une photo de Jeanne Moreau à bicyclette.
Elle s'assit sur le lit et alluma une cigarette française. Elle songea au soleil brillant sur le fleuve et à la chaleur dans le bureau du docteur Beales. Son avenir se jouait en ces lieux et à ce moment, et elle ne s'en rendait vraiment compte que maintenant, alors que tout s'était évanoui.
Il ne lui restait apparemment rien d'autre à faire que de fumer en regardant autour d'elle. On était vendredi. Elle allait passer tout le week-end ainsi.

Elle n'avait aucun projet. Si ce n'est celui, permanent, de devenir Martin.

Elle en était à sa troisième Gitane lorsqu'elle se souvint de la lettre de Pearl. Elle la sortit de sa poche et contempla l'écriture ronde et enfantine de l'expéditrice. Elle se sentait heureuse de pouvoir regarder quelque chose qui, enfin, lui parlerait et ne resterait pas muet comme l'était sa chambre. Dans une vie ancienne et révolue, elle entendait Miss McRae demander : « Que fait ce bébé dans ma classe, Mary ? » Et cette réminiscence la fit sourire.

Elle ouvrit la lettre, essuya ses lunettes sur sa manche et lut :

« Chère Mary,

« Je vais confier cette lettre à Edward. Je sais que quelque chose ne va pas, mais il ne veut pas me dire quoi. S'il te plaît, écris-moi pour me le dire. Je n'ai jamais oublié Montgolfier et l'univers. Je ne veux pas que tu sois malheureuse.

« Je prépare mes examens. La biologie est ma meilleure matière. L'anglais est la pire. En littérature, nous lisons un roman de Joseph Conrad auquel je ne comprends rien. Il y a des phrases entières dont je ne saisis même pas le sens. Comme : "La misanthropie de Réal dépassait toutes les limites."

« Nos grands sujets en biologie s'appellent des règnes. Il y a un règne des champignons, par exemple. Le règne animal a un sous-règne qui est celui des protozoaires. La douve en fait partie. Une douve vit à l'intérieur d'autres choses, par exemple un escargot, puis un poisson, puis un foie humain. Je pense que c'est plus intéressant que des choses comme "La misanthropie de Réal dépassait toutes les limites." Tu ne crois pas ? Pense un peu aux douves à l'intérieur des gens !

« Edward a dit que je pourrais peut-être aller passer une journée à Londres et que tu pourrais m'emmener au Muséum d'Histoire Naturelle. Tu crois que c'est possible ? Maman vient de dire que si je ne descendais pas immédiatement, elle donnait mon dîner à Billy. Je continuerai plus tard.

« *Plus tard*

« J'ai des nouvelles pour toi.
« Je suis allée un soir à l'église de Swaithey pour changer l'eau des fleurs, et Timmy était là, tout seul. Il priait. Je ne pense pas qu'il m'ait remarquée. Pendant que je m'occupais des fleurs, il s'est mis à pleurer. J'ai pris mon arrosoir et je suis allée m'asseoir à côté de lui. Il pleurait de plus en plus. Puis il m'a tout raconté. Il prend des cours de théologie par correspondance. Il veut devenir pasteur et non mourir à la ferme. Je n'arrive pas à l'imaginer en pasteur. Il est trop petit. Ton père ne peut pas non plus. Il pense que Timmy essaie simplement de l'embêter. Il lui a dit qu'il ne vendrait jamais la ferme tant qu'il serait en vie. Timmy n'avait pas de mouchoir et moi non plus.
« J'espère que je pourrai aller à Londres et au Muséum d'Histoire Naturelle. Et voir aussi Earl's Court où tu habites.
« J'espère que tu vas bien. Aimes-tu Brian Poole et les Tremeloes ?
« Ecris-moi, s'il te plaît.
« Baisers de Pearl. »

Mary relut la lettre trois fois. Elle ne savait pourquoi cela la réconfortait. Elle la relut encore, jusqu'au moment où elle eut sommeil. Elle éteignit alors sa cigarette et tira les rideaux sur ce qui restait de la soirée.

Elle ne se déshabilla pas. Elle se mit au lit avec ses jeans. Elle avait placé la lettre sur son oreiller et posé la tête sur les feuillets couverts de l'écriture ronde de Pearl. Elle ne tarda pas à s'endormir.

CHAPITRE XIII

1970

Estelle :

Rien ne se passe à Swaithey.

Nous continuons. Nous guettons les signes du monde extérieur. Le vent d'est souffle de Mourmansk. Des avions à réaction passent au-dessus de nos têtes ; ils apportent des nouvelles d'Islande.

Puis, un jour, un drame s'est produit.

Un vendredi soir, Walter Loomis a retiré le canotier que Grace lui faisait porter au magasin [1]. Il a accroché au portemanteau le canotier et son tablier blanc taché de viande. Il avait préparé une valise, avec une vieille guitare attachée par une courroie. Grace n'en savait rien. Elle était dans sa cage de verre, en train de faire les comptes de la semaine, et elle ne savait rien.

Il est descendu. Il portait un blouson de cuir que Grace ne lui avait jamais vu. Il a posé la valise et il a dit :

— Je m'en vais. J'ai tenté de te prévenir une centaine de fois, mais tu n'écoutais jamais.

La boucherie ne resta fermée qu'une semaine. Grace avait mis une petite affiche pour s'excuser auprès des clients.

1. Le canotier est, en Angleterre, la coiffure traditionnelle des bouchers. *(N.d.T.)*

Cette semaine-là, je suis allée me promener aux bords de la rivière. Il pleuvait. J'ai vu Grace immobile sous un parapluie noir, regardant l'eau. Elle m'a fait penser à une photographie.

Je l'ai invitée à prendre le thé à la maison. Elle avait les yeux rouges mais secs. Elle m'a dit :

— Je ne veux pas gâcher votre après-midi.

Les gens font rarement beaucoup de difficultés pour me confier leurs malheurs. C'est parce qu'ils pensent que j'en ai de pires. Ils se représentent Mountview comme une sorte de cabine oscillant en tous sens au bout de son axe, comme à la Grande Foire de Battersea. Ils nous voient ballottés à l'intérieur et nous y fracassant les os, sauvés de justesse de la mort par la force centrifuge.

Je fis le thé et posai quelques crêpes sur une assiette verte. Grace encercla de ses mains sa tasse de thé et dit :

— Walter est parti. Mon Walter.

Elle décrivit alors le blouson de cuir, la valise et la guitare. Elle se décrivit en train de faire les comptes dans sa cage de verre.

— J'ai oublié où j'en étais dans les comptes, Estelle, précisa-t-elle. J'ai dû les recommencer depuis le début.

Elle ne sait pas où il est. Il a refusé de le lui dire. Il a dit qu'il voulait que personne ne puisse le trouver. J'ai immédiatement pensé à un désert et à ce vieux Walter s'y construisant une cabane en bois. Mes pensées immédiates ne sont pas souvent opportunes.

— Qu'allez-vous faire, Grace ? demandai-je.

Elle posa sa tasse de thé, prit une crêpe, la regarda et la replaça sur l'assiette.

— J'ai demandé à Josephine de venir, fit-elle.

Elle s'en alla peu après. Je la regardai s'éloigner puis disparaître dans les champs. Je ne l'ai jamais aimée. Je l'ai détestée sans le savoir pendant près de vingt-cinq ans et maintenant qu'un drame est survenu pour elle, je puis le voir clairement.

Je l'ai observée ensuite.

Elle a embauché un commis boucher venu de Bungay, un homme aux mains bien propres et bien grasses, avec un perpétuel sourire. Et elle s'est remise dans sa cage de verre comme si rien n'était arrivé. L'homme s'appelle Arthur.

J'ai fait voyager Walter dans ma tête. Je l'ai placé en Afrique, chantant sous un grand cactus. Puis je l'ai mis au Kansas, tout seul avec une pompe à essence dans un monde plat et jaune.

Grace s'est mise à développer son affaire d'œufs. Elle a fait construire de nouvelles installations et y a mis un millier de poules. Devenir riche est un moyen de surmonter un drame.

Sa sœur Josephine est venue s'installer avec elle. C'est elle qui a entrepris de tenir la maison. Elle a fermé les rideaux du salon afin que le soleil ne vienne pas faner le velours des fauteuils. Je l'ai rencontrée chez les demoiselles Cunningham, où elle était venue acheter de l'élastique. Quand je lui ai demandé s'il y avait des nouvelles de Walter, elle m'a répondu :

— Je suis désolée, Mrs Ward, mais c'est un sujet dont je ne parle pas !

Les poulaillers me rappellent des baraques de camp de concentration. Je puis les voir de la fenêtre de ma chambre. L'Angleterre a été autrefois un beau pays. Il y a longtemps.

Pete Loomis sait où est Walter, mais celui-ci lui a fait jurer le secret.

J'ai rendu visite à Pete dans son trolleybus. A l'intérieur, cela sent la vieille flanelle sale.

Il ne faisait pas encore tout à fait nuit, mais il avait déjà allumé sa lampe Tilley, qui chuintait et sifflait.

— Il arrive, me dit-il, que les sons me prennent par surprise. Parfois, je pense que je suis revenu dans le Tennessee et que la lampe est un jet d'eau rotatif.

Son visage s'est cicatrisé. D'un côté, il a le profil d'un singe. Autrefois, il était grand et fort, et maintenant il semble rétréci, comme s'il essayait de s'embaumer lui-même tandis qu'il est encore vivant. Son cou est ridé. Quand il verse le whisky, ses mains tremblent. Il me dit, de façon tout à fait inattendue :

— Vous êtes toujours une jolie femme, Estelle. Est-ce qu'on vous le rappelle quelquefois ?

Quand vous êtes restée quelque temps dans un endroit, vous n'avez plus conscience de l'odeur que vous avez sentie en arrivant. J'avais remarqué cela à Mountview. Je commençai à me sentir bien dans le bus.

Je décidai de m'enivrer. Tout bien considéré, ce n'était pas une résolution déraisonnable.

Pete prit ma main, celle qui ne tenait pas le verre de whisky, et la caressa.

— Walter était un rêveur, dit-il. Un perpétuel rêveur. Quand on rêve comme il le faisait, il faut partir, faire des expériences et en accepter les conséquences.

Je ne le contredis pas. Il m'arrivait de rêver que j'arrivais devant la maison de Bobby Moore. Il y avait un joli carillon à la porte. Il venait m'ouvrir dans une chemise brodée et il me prenait dans ses bras musclés. Mais tout cela n'était que du rêve. Il n'y avait pas de conséquences autrement qu'en rêve. Et je le regrettais.

Rien ne se passe à Swaithey.

Je restai dans le bus de Pete Loomis pendant plus de deux heures. Tout avait pris une couleur ambre. J'étais surprise par ce que je voyais, disais et entendais.

Je racontai la comédie qu'était ma vie, puis je dis :

— Nous perdons Timmy. Nous sommes sur le point de le perdre. Tout comme Grace a perdu Walter. Nous allons devoir donner Timmy.

— A qui ? demanda Pete.

— A personne, fis-je. A une ligne verticale.

Pete ne me croyait pas. Il pensait que c'était la

partie folle de mon esprit qui avait inventé la ligne verticale.

— Et Mary ? demanda-t-il.

Je ne dis rien.

— Qu'est-ce qu'elle est devenue, Estelle ?

— Pete, lui dis-je, ce n'est plus le problème. Le problème, c'est Timmy.

— Si vous voulez, fit-il. Mais, un jour, Mary va revenir. Vous le savez, je pense ?

— Tout ce que je sais, c'est que Sonny ne parle plus à aucune créature humaine. Pas à Timmy. Pas à moi. Il parle à son chien, Wolf. Il dit au chien ce qu'il voudrait pour dîner. Quand il va aux toilettes, le chien s'assied devant la porte en gémissant à fendre l'âme.

Nous nous mîmes à rire et remplîmes nos verres.

— Je vous avais bien dit que c'était comique, non ? fis-je.

Quand je partis, il faisait nuit noire. C'était l'obscurité la plus profonde et la plus douce que j'aie jamais connue.

Pete ne voulait pas que je m'en aille. Il voulait continuer à me caresser la main. Je lui dis que je voulais bien rester encore trente-cinq minutes s'il me révélait où était Walter, et qu'ensuite je devrais m'en aller parce que ce serait l'heure de « The High Chaparral [1] » à la télévision.

— Je ne le manque jamais, lui dis-je. J'aime les choses qui se passent en Amérique, loin d'ici, avec des revolvers et de la poussière.

— Dans ce cas, partez, fit-il. Abandonnez le vieil homme que je suis. Je ne violerai pas la promesse que j'ai faite à Walter. C'est sacré.

Je m'enfonçai dans l'obscurité. Il n'y avait pas d'étoiles. La terre collait à mes souliers et me faisait marcher lourdement, avec un bruit qui ressemblait à un rire.

1. Série western qui fut projetée des années durant à la télévision britannique. *(N.d.T.)*

Quand j'arrivai en vue de la maison, il n'y avait qu'une fenêtre éclairée à l'étage. Celle de Timmy. Il préparait une vie différente à un bureau qu'il avait bricolé avec du bois de récupération.

Mary :

Après m'avoir écrit, Pearl était tombée malade. Elle avait eu une méningite. Elle resta longtemps étendue dans sa chambre vert et blanc, faisant des rêves à la morphine. Je voulais aller la voir, mais je pense que le jour où je pourrai retourner à Swaithey ne viendra jamais.

Je lui envoyai des cartes postales de Londres et un disque de Cat Stevens. Edward m'écrivait pour me donner des nouvelles. Dans l'une de ses lettres, il disait :

« Je pense que dans sa précédente existence elle a été une créature aérienne — une libellule ou un oiseau. Elle est si fragile et légère. »

Je me rappelai le jour où je l'avais emmenée à mon école. Je l'avais presque laissée tomber sur mon pupitre tant elle pesait lourd dans mes bras. Mais, bien sûr, elle était devenue légère avec le temps.

Cet hiver-là, je parlai à Rob et à Tony de ma volonté de devenir Martin. Nous étions chez Zorba, mangeant des rissoles de chèvre. Tous deux s'essuyèrent en même temps la bouche avec leurs serviettes à carreaux. Ils semblaient abasourdis.

— Buvez un peu de retsina avant de dire quoi que ce soit, leur demandai-je.

Rob fut le premier à parler. Il dit :

— Qu'est-ce qu'il y a de mal à être une femme, Mart ?

— Rien, lui répondis-je. C'est simplement que je n'en suis pas une. Je ne l'ai jamais été.

— Dis donc, Mart, fit Tony. Quelle destinée ! Je n'en reviens pas.

Mais ils se firent à cette idée. Et, ensuite, ils me trouvèrent plus intéressante qu'auparavant, comme si j'étais devenue une sorte d'Abo honoraire. Ils augmentèrent mon salaire. Ils m'achetèrent ma propre tasse à café avec le nom « Martin » inscrit dessus. Ils me rangeaient au nombre des déshérités.

Et ce fut Tony qui me promit de me trouver un nouveau psychiatre pour remplacer le docteur Beales.

— A une condition, dis-je, c'est qu'il n'habite pas Twickenham.

— N'en rajoute pas, Mart, fit Tony. En trouver un où que ce soit ne va déjà pas être du gâteau.

Celui qu'il trouva vivait dans l'obscurité, comme un cœlacanthe. Son cabinet de consultation se trouvait près de Ladbrooke Grove et était plein de poissons tropicaux. La lumière venant des aquariums était la seule à éclairer la pièce.

Le prénom du psychiatre était Martin — coïncidence que je n'appréciai guère. Son patronyme était Sterns. Il me déclara :

— Tous mes patients m'appellent par mon prénom, mais si cela vous met mal à l'aise, appelez-moi Sterns. Cela ne me gênera pas.

Il était petit et barbu, avec une voix mélodieuse. Pendant que je parlais, il arpentait la pièce en regardant ses poissons. Le murmure du système d'aération me rappelait la mer. Nulle parcelle de lumière n'entrait jamais dans la pièce où nous travaillions. C'était son expression : « travailler ».

— Martin, me disait-il, nous allons travailler sur la mémoire, sur les choses disparues, sur le passé. Ce sera la tâche la plus dure que vous aurez jamais à accomplir.

Il était difficile de mentir à Sterns, même dans le noir. Il trouvait mon cas si intéressant qu'il avait accepté de s'en occuper sans me faire payer. Je lui dis la vérité sur Sonny et Estelle. Je lui parlai du jour où Sonny avait coupé les bandages de crêpe autour de mes seins. Je lui décrivis la chambre de ma mère à Mountview.

— Je suis perdue pour eux et eux pour moi, lui dis-je. Pour toujours, peut-être. Sauf qu'il m'arrive encore de rêver que je suis Martin, que je mets une armure et que je vais sauver Estelle comme Lancelot, pour la garder en sûreté avec moi.

— Et vous savez, bien sûr, dit Sterns, que c'est là un objectif déraisonnable ?

— Je le sais, mais je ne le sens pas.

— Il vaudrait mieux pour vous que vous appreniez à le sentir. Maintenant, je voudrais que vous repreniez tout depuis le début. Je voudrais que vous me décriviez tout ce que vous avez ressenti et tout ce qui est arrivé ce jour des deux minutes de silence pour le Roi.

Je recommençai et parlai de la grêle et de mes prières pour le timbre-poste. Cela me semblait se passer très loin, dans un autre pays. Je me disais que j'avais vingt-quatre ans, que ma vie avait été courte et que la raconter serait donc rapide. Mais des semaines passèrent, puis des mois. Quelques-uns des poissons moururent et se mirent à flotter le ventre en l'air. A la lueur des aquariums, la barbe de Sterns semblait devenir grise. Et je continuais à répéter sans cesse l'histoire de ma vie. Puis, un jour, Sterns me dit :

— Très bien, Martin, je crois que le moment est venu de franchir la première étape. Je crois qu'il est temps d'amorcer une métamorphose contrôlée.

« L'hormone mâle, ou testostérone, ingérée par un corps féminin, provoquera, au bout d'un temps donné, certaines modifications. Les plus significatives de celles-ci seront :

« Une déperdition en graisse du corps,

« Une réduction de la dimension des seins,

« Un élargissement du clitoris,

« L'apparition progressive de poils sur la face et le corps,

« La cessation du cycle menstruel. »

C'était moi qui récitais tout cela à Rob et à Tony. Nous étions au bureau, en train de déjeuner de sandwiches au fromage. Nous étions de nouveau en été. Du salon de coiffure en dessous montaient les accents de *Pity the poor innocents,* interprété par Richie Havens. Tony et Rob cherchaient vainement sur mon visage les traces d'un système pileux nouveau.

— Cela viendra dans l'obscurité, dis-je, comme le grisonnement de la barbe de Sterns.

— Combien de temps cela prendra-t-il ? demanda Rob.

— Des mois, fis-je. Peut-être un an.

J'avais peur. Je ne le dis pas à Rob et à Tony, mais j'avais peur que tout ce que je venais de leur décrire avec tant de compétence ne se produise jamais, que mon corps reste juste comme il était. Tous les soirs, je me déshabillais et je scrutais toute ma personne. J'étais Mary. Plus vieille que lorsque j'avais jeté mes jupes par la fenêtre, dans la nuit londonienne. Plus vieille que lorsque je dormais dans le luxueux lit de Georgia. Mais toujours Mary : visage rond, seins ronds, entièrement faite de rondeurs haïssables à mes propres yeux.

Le jour même de ma première injection de testostérone était arrivée une lettre de Cord. Il avait gagné la Bataille de la Route.

« Martin, m'écrivait-il, descends dans la rue ! Embrasse le marchand de primeurs ou le balayeur que tu rencontreras ! Rappelle-leur que la voix de l'homme simple (et de la femme simple, si l'on considère bien les choses) peut encore se faire entendre dans ce pays. Dis-leur que les habitants de Gresham Tears n'auront pas à bouger. Et que nos prairies sont sauvées. »

Je me dis que le fait que la lettre soit précisément arrivée ce jour-là devait être un signe. Cord avait remporté sa victoire, et cela voulait dire que j'allais remporter la mienne.

J'attendis. J'avais dans les veines une substance nouvelle. Je me dis que je devais dorénavant être vigilante, attentive au moindre signe, mais tout ce que je ressentais était une terreur sans nom.

Puis vint le jour que j'avais attendu avec impatience.

Pearl arriva à Londres. Elle avait apporté une petite valise, de façon à pouvoir passer la nuit avec moi. Dans cette valise, il y avait une chemise de nuit blanche, une trousse de toilette en forme de cœur et un *Manuel de l'assistante dentaire*. Elle disposa tout cela sur le sol, et je lui dis :

— Pearl, je veux que tu dormes dans mon lit. Moi, je me coucherai sur quelques coussins, et nous pourrons parler de l'Australie et de l'état du ciel.

Elle a dix-huit ans. Elle prépare son examen de fin d'études en biologie. Elle se teint les paupières en bleu. Elle a deux couettes blondes attachées par des rubans et un léger accent du Suffolk. Elle me serre contre elle et je la serre contre moi. En l'étreignant, j'ai envie de pleurer.

Elle n'est encore jamais venue à Londres et elle me dit :

— Mary, empêche-moi de me perdre, s'il te plaît.

On était samedi. Le soleil luisait sur les détritus jonchant Earl's Court Road. Nous descendîmes la rue bras dessus bras dessous en direction du Muséum d'Histoire Naturelle. Pearl regardait autour d'elle avec émerveillement, comme si elle venait d'atterrir sur la lune.

Au Muséum, nous allâmes d'abord voir le squelette en plâtre du dinosaure, *Diplodocus carnegii*. Les énormes choses comme celle-là m'impressionnent toujours un peu, mais Pearl proclama :

— Ils étaient ridicules, non ? Selon une théorie, ils seraient morts gelés.

Je n'étais jamais allée dans cet endroit auparavant, et Pearl non plus, bien sûr, mais c'était elle qui avait pris la direction des opérations, me guidait et m'indiquait les choses intéressantes. La biologie nous entourait de toutes parts, et le petit nez de Pearl devenait rouge d'excitation. Le paradis, pour Pearl, serait un endroit plein de grenouilles volantes et de papillons de toutes les couleurs.

Tout ce que nous découvrions cet après-midi-là me rappelait que nous vivons sur la planète de l'insolite. Je savais soudain qu'un mille-pattes pouvait courir plus vite qu'un guépard. J'apprenais qu'au Pérou il y avait un serpent qui trayait les vaches. J'apprenais que le séquoia géant de Californie pouvait vivre quinze cents ans. J'apprenais que le crapaud et le tilleul étaient apparus en Angleterre il y avait dix mille ans. J'apprenais que des espèces présumées éteintes pouvaient réapparaître soudain, et que d'éminents biologistes en étaient morts de saisissement dans leurs laboratoires. J'apprenais que d'autres espèces pouvaient traverser les océans cachées dans des caisses de bananes ou des balles de caoutchouc, et qu'une race de grenouilles des forêts du Honduras avait ainsi colonisé un bois près de Canterbury.

— De comprendre tout cela me donne de l'espoir, dis-je à Pearl.

— De l'espoir pour quoi ? demanda-t-elle.

Elle portait une jupe rose très courte, des chaussettes blanches lui montant jusqu'aux genoux et des souliers blancs dont la bride s'attachait avec un bouton rose. Les autres visiteurs du Muséum se retournaient sur elle.

— De l'espoir en ce qui est possible, fis-je.

La dernière chose que nous vîmes fut une collection de poissons tropicaux. Il s'agissait en fait de reproductions suspendues à des fils dans une cage de verre. On n'était pas censé voir les fils, mais on les remarquait quand même.

Un petit garçon coiffé d'un casque de policeman en matière plastique demanda à son père :

— Ce sont des marionnettes ?

Après un long moment de réflexion, le père répondit :

— Non.

Pearl me dit :

— Tu as vu ces noms fantastiques ?

Requin Tapis, Dragon de Mer à Feuilles, Idole de Lune, Gommier Volant...

Nous nous mîmes à répéter ces noms à haute voix, la mine grave, comme si nous récitions les inscriptions d'un monument aux morts. Puis nous éclatâmes de rire. Et le rire de Pearl me revient maintenant, comme d'un continent lointain. Comme s'il avait traversé l'océan du temps, caché au fond d'une caisse de fruits exotiques.

Nous allâmes dîner chez Zorba. Les serveurs grecs, Nico et Ari, traitèrent Pearl comme si elle avait été Melina Mercouri. Ils lui baisèrent la main. Elle dévora une montagne de kebabs sans même avoir l'air de s'en rendre compte. Je mangeai quelques feuilles de vigne farcies de riz et la regardai. Soudain, elle se rendit compte de tout ce qu'elle avait mangé et elle s'arrêta. Elle me demanda :

— Raconte-moi comment tu vis, Mary.

Je lui parlai de *Liberty*. Je lui dis que la revue survivait grâce à la guerre du Vietnam, qu'elle se vendait à Amsterdam, au Luxembourg et à Toronto. Je lui décrivis Tony, Rob, les plantes vertes, mon vieux bureau et la table à cocktails. Je lui dis la chance que j'avais de travailler pour *Liberty* et de pouvoir dessiner.

Après avoir mangé un gâteau plein de miel, Pearl demanda :

— Quand Edward est allé te voir, il a dit qu'il allait t'aider à faire des changements dans ta vie. Est-ce que tu les as faits ?

Je me massai le haut des bras et répondis :

— Oui.

Elle retira une barrette de ses cheveux et laissa une mèche retomber mollement le long de son visage.

— Edward m'a dit, fit-elle, que c'était un secret. Tu n'avais jamais eu de secrets pour moi.

Je soupirai et appelai Ari pour commander du café. Ari me dit :

— Votre amie, Mart. Elle est sensationnelle.

— Oui, fis-je. Sensationnelle.

Pearl sourit puis baissa les yeux. Un peu plus tôt, elle m'avait dit :

— Il n'y a qu'un seul garçon que j'aime bien à l'école. Il s'appelle Clive et il veut être arboriculteur.

Quand le café trop sucré arriva, je demandai à Pearl :

— Penses-tu que nous pourrons toujours être liées, quoi qu'il arrive ?

— On ne peut pas dire « quoi qu'il arrive », répliqua-t-elle. On ne sait pas ce que le « quoi » pourrait être.

— Tu as raison, fis-je. On n'en sait rien.

Il y eut ensuite un silence qui dura une minute, puis Pearl me demanda de nouveau :

— Etait-ce un secret ?

— Oui, répondis-je. Mais je te le dirai peut-être un peu plus tard. Quand nous serons à la maison. Avant de nous endormir.

— Tu dis « à la maison », me fit-elle remarquer. Est-ce que tu penses toujours à la ferme comme ta maison ?

— Non, dis-je.

Elle enfila sa chemise de nuit blanche. Elle sortit une éponge de sa trousse de toilette en forme de cœur et essuya le mascara bleu sur ses paupières. Elle se lava très méticuleusement les dents. Je me déshabillai par étapes, en cachant chaque partie de mon corps.

Elle se glissa dans mon lit d'acajou. Je posai quelques coussins sur le plancher et m'y étendis avec une couverture.

— Veux-tu que je te lise un peu de mon *Manuel de l'assistante dentaire* ? demanda Pearl.

L'immeuble était étrangement silencieux, comme si tous ses habitants l'avaient déserté.

— Oui, dis-je. Vas-y.

— Je vais commencer au commencement.

— Parfait, fis-je.

Elle commença à lire :

« L'infirmière, ou l'assistante dentaire, si l'on veut employer la terminologie correcte, est normalement la première personne à recevoir le patient. Ce facteur est important, car la confiance placée par le patient dans le dentiste lui-même dépendra partiellement de l'apparence et du comportement de l'assistante dentaire.

« Celle-ci devra donc être élégamment vêtue. Il est essentiel pour elle de prêter attention à son hygiène personnelle, non seulement parce que celle-ci conditionne l'apparence, mais également pour éviter toute source d'infection dans le cabinet.

« Calme, courtoisie et sympathie, associés à une certaine bonne humeur, représentent une évidente nécessité lorsqu'on s'adresse à des patients anxieux. L'assistante dentaire doit, si possible, garder son calme dans toutes les situations et faire face à tout cas d'urgence pouvant se présenter... »

Au bout d'un moment, j'éteignis la lumière.

Nous restâmes étendues dans le noir dans ma nef des fous. Au-dessous de nous, dans la cour, nous entendîmes quelqu'un hurler.

Je laissais s'écouler le temps. Mon cœur battait très fort.

Puis je commençai à raconter à Pearl ce qu'avait été mon existence : le jour des deux minutes de silence, ma jalousie à l'égard de Timmy et ma haine de Mary. Je lui parlai du docteur Beales, des eaux sales du fleuve et de mes mensonges. Je ne mentionnai ni Lindsey Stevens ni ma liaison avec Georgia. Je passai directement à mon allié, Sterns, à ses poissons et à sa voix toujours calme. Et je dis enfin :

— Avec les injections que l'on me fait en ce moment, je vais bientôt cesser d'être Mary.

Pearl était si silencieuse que je commençais à me demander si elle était toujours là ou si j'étais en train de parler dans une pièce vide.

Puis je l'entendis pleurer.

— Ecoute, Pearl, lui dis-je, ce n'est pas plus étrange que des millions d'autres choses sur cette terre. Ne me méprise pas pour cela. Tu ne vas pas mépriser un arbre parce qu'il vit quinze cents ans ou une grenouille parce qu'elle se retrouve dans le Kent. Ce sont juste là des anomalies de l'espace et du temps, et c'est ce que je suis et ai toujours été.

Elle ne répondit pas. Elle continua simplement à pleurer.

— Pearl, lui demandai-je, dis quelque chose.

— Je ne peux pas, fit-elle. Je me sens si triste.

— Ecoute, lui dis-je, si tu ne veux jamais me revoir, je comprendrai. Je pense que je t'ai dégoûtée. Mais même si je ne te revois pas, même si nous ne faisons plus jamais de dîner grec ensemble, même si nous ne parlons plus jamais de Montgolfier, tu me seras toujours précieuse — ma chose précieuse. Rien ne changera cela.

— Ce n'est pas cela, dit-elle.

— Ce n'est pas quoi ?

— Ce n'est pas que je sois dégoûtée. Pas vraiment. C'est simplement que...

— Que quoi ?

— C'était Mary que j'aimais. Et tu es en train de la tuer.

— Je le sais, mais je ne peux pas ne pas le faire, Pearl. Je ne peux pas. Même pour toi.

Nous continuâmes à parler toute la nuit. Pearl disait qu'elle avait trop peur pour dormir. Trop peur du monde.

Le lendemain, elle rentra chez elle. Ses souliers blancs paraissaient fatigués. Elle n'avait pas de bleu sur les paupières. Et quand je lui déposai un baiser sur la joue, dans le couloir de son wagon, elle se détourna de moi.

— C'est si triste, Mary, dit-elle.
Et elle ne regarda pas en arrière.

Le dos à la mer

Deux femmes restaient seules dans leurs maisons respectives, à considérer leur avenir. L'une était Margaret Blakey. L'autre était Margaret McRae.

Depuis le départ de Gilbert, la distance entre la maison de Margaret Blakey et l'extrémité des falaises de Minsmere s'était réduite de quatre-vingt-quinze centimètres. Les hivers avaient été rudes et les tempêtes dangereusement proches. Margaret Blakey avait lu dans le *National Geographic Magazine* que, partout dans le monde, des portions de terre tombaient dans la mer.

Mais elle ne s'en inquiétait plus. Depuis le départ de Gilbert, cela lui semblait une chose sans importance. Elle admettait parfaitement l'idée d'être balayée par la mer en plein milieu de la nuit. En fait, il lui arrivait de se représenter la scène : la maison penchant et basculant sous l'effet du vent, le sol friable se désagrégeant comme une part de gâteau, ses photographies de Gilbert se décrochant du mur et allant se fracasser sur le sol, son lit commençant à s'envoler.

Gilbert lui écrivait toutes les semaines. Il gagnait beaucoup d'argent. Il lui envoyait des cadeaux un peu étranges : un masque africain, un ressort métallique avec lequel on était censé jouer d'une main sur l'autre, un torchon avec une vue d'Hampton Court imprimée. Il lui disait dans l'une de ses lettres : « Je ne serai jamais plus près du paradis que dans Flood Street. » Cela aussi lui parut très étrange. Elle se disait qu'un nouveau Gilbert avait dû prendre la place de celui qu'elle avait connu. Et ce nouveau Gilbert habitait un monde également nouveau, un monde où les gens aimaient passer leur temps à lancer un ressort métallique d'une main à l'autre. Et, de toute évidence, Gilbert préférait ce monde-là à l'ancien. Ce n'était pas déraisonnable. Il était encore jeune. Il en avait eu assez de vivre sur un précipice.

Margaret Blakey décida de cesser de mesurer la distance séparant sa maison du bord de la falaise. Et elle fit aussi quelque chose d'autre. Elle quitta sa chambre à coucher, qui se trouvait sur le devant de la maison, pour aller s'installer dans une autre, à l'arrière, qui n'avait pas vue sur la mer. De là, elle pouvait voir des champs, un bois, et, derrière le bois, le clocher d'une église. Elle aimait ce paysage. Elle pouvait imaginer toute l'Angleterre s'étalant au-delà du clocher. A l'infini.

Elle disait à ses quelques amis :

— Je pense que, lorsqu'on vieillit, il est très bien de tourner le dos à certaines choses.

Miss McRae faisait des projets.

Elle avait mis en vente son cottage. Elle avait finalement succombé à sa nostalgie de l'Ecosse. Elle avait décidé d'aller vivre avec sa sœur Dorothy près d'Oban. Sur sa cheminée, il y avait une photo de la petite maison de Dorothy. Elle s'appelait « Au repos du berger ». Elle avait un jardin plein de petites fleurs et dominait le Seal Sound, où, à marée basse, des colonies entières de moules s'accrochaient aux rochers. De sa petite terrasse, on pouvait voir le soleil se coucher derrière Seal Island, et, la nuit, on distinguait la lueur intermittente du phare d'Oban.

Miss McRae avait soixante-dix-sept ans. Elle pensait rarement à la mort. Ce à quoi elle pensait, c'était aux promenades que sa sœur et elle allaient faire dans les bois et la bruyère. Elle pensait au cri des mouettes et des courlis et à l'odeur de la mer. Elle disait souvent :

— J'ai eu de la chance dans la vie.

Elle avait acheté son cottage de Swaithey pour 300 livres. Les agents immobiliers lui disaient qu'il en valait dorénavant 7 000.

Un jeune couple de Londres, qui disait en être

tombé amoureux, avait accepté d'en donner 6 500 livres.

Miss McRae reprit son tricot et se mit à penser à tout cet argent. Elle savait que Dorothy et elle allaient vivre très simplement. Elles se feraient des ragoûts, qu'elles consommeraient lentement, faisant durer chacun d'eux plusieurs jours. Elles cultiveraient leurs propres légumes. Miss McRae leur tricoterait des chandails et des gants. La maison était petite, peu chère à entretenir et munie d'un chauffage électrique que l'on pouvait régler comme on l'entendait.

Miss McRae posa son tricot et alla s'asseoir à son bureau. Elle prit son stylo. Elle pouvait voir autour d'elle que les vrais stylographes à plume étaient en train de devenir des objets du passé. Elle se dit que, sur la côte ouest de l'Ecosse, le fossé entre le présent et le passé n'était pas aussi profond qu'en Angleterre.

Elle écrivit à Mary, et, en écrivant, elle se rappela les soirées passées avec elle devant le radiateur électrique à lire *Le Roi Lear* à haute voix. Elle se rappela aussi qu'un de ces soirs-là, une tempête s'était abattue sur Swaithey et Mary lui avait dit :

— Je crois en tout cela. Pas vous, Miss McRae ?

— En quoi donc, ma chérie ? avait-elle demandé.

Les éclairs se succédaient, brefs ou prolongés, comme les signaux lumineux d'un bateau.

— En Lear, avait dit Mary. Je crois que toutes ces choses peuvent arriver.

Ayant mis ses lunettes, Miss McRae écrivit :

« Ma chère Mary,

« J'ai été très heureuse de recevoir ta dernière lettre et d'apprendre que *Liberty* se vendait maintenant à Adélaïde. Merci également pour ton très joli dessin du Pont de Lambeth. Tu dessines maintenant très bien.

« Comme tu l'as su par la lettre du 2 août, mes projets de retour en Ecosse sont très avancés, et, malgré les longues années que j'ai passées à Swaithey, je n'ai pas de regrets. Suis-je trop sentimentale quand j'affirme que l'endroit où vous êtes née reste à tout jamais, obstinément, dans votre cœur ?

« J'en viens au véritable objet de cette lettre. J'ai eu la grande chance de vendre ce cottage pour une somme importante à de gentils jeunes gens de Putney. Dorothy et moi vivrons très bien, en Ecosse, de nos retraites. Dorothy, comme tu t'en souviens peut-être, était sténographe au ministère de la Défense et elle bénéficie d'une généreuse retraite de fonctionnaire. Ainsi, ma chérie, je vais me trouver en mesure de t'envoyer un peu d'argent. Je pense à une somme de 1 000 livres, et je voudrais que tu saches que cela me fait un énorme plaisir de te donner cela. Tu es presque un enfant pour moi, et les années que tu as passées avec moi à Swaithey m'ont été très chères — ce sont des années que je n'oublierai jamais.

« Je ne sais que trop bien que tu n'aimes pas accepter de cadeaux, mais je serais profondément triste si tu refusais le mien. La vie est une chose fort incertaine, comme nous l'avons appris à travers toutes nos lectures de Shakespeare. Nul ne sait ce que l'avenir réserve. Peut-être n'auras-tu jamais l'usage de ces 1 000 livres, mais peut-être aussi viendra-t-il un jour où elles te sembleront un don du Ciel. Puis-je te suggérer de les investir dans une société immobilière, de façon qu'elles soient en sécurité en prévision d'un tel jour ?

« J'attends que tu me donnes de tes nouvelles et que tu m'envoies ce qu'on appelle, je crois, le "feu vert".

« Affectueusement.

« Margaret McRae. »

Elle relut plusieurs fois sa lettre et la cacheta. Puis elle se mit au lit. Elle prit un volume de poèmes de Thomas Hardy qu'elle avait acheté un shilling à la foire à la brocante de Swaithey. Elle savait que Hardy n'était guère à la mode et qu'il avait traité assez misérablement ses deux épouses, mais cela ne l'empêchait pas d'admirer la plus grande partie de son œuvre.

Etendue dans son lit, le drap bien serré autour d'elle, elle enregistrait soigneusement les vers de Hardy et se sentait parfaitement en paix. Elle se revoyait disant à Mary :

— Cela vaut la peine d'apprendre des choses par cœur. Comme cela, on les a à sa disposition plus tard, quand on est en mesure de les comprendre.

Elle entendit une chouette lancer son cri dans les hêtres qui protégeaient le village des vents du nord. Elle pensa à Dorothy, endormie à flanc de colline au-dessus de la mer. Elle pensa au début de sa vie dans le phare d'Oban et à sa fin, face à Seal Island et à Mull, en parfaite symétrie l'une avec l'autre.

CHAPITRE XIV

1971

Pas plus loin

Le collège de théologie de Teviotts se dressait sur une colline du Sussex battue par les vents, à huit kilomètres de Brighton et de la mer.

Le principal de Teviotts, le docteur David Tate, était un homme grand et fort, aux lèvres molles et à la démarche hésitante. Il usait d'une lotion capillaire à l'odeur agressive. C'était un tenant de la Haute Eglise [1] abhorrant l'esprit de libéralisme — ou ce qu'il appelait la « théologie de bric-à-brac » — sévissant au sein de l'anglicanisme. Il était considéré comme vieux-jeu, excentrique et vaniteux, mais son influence sur la vie des séminaristes de Teviotts était profonde. Il les choisissait non pour leur connaissance de la théologie mais sur la solidité de leur foi. Il prétendait être capable de discerner, sur la base fragile d'un entretien d'une demi-heure, si la foi d'un candidat était fondée sur du granit ou sur de l'argile. Il ne détachait pas un instant son regard du visage du postulant.

— Je les creuse, aimait-il à proclamer. Je m'enfonce dans leur crâne et je découvre ce qui s'y

1. Tendance de l'Eglise d'Angleterre attachée à la tradition et assez proche du catholicisme. *(N.d.T.)*

trouve : une chose inébranlable ou une chose sans racines véritables. C'est parfaitement simple.

En Timmy Ward, le docteur Tate vit du granit. A ses collègues faisant remarquer que le postulant n'avait aucune notion d'hébreu et ne connaissait qu'une douzaine de mots de latin, David Tate répliqua :

— Ces choses peuvent s'apprendre. La foi ne peut être enseignée. Ce candidat — Ward, Timothy — doit venir à nous.

Timmy avait eu de la chance de se trouver en face de David Tate. Il avait été refusé par trois autres séminaires et s'était retrouvé au bord du désespoir le plus profond. Il avait tenté de le dissimuler à Sonny et à Estelle, mais lors d'une visite à Cord, il s'était effondré comme un fantôme au coin du feu, et son hôte avait senti toute l'étendue de sa détresse. Il lui avait tendu un grand verre plein de sherry.

— Tim, lui avait-il demandé, il ne t'est jamais arrivé de penser que Dieu était une mauvaise solution pour toi ?

Timmy l'avait regardé avec horreur. Ses yeux de batracien étaient emplis de larmes.

— Non, avait-il répliqué. Jamais. Jamais depuis que j'ai abandonné la brasse papillon

Quand il apprit qu'il avait été accepté à Teviotts, son esprit se vida de sa vie présente et passée pour s'emplir de son existence à venir. Il pensait à Teviotts dix-sept ou dix-huit heures sur vingt-quatre. Il voyait le bâtiment principal, majestueux et solitaire dans un paysage presque désertique. Il voyait la vieille chapelle, tapie derrière lui, et, juste à côté, l'alignement de baraquements préfabriqués bruns et blancs où l'on logeait les élèves de première année et où, un jour de la fin septembre, il déballerait lui-même ses vêtements neufs et son *Hébreu pour débutants,* avant d'aller contempler les nuages au-dessus du Sussex.

Estelle confectionna un gâteau en son honneur, avec les mots « Bonne chance » inscrits en chocolat.

Le gâteau s'affaissait au milieu. Ils s'installèrent à quatre dans la cuisine, Estelle, Timmy, Sonny et Wolf, pour tenter de le manger.

— Il est très bon, fit Timmy. Vraiment.

Sonny en prit une bouchée, puis il donna son assiette au chien, qui renifla la tranche de gâteau et s'en alla.

Au bout d'un moment, Estelle déclara :

— On ne doit pas contrarier la volonté de quelqu'un. C'est une chose que je sais.

Sonny ne dit rien. Il bourra sa pipe et l'alluma. Quand elle s'éteignit, il la jeta sur la table, se leva et dit à Timmy :

— Tout ce que je voudrais, fils, c'est que ces foutus Allemands m'aient troué le cœur au lieu de me trouer l'oreille.

Le lendemain matin, Estelle se tenait devant le fourneau, dans sa robe de chambre effrangée, ses cheveux gris lui tombant jusqu'à la ceinture. Elle fit chauffer le porridge et mit des toasts à griller. Elle avait déjà préparé le thé.

Sonny s'agitait à la porte de la cuisine et mâchonnait des allumettes. Il avait déjà revêtu sa veste de travail. Il faisait froid dans la maison. La lumière qui baignait les champs aurait pu être celle de décembre ou de janvier.

Sonny mangea son porridge debout. Les toasts brûlèrent, emplissant la pièce d'une odeur de charbon de bois. Sonny se mit à jurer et sortit pour aller chercher la camionnette.

Le train que devait prendre Timmy à Saxmundham était celui-là même qu'il empruntait pour aller prendre ses leçons de natation à la piscine de Marshall Street. A Londres, il prendrait un autre train pour Brighton à la gare de Victoria.

Au moment du départ, Estelle s'était collée au fourneau pour y trouver un peu de chaleur. Timmy l'embrassa sur la joue. Son visage sentait la crème Pond's et ses cheveux le toast carbonisé.

— Ta maison est ici, Tim, dit-elle. Tâche de ne pas l'oublier, comme certains.

Il sortit avec sa lourde valise. Il portait une veste de tweed trop grande pour lui que lui avait donnée Cord et une écharpe verte. Il mit sa valise à l'arrière de la camionnette, là où se tenait le chien.

Ils se mirent en route, avec Sonny au volant. Sonny, dont la joue se couvrait de poils blancs et dont les mains étaient dures, rouges et vieillies, comme celles de John Wayne. Le chien s'était dressé sur les pattes de derrière et avait posé celles de devant sur les épaules de son maître. Timmy pouvait sentir son pelage et son haleine malodorante.

Une pluie fine et drue s'était mise à tomber. Timmy contemplait Swaithey au petit matin, le store se levant à la boucherie Loomis et l'église silencieuse, et il avait hâte d'arriver à Teviotts, où le soleil brillerait.

Ils observaient un silence que Timmy sentait impossible à rompre. Ils arrivèrent à la route nationale, et le crachin devint une pluie battante. Des camions les doublaient, roulant en direction de Londres.

Sonny ralentit et arrêta la camionnette sur le bas-côté de la route. Ils restèrent un moment ainsi, le moteur continuant à tourner. Le chien se mit à gratter la paroi pour sortir.

— Qu'est-ce qui se passe ? demanda Timmy.

— Rien, fit Sonny.

— Pourquoi nous arrêtons-nous ?

— On y est, dit Sonny. Elle ne va pas plus loin.

— Qu'est-ce que tu veux dire ?

— Simplement ce que je dis. La camionnette ne va pas plus loin.

Ils étaient à environ deux kilomètres de la gare. Il y avait un sourire sur les lèvres de Sonny, mais ses yeux, eux, ne souriaient pas.

— Vas-y, dit-il à Timmy. Descends.

Timmy imagina la façon dont les autres néophytes de Teviotts prenaient congé de leurs familles, les tendres sourires des mères, debout devant la porte, tandis que les pères refrénaient des larmes de fierté en tournant la clé de contact de leur luxueuse voiture.

— Je vais manquer le train, dit-il.

— C'est ton affaire, fit Sonny en haussant les épaules.

Timmy descendit. Il ouvrit les portes arrière de la camionnette, tenant le chien pour l'empêcher de sauter sur la route. Il tira à lui sa valise et regarda la nuque et les épaules de Sonny, qui n'avait pas bougé de son siège.

— Si je ne reviens jamais à la maison, dit-il, ce sera ta faute, pas la mienne.

Il referma les portes, et Sonny démarra sans se retourner, sans dire un mot.

Timmy se mit en route sous la pluie, bientôt trempé et arrosé, de surcroît, par les voitures qui le dépassaient. De la main gauche, il portait sa valise, et de la droite, il faisait signe aux voitures. Tous les trente ou quarante mètres, il devait s'arrêter pour poser sa valise et prendre un peu de repos. L'heure du train approchait. Il demandait à Dieu de lui donner du courage.

Aucune voiture ne s'arrêta pour le prendre et il manqua son train.

Il arriva à Teviotts très tard, à la nuit tombée, ayant pris, à Brighton, un taxi dont le prix dépassait ses moyens, au lieu de bénéficier du minibus du collège.

Le docteur Tate l'attendait seul dans le vaste hall froid et sonore. Il lui tendit la main et dit :

— Bienvenue à Teviotts. J'étais le seul à m'inquiéter.

Une affaire de noms

Le changement qui s'opérait en elle ne faisait pas vieillir Mary. Il semblait, au contraire, la faire remonter en arrière dans le temps.

Ce fut la première chose qu'elle remarqua : le fait qu'elle paraissait plus jeune. Son corps devenait moins volumineux. Déjà petite, elle commença à paraître efflanquée, comme un jeune garçon de treize ou quatorze ans. Et les poils qui poussaient timidement sur sa lèvre supérieure et son menton semblaient ceux de la puberté masculine.

Elle s'était attendue à voir ses seins se ratatiner, comme ceux d'une Indienne d'Amazonie dont elle avait vu la photographie au Muséum d'Histoire Naturelle. L'Indienne en question était supposée avoir quatre-vingt-dix-neuf ans. Mais, au contraire, les seins de Mary étaient devenus plus petits et plus durs. Ils ressemblaient à ceux de Lindsey Stevens trois ans avant sa rencontre avec Ranulf Morrit.

Elle se sentait légère, presque aérienne. Elle avait envie de courir. La lenteur des gens dans la rue la stupéfiait. Elle rêvait de sa vieille balle de tennis verte et de la façon dont elle la lançait devant elle pour, ensuite, courir après. A l'heure du déjeuner, elle courait sans s'arrêter jusqu'à Hyde Park, puis le long de la Serpentine [1] jusqu'à l'embarcadère. C'était l'automne, et il se trouvait peu de personnes pour faire du canotage.

Un jour, le préposé aux bateaux lui demanda :

— Tu veux aller faire un tour, mon garçon ?

Elle alla voir Sterns.

— Eh bien ? lui demanda-t-il.

Elle lui décrivit ses impressions de légèreté, son envie de courir. Elle regardait en même temps les poissons, qui s'étaient mis à nager en tous sens,

1. Petite rivière traversant Hyde Park, le plus grand parc de Londres. *(N.d.T)*

comme si ses paroles avaient eu pour effet de troubler l'eau des aquariums.

Sterns s'assit et lui sourit :

— Parfait, dit-il. Tout se passe bien. De façon créative, pourrait-on dire.

— Est-ce que je vais grandir ? demanda Mary. Les garçons de quatorze ans grandissent.

Sterns renversa la tête en arrière et se mit à rire. Sa voix était suave, mais son rire tonitruant.

— Non, dit-il. Mais il se peut que vous grandissiez intellectuellement.

— Qu'entendez-vous par là ? demanda Mary.

— J'ai observé le phénomène, dit Sterns, chez la plupart de ceux que j'ai aidés — habituellement des hommes voulant devenir femmes, mais aussi quelqu'un d'autre se trouvant dans votre cas. Cela tient au fait de se trouver toujours un peu à l'extérieur du monde. Quand vous êtes à l'extérieur de quelque chose, il vous est plus facile d'en juger avec sagesse.

— Mais je ne veux pas être « à l'extérieur du monde » ! C'est ce que j'ai ressenti toute ma vie.

— Seulement parce que vous vous sentiez divisée — à l'extérieur de vous-même, si l'on peut dire. Là, bientôt, vos deux « moi » seront mieux intégrés, mais votre statut dans le monde sera particulier, parce que vous aurez vu ce monde sous deux perspectives différentes. Je n'ai pas besoin de vous rappeler que c'est impossible pour la plupart d'entre nous.

Elle parla à Sterns du préposé aux bateaux et dit :

— Ce terme « mon garçon » m'a transportée de joie.

Irene vint à Londres un samedi. Elle ne reconnut pas Mary à la sortie du quai.

— Je ne t'ai pas reconnue, dit-elle. Je savais que je ne te reconnaîtrais pas.

Elle dit qu'elle avait besoin d'une tasse de thé, et elle s'installa au buffet de la gare en pleurant. Son mouchoir était trop petit pour absorber toutes les larmes qu'elle versait. Mary lui tenait la main.

Au bout d'un moment, Irene précisa :

— Je ne pleure pas à cause de ce que tu as fait.

— C'est le choc qui te fait pleurer ? demanda Mary.

Irene répondit qu'elle pleurait parce que Mary ne lui avait pas fait confiance.

— Tu as fait confiance à Edward, souligna-t-elle, et tu as fait confiance à Pearl. Mais pas à moi.

Il y avait, sur la table, des serviettes en papier pliées dans un verre. Mary en prit une et la tendit à Irene, qui se moucha dedans.

— Ce n'est pas que je ne te faisais pas confiance, affirma Mary. J'avais peur que tu ne sois choquée, c'est tout.

— Eh bien, c'est choquant, dit Irene. Ce n'est pas normal, n'est-ce pas ?

— Non.

— Mais ce qui me fait mal, c'est que tu aies pensé que je serais trop choquée pour t'aimer encore. Tu ne m'as pas fait confiance là-dessus, non ?

— Je ne sais pas, Irene.

— Moi si, affirma Irene. Tu as pensé qu'une personne comme moi n'arriverait pas à comprendre.

— J'espère que tu pourras me pardonner, dit Mary.

— Je peux pardonner beaucoup de choses, ma chérie. Tu le sais bien.

Il faisait froid, ce matin-là, mais Irene tenait à voir la relève de la garde à Buckingham Palace. Elle dit que cela lui changerait les idées. Elle ajouta qu'on l'avait emmenée la voir une fois, il y avait très longtemps, avant qu'elle ne rencontre le typographe de Dublin, et qu'elle avait ensuite rêvé d'épouser un soldat à la tunique écarlate.

Elles arrivèrent trop tôt et restèrent un long moment dans le froid, accrochées aux grilles du palais. Les pleurs et l'âpre bise d'octobre avaient fait rougir le nez d'Irene. Mary remarqua qu'elle paraissait plus vieille et cependant assez belle, comme si elle se trouvait à l'apogée de son existence.

— Comment va Billy ? demanda-t-elle.

— Oh ! fit Irene. Il est dans les scouts, maintenant. Il est capable d'allumer un feu avec une loupe.

Elles se mirent à rire. Autour d'elles, des Français s'interpellaient :

— *Tu vois le drapeau ? Tu vois les deux factionnaires ? Ah, le soleil* [1] *!*

Ils avaient raison. Le soleil émergea et fit briller les baïonnettes et les boucles de ceinturon des Gardes. Mary se souvint de Cord lui disant un jour :

— Les Anglais sont sacrément forts pour les parades militaires. Nous avons cela dans le sang, comme les Africains ont la danse. On ne sait pas pourquoi, mais c'est ainsi.

Mais Irene fut déçue par la cérémonie. Elle pensait que cela durerait plus longtemps. Dans son souvenir, il y avait plus de gardes, plus de saluts, plus de marches au pas de parade.

— Je suppose, remarqua-t-elle, que tout dure plus longtemps dans la mémoire.

Elle voulut voir où vivait Mary. Debout au milieu de la pièce mal éclairée, elle contempla les dessins de Mary sur les murs.

— Tu dessines très bien les hélicoptères, ma chérie, dit-elle.

Elle n'aimait pas la cour en forme de puits.

— Si j'habitais ici, fit-elle, je passerais mon temps à me demander ce qui se passe au fond.

Mary était sur le point de faire un peu de Nescafé, mais elle eut soudain peur. Elle imagina Irene remuant son café dans sa tasse et lui demandant :

— Et qu'est-ce que je vais dire à Estelle, Mary ?

Si cette question devait être posée, elle préférait que ce soit en un autre endroit.

1. En français dans le texte.

— Je pense que tu as faim, Irene, dit-elle, après être restée debout dans le froid ?

— Tu me connais, ma chérie, répondit Irene. Mais je ne devrais peut-être plus t'appeler « ma chérie » ?

— Rien de tout cela n'a d'importance, affirma Mary. Ce qui est important, c'est que tu sois ici.

— Mais je ne sais plus comment t'appeler. Pas Mary, je pense ?

— Le nom que j'ai choisi est Martin.

— Et personne ne t'appelle plus Mary ?

— Pearl l'a fait, quand elle est venue me voir.

— Mais, dans l'avenir, il faudra qu'elle apprenne, elle aussi ?

Mary endossa sa veste de tweed.

— Je te l'ai dit, Irene, fit-elle. Ce n'est pas ce qui importe.

— Cela m'importe, à moi, rétorqua Irene. Mais je me tracasse souvent à tort, bien que j'aie un homme intelligent comme Edward dans la maison.

— Allons-y, dit Mary. Je meurs de faim. Nous allons parler de tout cela devant un plat de spaghetti.

Irene fut impressionnée par le restaurant italien. Elle adora les fiascos recouverts de paille accrochés au plafond, et le saint en plâtre sur le mur blanc.

Elle commanda un poulet farci « surprise ». Elle ne voulut pas demander ce qu'était la surprise pour ne pas la gâcher. Mary put constater qu'elle commençait à apprécier sa journée à Londres.

Après le minestrone, Irene dit à Mary

— Timmy est parti. Je pense que tu ne le savais pas ?

— Parti où ? demanda Mary.

— Il a quitté la maison. Il est allé dans un séminaire, quelque part dans le Sussex. Je me demande quel effet cela a fait à ta mère.

Mary regardait fixement Irene. Elle avait peine à imaginer Estelle seule avec Sonny.

— Vois-tu, reprit Irene, elle n'a plus personne à la maison, maintenant. Sonny est à peine là. Il parle à son satané chien, mais plus du tout aux humains. Et j'ai peur qu'il ne la reconduise à...

— Elle disait à Cord qu'elle était heureuse à Mountview, intervint Mary.

— Tu y es allée, dit Irene. Tu as vu comment c'était.

— Oui.

— Alors, tu sais très bien que ce n'est pas un endroit où passer la moitié de ta vie.

— Cela ne sert à rien de me parler de cela maintenant, fit Mary. Tu m'en parleras plus tard. Je ne sais pas quand. Dans quelques années. Plus tard. Quand quelque chose pourra être fait.

La surprise dans le poulet d'Irene était un beurre d'ail. Elle déclara qu'elle n'y aurait pas pensé, que cette journée était pleine de choses qu'elle n'aurait jamais imaginées.

— Parle-moi de Pearl et de Billy, demanda Mary. Elle voulait qu'on cesse d'évoquer Estelle.

Irene sourit pour la première fois et dit :

— Le jeune homme de Pearl s'appelle Clive. Ce qui l'intéresse, ce sont les arbres. J'ai dit à Pearl que si elle l'épousait, elle finirait sans doute dans une maison en haut d'un arbre, mais elle n'a pas ri. Elle m'a simplement lancé un de ces regards dont elle a le secret. Quant à Billy, nul ne peut dire ce qu'il sera ou ce qu'il fera. Il dit qu'il veut être explorateur. Je lui ai fait remarquer qu'il n'y en avait plus beaucoup. Il m'a répondu : non, mais encore quelques-uns quand même. Je lui ai demandé ce qu'il allait explorer. Il m'a répondu : le monde. Je lui ai alors demandé comment il allait voyager. Et il m'a dit : en rickshaw, à dos de chameau, en bateau à vapeur, en canoë, n'importe comment. Sur des éléphants. Quand il a parlé d'éléphants, Edward s'est mis à hurler de rire. A hurler littéralement. Et j'étais vraiment contente. Quand on rit, on reste jeune. C'est ce que je pense.

Dans l'après-midi, elles allèrent au cinéma de la gare de Victoria voir des dessins animés. Elles avaient l'impression de n'avoir plus rien à se dire. Il était plus simple de rester assis dans le noir à regarder des petits cochons et des souris s'agiter sur l'écran.

Quand elles sortirent pour aller prendre l'autobus numéro II en direction de Liverpool Street, Irene dit :

— J'ai toujours bien aimé qu'à la fin ils mettent dans un cercle « C'est tout, les enfants ». C'est plus chaleureux que « Fin », non ?

Mary :

Lorsque j'eus reçu les 1 000 livres de Miss McRae, il me fut beaucoup plus facile de me comporter comme un homme.

Je m'achetai un complet et une cravate. Je fis cirer mes souliers et je me mis à donner des pourboires aux gens.

J'allais dans les bars, j'offrais à boire à des jeunes femmes et, parfois, je mettais ma main sur leurs cuisses soyeuses ou sur le haut de leurs seins.

Elles s'attendaient à ce que je les emmène chez moi, mais cela, ce n'était possible que dans mon imagination. Il fallait que mon corps reste caché dans mon complet.

Je disais à Sterns combien j'aurais voulu faire l'amour à ces femmes.

— Oui, bien sûr, me disait-il. Mais ne brûlez pas les étapes. Vous avez encore un long chemin à parcourir.

Je me disais alors que ma vie était peut-être comme ma vieille balle de tennis, que je lançais devant moi et poursuivais en tentant de la rattraper : elle serait toujours devant moi et jamais entre mes mains.

Les gens, au moins, m'appelaient parfois « monsieur ». Des barmen. Des serveurs. Des vendeuses. J'aimais bien cela. Je m'installais au bar en souriant béatement. Mais je ne ressentis plus jamais l'impression de félicité imbécile qui m'avait envahie près de la Serpentine lorsque le préposé aux bateaux m'avait appelée « mon garçon ». Il y a dans l'inattendu quelque chose qui nous touche profondément. Comme si tout, dans la vie, se payait d'une manière ou d'une autre, sauf ces moments uniques qui, eux, seraient gratuits.

Une chose inattendue m'est arrivée en décembre. Je me trouvais à la station de métro de Tottenham Court Road lorsque j'ai entendu les accents de la chanson *Galveston* résonner dans les tunnels.

Depuis que je me suis acheté mon complet, je donne toujours une pièce aux chanteurs du métro. Je les considère comme se trouvant, comme moi, entre deux vies, car chanter dans le métro ne peut être un but dans l'existence. Parfois, on voit la police leur demander de déguerpir, et ils semblent perplexes, comme s'ils ne savaient pas où aller. Pearl m'avait dit, tout en dévorant sa montagne de kebab : « Il faut un plan dans la vie, Mary. » Je repense souvent à cette phrase — la seule parcelle de pertinence émise par Pearl dans ses vingt années d'existence. On pourrait dire des chanteurs ambulants qu'ils n'ont jamais possédé de plan, ou que, si tel a été le cas à un moment, ils l'ont jeté aux vents du métro.

L'homme qui chantait *Galveston* était costumé en cow-boy. Il avait à côté de lui, sur le sol, un chapeau à larges bords avec un peu de monnaie dedans. Je sortis une pièce de six pence pour la mettre dans le chapeau, et, à ce moment, je reconnus le chanteur ; c'était Walter Loomis.

Je restai un peu à l'écart pour le regarder et l'écouter. Sa voix me semblait très belle. Je me dis qu'il devait avoir abandonné la boucherie pour la journée et être parti à l'aube pour venir chanter dans le métro londonien. Les gens nés à Swaithey font les choses les plus extraordinaires.

Quand il eut fini sa chanson, j'allai vers lui et je lui dis :

— Vous n'allez pas me reconnaître, Walter, mais derrière tout ce que vous pouvez voir, je suis Mary Ward.

Sa grosse tête penchait comme si elle allait, un beau jour, se détacher et rouler au sol.

Il me regardait, perplexe, comme si je lui avais demandé d'aller ailleurs.

— C'est vrai, insistai-je. Je suis Mary Ward. Que faites-vous à Londres, Walter ?

— Je chante, répondit-il au bout d'un moment. J'essaie de survivre en chantant. Vous avez raison : je ne vous aurais pas reconnue.

Je lui fis inscrire son adresse au dos d'un exemplaire de *Liberty* que j'avais avec moi. L'article d'ouverture était consacré à Lyndon Johnson mourant lentement de chagrin dans son ranch du Texas.

— C'est un endroit épouvantable, dit Walter. C'est juste sous la centrale électrique, à Battersea. Mais je ne suis là qu'en attendant de partir.

— De partir pour où ? demandai-je.

— Pour l'Amérique, fit Walter. Nashville. C'est là que ma vie s'accomplira.

J'allai le voir un soir très tard, alors que le métro ne roulait plus.

Je traversai à pied le pont de Battersea. Il y avait un vent violent et de multiples choses tournoyaient dans le ciel orange de Londres, des feuilles mortes et de vieux tracts.

Il vivait en sous-sol dans une rangée de petites maisons qui se désagrégeaient une à une. Au-dessus de ces maisons, la centrale masquait la lune et les étoiles. Il n'y avait rien dans sa chambre, si ce n'est un lit veuf de sa literie, une unique chaise et un jukebox.

— Il marche, affirma Walter. Il joue deux chansons : *Only you* et *You've lost that loving feeling*.

Je m'assis sur le lit de Walter. La pièce sentait le linge sale.

— Il y a aussi une cuisine, dit-il.

Je ne portais pas mon complet, mais des jeans et un blouson de cuir, Walter déclara que j'étais plus reconnaissable ainsi. Lui-même était toujours habillé en cow-boy. Son chapeau était suspendu derrière la porte. Il me dit qu'il existait une association de Country et de Western qui se réunissait une fois par semaine dans un pub de Latchmere Road, et que c'était par elle qu'il avait pu commander ces vêtements.

— Ils sont faits dans le Tennessee, précisa-t-il. C'est du vrai.

Il m'offrit du whisky. C'est une boisson que j'ai tenté d'aimer sans y parvenir, mais c'était tout ce dont il disposait. J'acceptai donc. En me tendant mon verre, il me dit :

— Personne au monde ne sait où je suis, sauf Pete.

Il ne faisait pas chaud, dans la chambre, mais Walter affirma que cela ne le gênait pas. Il s'acclimatait. Il dit que l'hiver, dans le Tennessee, la température tombait parfois à dix-sept au-dessous de zéro, et que les arbres semblaient alors en verre filé.

— Où trouverez-vous l'argent pour aller là-bas, Walter ? lui demandai-je.

Il parut un peu troublé et dit :

— Pete m'envoie des dollars quand il les retrouve. Il les avait cachés dans le bus il y a des années, mais il n'arrive plus à se rappeler où. Mais il en découvre de temps en temps. J'espère qu'ils sont encore valables. Parfois, c'est un billet de vingt.

Il ne semblait pas très soucieux de savoir ce que je faisais et ce que je devenais. Il se concentrait sur lui-même, sur la nécessité de survivre à Londres et de gagner Nashville. Je lui demandai s'il connaissait quelqu'un là-bas.

— Ce n'est pas la peine, affirma-t-il. J'ai lu cela dans les mémoires d'un grand chanteur. Si on sait chanter et jouer, on le fait, tout simplement, et quelqu'un finit par vous entendre un jour ou l'autre.

— Où faites-vous cela, Walter ? demandai-je.

— Oh, fit-il, je connais les noms de certains bars. Je vais traîner par là. Les gens y sont plus gentils.

— Pourquoi ?

— Pourquoi ils sont plus gentils ? Parce que ce sont des gens qui vivent dans la « country ».

Je me mépris sur ce qu'il entendait précisément par « country » et je pris le mot au sens littéral de « campagne ». Ce qui m'amena à lui dire :

— Les gens de Swaithey aussi.

— Ce n'est pas la même chose, rétorqua-t-il. Les gens de Swaithey pensent qu'ils savent des choses. Ils pensent qu'ils ont tout, bien enregistré dans leur tête. La musique « country », ce n'est pas cela. Cela ne parle pas de connaître des choses. Cela parle de ne rien connaître, de tout découvrir pour la première fois, et d'écrire des chansons là-dessus. Jimmie Rodgers, le premier chanteur hillbilly que j'aie entendu, avait une phrase qu'il disait régulièrement à son public : « Hey, hey, cela ne prendra plus longtemps. » Personne ne savait vraiment ce qu'il entendait par là, mais moi si. Ce qu'il voulait dire, c'est qu'il sentait à l'intérieur de lui qu'un jour il trouverait les réponses à tout, et que ce jour ne mettrait plus longtemps à arriver. Mais, d'un autre côté, ce jour pourrait ne jamais venir. Alors, la meilleure chose à faire en attendant était d'écrire des chansons et de les chanter.

— Et c'est ce que vous ressentez, Walter ? demandai-je.

— Oui, dit-il. Et j'ai trente-cinq ans. Je devrais savoir maintenant des tas de choses, je ne les sais pas, mais je pense que le jour où je les saurai arrive. Et, au moins, j'en ai su assez pour ne pas rester.

— A Swaithey ?

— Oui. A part que, maintenant, je pense à ma mère tous les matins. Elle se lève à cinq heures. Elle fait le thé. Elle descend pour aller ouvrir le magasin. Cela me tue. Cela me fait mal ici.

Il frappa son cœur, protégé par les franges en daim de sa veste.

— Cela ne sert à rien, Walter, lui dis-je.

— Je sais. Et je n'aurais pas pu rester. Je n'aurais pas pu. Je serais mort, maintenant.

— Je ne reviens jamais en arrière, affirmai-je.

— Je ne le crois pas, fit Walter.

— Non, dis-je. C'est vrai. Jamais.

Il demanda ce qui m'a fait ressembler ainsi à un garçon trop petit pour son âge. Je me dis que ce pauvre Walter n'allait rien comprendre, et je me mis à lui raconter :

— C'est une chose qui arrive à un minuscule pourcentage de gens. Ils passent d'un genre à l'autre. On en parle dans le Talmud. Dans la Bible, même. C'est connu depuis le début des temps. Dans certaines tribus africaines, on vénère les gens de cette espèce comme possédant une sagesse particulière. Dans les montagnes du Tibet, beaucoup d'hommes ont terminé leur vie comme femmes, et on pense, là-bas, que cela tient peut-être à la pureté de l'air.

Walter but son whisky. A la lueur de l'ampoule nue qui pendait du plafond, je remarquai une tonsure luisante à l'arrière de sa tête. Je me dis qu'il était trop vieux pour essayer d'aller en Amérique.

— Vous vous êtes toujours attendue à ce que cela arrive, n'est-ce pas ? fit-il.

— Oui. Toujours.

Je lui parlai des deux minutes de silence. J'avais répété cette histoire tant de fois — à Sterns, à Edward Harker, à Pearl — que je la revivais à la perfection, comme si tout s'était produit la veille. En même temps, je finissais par me demander si cela s'était vraiment passé ou si j'avais tout inventé.

Walter parut très frappé par cette histoire.

— Je souhaiterais, dit-il, avoir connu un moment comme celui-là. Où j'aurais su ce que j'étais.

— Vous êtes un chanteur, Walter, lui dis-je.

— Peut-être, fit-il. Cela ou rien.

Puis il me demanda :

— Connaissez-vous Hank Williams ?

— Non, répondis-je. Je ne connais rien à la musique country.

Il prit sa guitare et commença à chanter une chanson intitulée *Alone and forsaken*. Il était une heure du matin. Il ne se souciait aucunement des autres gens dormant à l'ombre de la centrale électrique. Au milieu, il s'interrompit et me dit :

— C'est la première chanson que j'aie entendue avec le mot « whippoorwill ». En Angleterre, personne ne sait seulement que c'est un oiseau.

Il recommença à chanter. J'avais toujours considéré Walter Loomis comme quelqu'un qui ne serait jamais bon à rien, et je le découvrais chantant comme Glen Campbell.

L'herbe de la vallée commence à se flétrir,
Et dans l'obscurité, les whippoorwills soupirent.

Dans l'obscurité de Battersea, un homme fit plus que soupirer ; il hurla à Walter de la fermer. Walter reposa sa guitare avec un soupir.

— Londres est un endroit terrible, dit-il. Au Tennessee, ce n'est pas comme cela.

— Et comment est-ce ? demandai-je.

Walter répondit qu'il ne le savait pas exactement, si ce n'est qu'une lumière particulière éclairait toute chose. Il se mit à réciter les noms des arbres du Tennessee : chêne vert, hickory, magnolia, pecan...

Si j'avais été Rob ou Tony, je lui aurais rappelé toutes les années d'esclavage et de ségrégation dans le Sud, les marcheurs de la liberté tués sur les routes. Mais c'était sans objet. Quand on a vécu à Swaithey pendant trente-cinq ans, comme Walter, on pense que toute information déplaisante en provenance du monde extérieur est périmée lorsqu'elle vous atteint, et qu'on n'a aucune raison d'en tenir compte si l'on ne s'intéresse pas à l'Histoire. On ne se soucie, en fait, que de sa propre terre, de savoir si elle est fertile ou si elle est envahie par les pierres.

Je demandai à Walter où il habiterait quand il

serait à Nashville. Il me répondit qu'il ne le savait et ne s'en souciait guère. Il pensait à un vieux wagon.

— Nous sommes en 1971, Walter, lui rappelai-je. Je crois que l'époque où l'on habitait dans des wagons est terminée.

Il ignora ma remarque et dit :

— J'aimerais avoir un chien avec moi.

Je me dis ensuite, en repassant le pont de Battersea, qu'il n'avait aucune notion de rien, sauf de ses chansons. Il partait pour un endroit imaginaire et il y mourrait.

Je me sentais très fatiguée. Je connaissais à peine Walter Loomis, mais il venait d'ajouter son nom à la liste des gens que je devais essayer de protéger du malheur.

CHAPITRE XV

1972

Transillumination

Edward Harker examinait du bois à l'aide de sa loupe lumineuse. Il se tenait sous son enseigne « Les battes Harker ».

Une nouvelle saison de cricket allait commencer. Le soleil printanier illuminait les rues. Il pouvait entendre Irene passer l'aspirateur à l'étage supérieur. Il se rappela le jour où il avait tenté de la congédier tout en mangeant un gâteau Battenberg, et comment, durant des vacances solitaires en France, il n'avait pensé qu'à elle.

Il jeta un regard circulaire sur son atelier. Il se demandait, sans aucunement s'apitoyer sur lui-même, ce qu'en ferait Irene lorsqu'il ne serait plus là. Il se dit qu'elle y ferait un peu de ménage, le laisserait tel qu'il était et qu'avec le temps, il finirait par ressembler à un musée. De temps à autre, Irene descendrait les marches, resterait un moment les bras croisés à la porte et penserait à lui. Puis elle remonterait l'escalier, mettrait la bouilloire sur le feu ou arroserait son cactus et tout serait dit. Si ce n'est qu'en même temps elle vieillirait.

Il se remit à observer la texture du bois. Il pensa que, dans sa vie antérieure de religieuse, il devait avoir l'habitude de fixer du bois — l'arrière d'un prie-Dieu, la porte d'un confessionnal — en se concentrant.

Dans la salle de classe de son collège, Pearl suivait un cours intitulé « Caries et civilisation ». La salle était presque vide. Apparemment, on ne se bousculait pas pour devenir assistante dentaire.

Pearl prenait constamment des notes pendant les cours, car il n'était pas toujours possible de savoir sur le moment ce qui était essentiel et ce qui ne l'était pas. On ne s'apercevait de cela qu'ensuite. Elle se dit que les guerres devaient se présenter ainsi à ceux qui les faisaient. Ils n'apprenaient qu'après coup quelles batailles étaient importantes, et quels noms elles porteraient. Les Américains qui avaient participé à la bataille des Ardennes, par exemple. Ils ne savaient pas que c'était cela qu'ils étaient en train de faire. Aucun général n'était venu leur dire :

— Allez, les enfants, c'est la bataille des Ardennes, et cela va être essentiel.

Ils avaient simplement combattu et péri, ou combattu et survécu, et, plus tard, le nom de « bataille des Ardennes » avait été donné à ce qu'ils avaient fait, et le qualificatif d'« essentiel » s'y était attaché.

C'était le dernier cours de la journée. Pearl écrivit :

« Pour résumer : dans les régimes primitifs ou dits « non civilisés », seuls des aliments crus et naturels sont consommés, exigeant une somme considérable de mastication. Mastication : fonction secondaire : le nettoyage des dents (par exemple : carotte crue, pomme dure). Sociétés primitives : peu ou pas de résidus d'aliments laissés sur les dents. Risque de caries moindre que dans un monde civilisé. »

Pearl reprit son train pour Saxmundham et pensa au terme « civilisation ». Elle contemplait les champs vert pâle et les escadrilles d'oiseaux s'envolant au passage du train. Elle s'interrogeait sur sa contribution à la civilisation, se demandant si son rôle d'assistante dentaire, maintenant le calme et l'ordre dans le cabinet, allait suffire ou si quelque chose d'autre l'attendait. Quelque chose de plus essentiel.

Son petit ami, Clive, était à Durham, où il étudiait l'arboriculture. Il lui adressait des lettres dont la superbe écriture évoquait la calligraphie. Il lui disait que rêver de ses cheveux l'empêchait parfois de se concentrer sur ses arbres.

Pearl aimait ces lettres plus pour l'écriture que pour le contenu. Et elle goûtait l'absence de leur auteur. Elle préférait son absence à sa présence, tout comme elle préférait penser à lui plutôt que de le toucher.

Durant le trajet en chemin de fer, alors que, le soleil se couchant, la campagne commençait à changer de couleur, Pearl décida que si Clive lui demandait de l'épouser, elle lui dirait non. Ce n'était pas lui qu'elle attendait. Elle attendait quelqu'un ou quelque chose d'autre.

Pearl écrivit à Mary pour lui demander si elle pouvait venir passer une journée et une nuit avec elle. Elle pensait que Mary serait peut-être capable de l'aider à rédiger une lettre expliquant à Clive qu'elle ne l'aimait pas et qu'elle ne rêvait jamais de ses cheveux.

Edward avait commencé à appeler Mary Martin, mais Irene lui avait dit :

— Moi, je n'en suis pas capable, Edward. Je n'en suis tout simplement pas capable.

Pour Pearl, Mary était entre deux noms. L'ancienne Mary, revêtue des vêtements de Miss McRae, lui était encore visible, bien que son image s'estompât. Le nouveau Martin, petit et mince, avec sa barbe soyeuse, se tenait sur le côté, attendant son tour.

Mais, quand elle voyait un ciel plein d'étoiles et qu'elle pensait à Montgolfier et à l'univers, elle savait qu'elle ne voulait pas laisser Mary disparaître, quelles que fussent les intentions de celle-ci. D'abord, Mary l'aimait. Ensuite, elle semblait tout savoir du monde tout entier — des feuilles de vigne grecques, de la nostalgie des Sud-Africains, de la géographie de l'Asie du Sud-Est, des sons montant d'une cour dans l'obscurité, des danses des tribus aborigènes. Elle avait passé une centaine d'heures dans une pièce illuminée par des aquariums. Elle savait comment aller à Twickenham.

Mary répondit très rapidement à Pearl. La lettre, tapée sur le papier de *Liberty*, disait :

« Apporte un maillot de bain. Cela fait des années que j'ai peur que tu te noies, alors, maintenant, je vais t'apprendre à nager. »

La lettre était signée Mary Martin. Quand Irene la vit, elle dit :

— Il y avait une actrice qui s'appelait comme cela. Peut-être existe-t-elle encore. Parfois, quelqu'un meurt et on ne le sait pas...

Elles allèrent à la piscine de Marshall Street.

— Timmy venait ici, fit remarquer Pearl.

— Ah, oui ? fit Mary.

Elle avait acheté des bouées de bras rouges, qu'elle fit mettre à Pearl. Le maillot de bain de celle-ci était turquoise, de la couleur de l'eau, et, à la lueur des projecteurs, ses bras et ses jambes semblaient d'un blanc brillant. Mary portait un short kaki et un tee-shirt noir sous lequel ses seins étaient à peine visibles. Elle commanda à Pearl de s'asseoir au bord du bassin et de mettre ses jambes dans l'eau.

— Presque toutes les créatures vivantes, lui dit-elle, savent nager. Même les éléphants. Regarde l'eau et imagine-toi qu'elle te porte.

— Cela ne sert à rien, répondit Pearl. J'ai toujours peur.

A l'autre extrémité de la piscine, qui semblait immense à Pearl, un plongeur de haut vol s'entraînait, solitaire.

Mary entra dans l'eau, nagea un peu, puis revint vers Pearl. Elle se mit debout devant elle et lui prit les mains.

— Pearl, dit-elle, sois raisonnable. Tu es ce que j'ai de plus précieux. Je ne vais certainement pas te faire du mal, non ?

Elle attira doucement Pearl dans l'eau. Celle-ci arrivait au-dessus de la taille de Pearl, mouillant l'extrémité de ses longs cheveux. Elle tremblait. Sa bouche était devenue une mince ligne mauve.

— Bien, dit Mary. Je vais continuer à te tenir les mains, et je veux que tu t'étendes sur l'eau en laissant remonter tes jambes derrière toi. Ensuite, je vais te tirer tout doucement.

— Je ne peux pas, fit Pearl.

— Si, tu peux, affirma Mary. Souviens-toi des poissons tropicaux, au Muséum. Imagine que tu es l'un d'eux.

— C'étaient des marionnettes, dit Pearl. Ils avaient des fils pour les soutenir.

— Toi aussi, lui fit remarquer Mary. Je suis ton fil.

Pearl s'étendit donc sur l'eau. Ses cheveux s'étaient répandus autour d'elle comme des algues. Ses yeux bleus avaient un regard effaré. Mary se mit à marcher à reculons, un peu courbée, tirant Pearl avec elle.

Lorsqu'elles eurent parcouru ainsi plusieurs fois le petit bain, Mary posa les mains de Pearl sur la barre, le long du bassin, lui saisit les pieds et lui ordonna de faire de violents mouvements de jambes.

— Pense, lui dit-elle, à tout ce que tu vas pouvoir faire, maintenant : du surfing, du water-polo...

Pearl réussit à sourire. Les mouvements de jambes la réconfortaient un peu, et elle sentit une toute petite parcelle de sa peur s'envoler vers le haut plafond vitré.

— Maintenant, fit Mary, je vais recommencer à te guider, mais, cette fois, en te tirant à peine. C'est toi qui vas te propulser avec tes mouvements de jambes. Essaie de me pousser en arrière. Imagine que tu essaies de me repousser.

Elles commencèrent à faire, ainsi, le tour du petit bain. Un groupe d'enfants regardait avec un peu d'étonnement ce jeune homme restant habillé dans l'eau et cette jeune fille aux cheveux de sirène qui ne savait pas nager.

Au bout de deux heures, elles étaient fatiguées, mais elles se sentaient heureuses. La leçon de natation avait détourné l'esprit de Pearl de la lettre qu'elle devait rédiger à l'intention de Clive, et elle avait détourné l'esprit de Mary de tout ce qui n'était pas Pearl. Elle se souvint d'une impression qu'elle avait eue longtemps auparavant, à Swaithey : qu'elle était assise dans le noir et que Pearl était une projection lumineuse.

Le soir, dans la chambre de Mary, Pearl déclara :

— J'ai un examen à Pâques. Cela t'ennuie si je lis mes notes à haute voix pour réviser ?

Pearl se trouvait dans le lit de Mary, et celle-ci était étendue au pied, regardant leurs effets de bain qui séchaient sur le pare-feu et s'égouttaient sur le sol.

— Non, dit-elle.

Pearl portait un pyjama écarlate. Elle avait attaché ses cheveux avec un ruban blanc.

— Sais-tu ce que c'est que la transillumination ? demanda-t-elle.

— Non, dit Mary, mais je peux essayer de deviner. C'est une chose cachée dans le passé qui devient soudain claire ?

— Non, répliqua Pearl. C'est une méthode pour détecter certaines cavités dentaires. Moins sûre que la radiographie, mais tout à fait efficace. Une lumière très brillante est placée contre la couronne de la dent, et une ombre noire révèle la présence d'une cavité.

— Oh ! fit Mary. Je vois.

Elle saisit le pied de Pearl à travers les couvertures.

— Parle-moi de Clive, demanda-t-elle.

Pearl posa son cahier.

— Il a une très belle écriture, dit-elle.

— Est-ce qu'il veut t'épouser ?

Pearl ignora la question et poursuivit :

— La chose que j'aime vraiment en lui, c'est son écriture.

Elles restèrent silencieuses un long moment. Puis Mary déclara :

— C'est l'une de ces remarques qui paraissent méchantes à première vue, mais pas à la réflexion, car l'écriture de quelqu'un peut être ce qu'il y a de plus beau — ou de plus affreux — en lui.

Pearl regarda Mary. Elle se dit qu'elle n'écrirait pas sa lettre. Pas encore. Qu'elle se contenterait de se souvenir de ce qu'avait dit Mary, pour le cas où cela deviendrait essentiel dans l'avenir.

Puis Pearl dit :

— Pour changer de sujet, sais-tu ce qu'a été la bataille des Ardennes.

— Oui, fit Mary. J'ai vu un film là-dessus. Avec Robert Culp.

— Et alors ?

— Je ne me souviens pas. Je pense que cela a marqué un tournant dans la guerre.

Plus tard, alors que Mary était presque endormie sur ses coussins, Pearl déclara :

— Mary, à partir de maintenant, je vais t'appeler Martin, je le promets. C'est la dernière fois que je t'appelle Mary.

C'était en 39...

Sonny était assis seul dans la cuisine.

Il tentait de se rappeler la date du jour, mais il n'y parvenait pas. On était en avril, il savait cela. Mais ce qu'il ne savait pas, c'était dans quel morceau du mois d'avril le monde se trouvait.

Il buvait de la bière forte, comme d'habitude, mais sans y prendre le moindre plaisir. Depuis quelque temps, en fait, le goût de la bière forte lui répugnait, et pourtant il restait là, soir après soir, à en boire.

Le chien, Wolf, était couché aux pieds de Sonny. Il

dormait. Les êtres humains protestaient, si on leur parlait dans leur sommeil. Le monde de leurs rêves leur était plus précieux que tout ce qu'on pouvait leur dire. Mais les chiens, eux, n'en avaient cure. Ils s'éveillaient, tournaient parfois en rond deux ou trois fois, puis se recouchaient, l'oreille aux aguets.

Sonny reposa son oreille abîmée sur sa main. Depuis le départ de Timmy, elle le faisait souffrir encore plus. Et elle le faisait rêver de Timmy s'il se couchait de ce côté. Il lui fallait s'en souvenir et tourner sa tête de l'autre côté, vers le mur bleu.

Il n'y avait pas eu de lettres de Timmy. A moins qu'il n'eût écrit en secret à sa mère et que celle-ci eût caché les lettres. On était en avril. Chaque mois était venu et reparti sans la moindre lettre.

— C'est insupportable, dit Sonny à Wolf. C'est intenable. C'est pire que la guerre.

Le chien se leva, se secoua et alla vers son bol, où il lapa un peu d'eau. Puis il retourna se coucher, la tête posée sur les pieds de Sonny.

Celui-ci étendit la main et caressa la tête de l'animal.

— Je ne sais pas pourquoi j'ai arrêté la camionnette, dit-il. J'ai fait ça, boum, comme ça. Je l'ai fait, et, ensuite, c'était trop tard.

« J'aurais dû me reprendre. J'aurais dû revenir en arrière et ramasser le gamin en lui disant : monte, mon garçon, vas-y, monte...

« J'ai toujours eu une tête de cochon. Depuis que je suis né. Trop fier. Personne ne sait pourquoi.

« J'aurais dû me dire que si je faisais cela, il ne me le pardonnerait pas.

« Et qui pourrait supporter cela : que son propre fils ne lui pardonne pas ? Moi, je ne peux pas. Personne ne pourrait.

« Alors, qu'est-ce que je peux faire ? Je ne peux pas lui écrire. Je ne peux même pas épeler le mot avril.

« Qu'est-ce que je peux faire, Wolf ?

En entendant son nom, le chien poussa un petit gémissement. Parfois, vers cette heure-là, Sonny et lui descendaient se promener le long de la rivière, et Sonny pissait dans l'eau.

Sonny remplit son verre et but une gorgée de bière avec une grimace de dégoût. La bière essayait de le tuer, mais il n'allait pas la laisser faire.

— Il faut qu'elle écrive, dit-il. C'est tout. Il faut qu'elle explique que je n'allais pas bien à ce moment-là. La déception peut affecter le comportement d'un homme. Il faudra qu'elle explique cela.

« Et puis Timmy répondra. Il écrira pour dire que la terre lui manque — la moisson, les fossés et tout ce qu'il y a sous notre ciel.

Sonny cessa de parler. Maintenant qu'il avait décidé quoi faire, il se sentait le cœur plus léger.

Mais il voulait que ce fût fait immédiatement, le soir même. Il parcourut des yeux la cuisine, comme s'il s'attendait à y trouver Estelle. Il savait qu'elle n'était pas là, mais il n'en continua pas moins à faire le tour de la pièce.

Il ne parvenait plus à se rappeler où elle était. Il avait l'impression qu'elle n'était pas dans la maison. Alors, il se leva, siffla le chien et sortit dans la nuit printanière en criant le nom d'Estelle.

Elle était dans le bus de Pete. Celui-ci faisait passer des disques si vieux qu'ils ne ressemblaient plus à des disques ; ils ressemblaient à des galettes dans lesquelles on aurait pu mordre. De temps à autres, dans le cours de sa conversation avec Estelle, il s'arrêtait au milieu d'une phrase pour sourire à quelque phrase incompréhensible d'une chanson.

Ils buvaient du whisky. Cela leur arrivait assez souvent, car ni l'un ni l'autre n'avait grand-chose d'autre à faire de son temps. Pete avait été congédié de son travail à l'abattoir par Grace. Elle lui versait une petite pension.

— Tu as renoncé, lui avait-elle dit, à ta part de l'entreprise en 38, quand tu es parti traîner en Amérique, et maintenant, ta vue est défectueuse. Il faut arrêter.

Pour sa vue, c'était vrai. On eût dit que, pour regarder droit, son œil gauche s'était toujours aligné sur l'aile de son nez, et que, depuis la disparition de celle-ci, il s'était mis à vagabonder.

Il n'était pas affecté par la perte de son emploi. Cela avait été un travail horrible, quand on y pensait. Ce qui importait pour lui, c'était d'être en vie.

Il passait une bonne partie de son temps à fouiller le bus, à la recherche de dollars à envoyer à Walter. Il avait déplacé tous les meubles. Il avait exploré toutes les boîtes, les tiroirs, les bocaux et les pots. Il avait fait quatre grandes entailles dans son matelas. Il avait maintenant envoyé à Londres un total de cent neuf dollars et trente cents. Il pensait qu'il y avait peut-être plus, mais il ne savait pas où chercher encore.

Il attendait avec impatience les visites d'Estelle. Il la faisait asseoir dans le seul fauteuil confortable, lui versait une rasade de whisky et lui disait qu'elle continuait à lui rappeler Ava Gardner. Parfois, il lui caressait le bras. Mais, la plupart du temps, il se contentait de lui parler et de lui passer des chansons de country.

— Quelquefois, lui disait-elle, j'ai envie de dire des choses. Puis, d'autres fois, je ne veux pas dire un mot. C'est peut-être déterminé par la lune.

Une ou deux fois, ils dansèrent. Ils se tenaient l'un l'autre très cérémonieusement, comme des danseurs de l'ancien temps, mais ils ne pouvaient faire plus qu'osciller au centre du bus.

Le soir où Sonny sortit dans le noir en criant le nom d'Estelle, celle-ci dansait avec Pete. Le disque s'appelait *Knoxville girl*. Dans la chanson, il était question d'un crime, et, sans même y avoir pensé, Estelle s'entendit dire :

— Il y avait des rumeurs à ton sujet, Pete. Des rumeurs selon lesquelles tu aurais commis une sorte de crime en Amérique.

— Oui, fit-il.

— Et alors ? demanda-t-elle. Tu peux me le dire.

J'étais sur le point de commettre un crime en 1966. J'allais voler un bébé.

— Ça n'a pas du tout été ce que les gens ont imaginé, déclara Pete. Parce que personne, à Swaithey, ne pourrait imaginer une chose comme cela.

— Moi, je peux tout imaginer. La dernière fois que j'étais à Mountview, j'ai passé un certain temps avec un contrôleur aérien. Il mettait des gants de caoutchouc et il faisait des signaux dans l'air.

— Je n'appellerais même pas cela un crime, en réalité, reprit Pete. Mais, d'une certaine façon, je l'ai expié comme si c'en avait été un. C'était en 1939.

— Raconte-moi, dit Estelle. Puis nous pourrons faire une autre danse.

La chanson était finie, mais le disque continuait à tourner, inlassablement.

Pete retira l'aiguille. Il remplit les verres de whisky et dit à Estelle :

— Raconter cela n'a plus d'importance maintenant que je n'appartiens plus à la maison Loomis. C'était pour cela que je ne disais rien.

Il s'assit sur une chaise, face à Estelle, qui alluma une cigarette. La lampe Tilley sifflait comme un jet d'eau.

— Cela s'est passé, commença Pete, quand j'étais à Memphis, jardinier dans une église. J'ai rencontré une fille dans un honky-tonk.

— Qu'est-ce qu'un honky-tonk ? demanda Estelle.

— Oh, nous n'avons pas cela ici ! fit Pete. C'est une sorte de petit bar où viennent jouer les musiciens de country. On peut tout faire, là : chanter, danser, siffler, pleurer toutes les larmes de son corps, claquer dans ses mains et hurler. J'adorais ces endroits.

« Donc, j'ai rencontré là une fille, en 38. Elle s'appelait Annie. Elle travaillait chez ce vieux type, Webster Willias, qui avait une boutique de prêteur sur gage. A cette époque, c'était ce qu'il y avait de plus nombreux à Memphis, après les chanteurs : les prêteurs sur gage.

« C'était une gentille fille. Jeune, gentille et pauvre.

Elle travaillait au fond de la boutique, à noter dans un registre tout ce qui entrait et tout ce qui était repris. Tout objet valant plus de dix cents passait entre ses mains à un moment ou à un autre : des instruments de musique, bien sûr, mais aussi beaucoup d'autres choses. Des haltères, des postes de radio, des alliances, des brosses, des peignes, des médaillons pleins de cheveux. Tout ce que tu peux imaginer.

« Elle me regardait fixement, dans le bar. Je lui ai parlé pour l'empêcher de le faire. Je pensais qu'elle allait me dire combien je lui paraissais affreux.

« Elle m'a amené chez elle. Elle y vivait seule avec ce petit chien, Pixie. C'était un griffon. Il était de la taille d'un écureuil. Elle m'a dit : « Pete, je te présente Pixie », en lui tenant les pattes pour que je les serre. Puis elle a ajouté : « Pixie est seul toute la journée, et il aime bien être avec moi la nuit. J'espère que cela ne t'ennuie pas ? »

« Qu'est-ce que je pouvais dire ? Rien. J'ai commencé à embrasser la fille, et je n'ai plus pensé qu'à une chose : la baiser.

Pete avala une gorgée de whisky et demanda :

— Veux-tu que j'arrête ? Je te choque ?

— Non, dit Estelle. Rien ne me choque. Comment était-elle, Annie ?

— Oh, jolie si l'on veut. L'air d'une petite souris. Les yeux verts. Mais bien pourvue aux endroits importants. Alors, nous avons continué à nous voir. Et tout allait très bien. Tout allait très bien, sauf le chien.

« Je lui disais : « Annie, mets ce satané petit chien dehors pendant que nous faisons l'amour. Enferme-le dans un placard. » Mais elle ne voulait pas. Elle aimait qu'il soit là, à nous grimper partout dessus. Elle disait : « Les chiens sont les seules créatures loyales sur cette terre. »

« Puis, une nuit — nous étions alors en 39 et la guerre était sur le point d'éclater en Europe — alors que j'étais au lit avec Annie, j'ai senti cet affreux petit

Pixie s'agiter sur mon derrière. Je me suis retourné pour le repousser, et j'ai vu sa petite chose rouge toute sortie, comme une pousse de haricot, et s'activant sur moi.

« Alors, je suis devenu fou. C'était tellement dégoûtant que je n'ai pas pensé une minute à ce que pouvait ressentir Annie. J'ai attrapé ce répugnant Pixie par le cou et je l'ai étranglé d'une seule main.

« Je n'aurais pas dû faire cela. J'aurais dû engueuler Annie et l'obliger à mettre son chien ailleurs. Mais j'étais si furieux que je ne savais plus ce que je faisais. Cela arrive, n'est-ce pas ? J'ai tué le chien et j'ai jeté son corps sur le plancher.

Estelle ouvrit la bouche et se mit à rire. Elle renversa la tête en arrière en s'étranglant de rire.

— Oh, fit-elle. Parfois le monde est à hurler de rire !

— Ce n'était pas du tout à hurler de rire, dit Pete. Pour Annie, j'étais un assassin. Et pour moi aussi, car j'avais détruit en vingt secondes tout ce qui pouvait exister entre nous. Je ne l'ai jamais revue. Je passais devant la boutique de prêteur sur gage, mais je n'y entrais pas. Et j'étais malade de chagrin. Au bout d'un moment, je me suis dit que Memphis, c'était fini pour moi. Fini, terminé. Et ce qui m'est arrivé ensuite, ç'a été la guerre.

Estelle cessa de rire.

— C'est ce qui t'est arrivé ensuite ? demanda-t-elle. La guerre ?

— Oui. Je suis revenu et je me suis engagé. Tout ce que j'ai dit à Ernie, c'est qu'il y avait eu un ennui avec une fille, et le mot « ennui » a été transformé en « crime ». Je ne sais pas comment. Cela a dû faire le tour de Swaithey et en ressortir ainsi.

Pete semblait très fatigué après avoir raconté son histoire. Un peu ivre de whisky et de rire, Estelle le remit sur pied et le conduisit jusqu'à son lit, sur lequel il s'étendit. Elle tira sur lui un vieux couvre-pieds qu'il disait toujours être son seul souvenir convenable du sud des Etats-Unis. Avec les cent neuf dollars et ses visions d'oiseaux et d'arbres également écarlates.

Estelle entreprit de rentrer chez elle. Elle entendit Sonny crier son nom.

« *Corpus débile* »

Vers la fin de sa première année à Teviotts, Timmy tomba malade.

L'infirmerie se trouvait au dernier étage du bâtiment principal, juste sous les toits. De ses fenêtres, on pouvait voir la mer. Orientée au sud, elle était particulièrement bien éclairée. Les fondateurs de Teviotts étaient convaincus que la plupart des maladies étaient dues à la mélancolie, et que la lumière avait des propriétés curatives.

David Tate gravit l'étroit escalier qui menait à l'infirmerie. Il était accompagné par l'infirmière en titre, qui le conduisit au chevet de Timmy. Dans un rêve, Timmy avait senti la lotion capillaire du docteur Tate, et, quand il s'éveilla, il vit le docteur Tate assis sur une chaise et le regardant. Il cligna des yeux, et David Tate sourit. L'infirmière ajusta ses manchettes amidonnées et s'éloigna.

Timmy savait pourquoi il était malade. Il était malade parce qu'il ne pouvait pas se maintenir au niveau qu'exigeait Teviotts. Il était malade parce que Teviotts attendait de lui trop d'intelligence. Il était malade à force de se battre avec le latin et avec l'hébreu. Les autres semblaient être des étudiants d'un bon niveau, alors que Timmy était fort loin d'être un étudiant. Alors, il était tombé malade. « Tombé » était le mot. Il s'était levé un mercredi matin, était resté un instant debout à côté de son lit, puis il s'était effondré. Il avait entendu quelqu'un hurler, et c'était tout ce dont il se souvenait lorsqu'il s'était réveillé à l'infirmerie, entièrement baigné de lumière.

Quand il vit David Tate assis à côté de lui, il tenta

de se redresser dans son lit. Il se sentait brûlant, les cheveux humides de sueur. Le docteur Tate lui dit :

— Ne bougez pas, Timothy. Restez tranquille et reposez-vous.

Tate ajouta :

— Vous avez un virus. « Virus » est un mot très commode.

Timmy tenta de hocher la tête, mais il avait l'impression de ne plus contrôler celle-ci.

— Vous n'avez besoin de rien dire, poursuivit Tate. Laissez-moi vous parler un peu, puis je vous laisserai en paix et vous pourrez vous rendormir.

David Tate retira ses lunettes et les essuya sur sa manche. Puis il dit :

— Les études, à Teviotts, sont raisonnablement ardues. Ceux qui embrassent l'état ecclésiastique doivent au moins connaître les Ecritures. L'Eglise considère également la connaissance du latin et, à un moindre degré, de l'hébreu comme importante. Tout cela est sensé et logique. Il y a ici trois années d'études, dont deux vous restent. Cela vous est suffisant pour affronter ces disciplines du mieux que vous le pourrez. L'Eglise est aussi à un tournant. Elle est devenue plus séculaire et plus libérale, ce qui est bon à de nombreux égards. Elle s'est montrée capable de ne pas succomber à la sclérose et d'envisager le changement. Mais...

Il s'interrompit à ce point. Il pivota légèrement sur son siège et tourna les yeux vers le ciel. Il laissa quelques secondes s'écouler en silence.

— Mais, reprit-il, nous assistons à un paradoxe. L'Eglise a cherché à se redéfinir de façon à démentir l'affirmation selon laquelle elle ne répondait plus aux besoins des gens en ce siècle très troublé. Mais, ce faisant, elle a aussi redéfini la croyance — compromettant ainsi son importance première pour l'humanité tout entière. Elle a mis la croyance sur un vecteur. Elle a institué des degrés dans la croyance. Elle a rendu quantifiable ce qui ne peut être quantifié. Et c'est là ce que j'abhorre. Pour moi, la croyance est ou n'est pas. Vous croyez en la résurrection du Christ ou vous n'y croyez pas. C'est le centre même de la foi.

« Ainsi, j'en viens à vous, Timothy. Quand vous avez comparu devant nous pour poser votre candidature, mes collègues étaient disposés à vous rejeter en raison de la faiblesse de votre instruction. Je les ai persuadés de nous laisser vous admettre, car je voyais en vous quelqu'un à qui Dieu semble aussi essentiel que l'air et que l'eau. Je savais que vous peineriez dans vos études. Je savais que vous ne brilleriez pas aux examens. Mais je savais aussi, et je ne pense pas me tromper, que vous feriez un très bon prêtre. Vous serez l'un des rares avec un idéal, et cet idéal aidera et réconfortera vos paroissiens. Je ne me trompe pas. Je sais que je ne me trompe pas.

Timmy se tourna pour regarder le docteur Tate. Il le vit assis là, très calme, le visage légèrement levé, comme si un film lui était projeté en pleine lumière. Timmy essaya de dire : « Vous ne vous trompez pas, docteur Tate », mais les mots ne purent sortir. Ce virus était celui du silence.

Durant la dernière journée que Timmy passa à l'infirmerie, l'infirmière lui apporta une lettre. Elle venait d'Estelle.

« Cher Tim,

« Pourquoi ne m'écris-tu pas ? Je sais que, dans toutes les institutions, les lettres circulent aussi facilement que les courants d'air.

« Tu nous manques. Je suis en train de faire un drapeau. Je vais t'en parler. C'est mon activité unique, mon œuvre d'art.

« Sonny m'a supplié de t'écrire. Depuis des semaines et des semaines, il me supplie.

« Il veut que je te dise qu'il est désolé de ce qu'il a fait. Il n'avait pas l'intention de faire cela, de te laisser sur la route. Souvent, nous faisons des choses que nous n'avions pas l'intention de faire. Il veut que je te dise de lui pardonner, s'il te plaît, et de venir nous voir. Même un chien ne remplace pas une personne.

« Mon drapeau est un drapeau britannique. Je le fais tout en soie. Il faut que je le fasse deux fois et que je couse les deux côtés ensemble.

« Il est beaucoup plus grand que la table. C'est un cadeau pour le colonel Bridgenorth, de l'artillerie royale, que j'ai rencontré à Mountview. Il a été un héros, et maintenant il croit qu'il est un sherpa. Il pense qu'il est sur l'Everest. Le drapeau est pour lui, pour qu'il le plante sur le sommet. Le drapeau britannique est le plus compliqué qui existe sur terre.

« Je dois te quitter. "Hawaï, police d'Etat" va commencer. J'adore cela. J'adore quand Jack Lord dit : "Bouclez-le, Danno !" Cela sonne si définitif ! C'est pourquoi j'aime cela. "Bouclez-le, Danno !"

« Ecris, s'il te plaît, cher Tim.

« Avec toute l'affection de ta

« MÈRE

Elm Farm
Swaithey
Suffolk. »

Timmy replia la lettre. Il se sentait faible, mais il avait l'esprit clair. « C'est comme si, pensa-t-il, aucun d'entre nous n'était ancré sur la terre : Livia, Estelle, moi. Nous sommes génétiquement sans substance. C'est ce que Mary ne cessait de combattre. Ellc essayait de se maintenir au sol. Elle se battait contre l'air. »

A la fin du trimestre, il revint à Swaithey.

Sonny alla l'attendre à la gare. Il lui dit : « Tiens, te voilà », comme s'il l'avait longuement cherché dans la grange et finalement trouvé quelque part ailleurs.

— Comment vas-tu ? demanda Timmy.

— Je suis vivant, fit Sonny. Si on peut appeler cela vivre.

Le chien était dans la camionnette, geignant. Quand Timmy monta, il se mit à aboyer.

— La ferme, Wolf ! cria Sonny.

Mais le chien continua à aboyer, et Sonny dit alors à Timmy :

— C'est parce que tu es un étranger.

Timmy regarda par la vitre, qui était tout éclaboussée de boue. La journée était sombre, avec des nuages bas, qui donnaient à la campagne tout entière un aspect maussade.

— Je vais t'aider pour la moisson, dit-il à son père.

— Il n'y a pas de moisson, répondit Sonny. Rien que des betteraves à sucre.

— Pourquoi cela ?

— Plus de moissonneuse. Les choses ont leur durée. Tout a sa durée. Même ce foutu Empire britannique a eu sa durée.

Sonny se mit à rire, et son rire se mua en une toux. La camionnette ralentit. Le chien se mit debout et commença à tourner en rond.

Timmy pensait qu'il devait y avoir quelque chose à dire, quelque chose qui rendrait supportables les semaines à venir. Il se dit qu'il ne ferait jamais un bon prêtre s'il n'arrivait pas à consoler son propre père.

Mais il ne voyait pas ce qu'il aurait pu dire. Il ne savait même pas comment commencer. Et, soudain, il était trop tard ; ils étaient arrivés à la ferme.

Estelle se tenait devant la porte ouverte. Elle portait unc robe d'été et un cardigan gris, qu'elle serra frileusement autour d'elle quand la camionnette arriva.

Timmy descendit et l'embrassa. Elle avait la joue froide, à moins que ce ne fussent les lèvres de Timmy qui étaient chaudes.

— La maison est hypothéquée, annonça-t-elle. Sonny te l'a dit ?

— Oui, répondit Timmy, se souvenant soudain que c'était l'une des rares choses que son père lui ait dites durant les onze kilomètres du trajet.

— Ce n'était pas notre faute. Les choses arrivent, et c'est tout.

— Je sais.

— Mais ta chambre est toujours là. Elle est toujours là.

— Oui.

— Avec tous tes trophées de natation. Tout.

— Je vais monter ma valise.

Sonny repartit avec la camionnette, on ne savait où. Timmy monta l'escalier, sa valise à la main, suivi d'Estelle. Sa chambre était exactement comme il l'avait laissée, et, pourtant, elle ne ressemblait pas à sa chambre mais à une reconstitution de sa chambre, un décor de film planté là pour l'abuser. Elle n'avait aucune odeur, aucune odeur du passé.

— Tu vois ? fit Estelle.

Il commença à déballer ses affaires. Il posa sa Bible et son livre de prières sur la table de chevet.

Estelle, adossée au mur, enveloppée dans son cardigan, l'observait. Elle alla vers lui, sortit une main de sous son cardigan et lui caressa la joue.

Il lui sourit, sans savoir à quoi ressemblait ce sourire ni ce qu'il exprimait.

Au dîner, Sonny but et parla. Pendant longtemps, le seul être auquel il avait parlé avait été le chien. Et là, il semblait s'adresser au monde entier.

Il avait vendu un champ à Grace Loomis, qui y avait installé deux poulaillers industriels de plus. Ils produisaient neuf mille œufs par semaine. Tous stériles.

Personne ne voulait prendre la moissonneuse-batteuse. Les ferrailleurs eux-mêmes étaient trop paresseux pour venir la démonter. Alors, elle restait dans la grange, toujours à la même place, toujours recouverte de vieux sacs, rouillant et servant de refuge aux oiseaux.

Cord aurait pu leur éviter l'hypothèque. Il aurait pu vendre sa maison de Gresham Tears et venir s'installer à la ferme, mais il s'y était refusé. Les vieux étaient égoïstes. Tout ce à quoi ils pensaient, c'était à gagner du temps pour n'en rien faire.

La terre, en Angleterre, se retournait contre le fermier. Elle était si fatiguée qu'elle se refusait à faire pousser quoi que ce soit si on ne l'abreuvait pas d'engrais chimiques horriblement chers. Elle avait été du côté du fermier pendant un millénaire, mais maintenant elle participait à sa ruine...

— Je lui ai dit, souffla Estelle à Timmy, de tout vendre. Ensuite, nous pourrions nous reposer.

Sonny l'entendit. Il frappa sur la table. L'une de ses bouteilles de bière se renversa.

— Je n'ai pas le droit de vendre ! hurla-t-il. C'est à Timmy. Combien de centaines de fois devrai-je le rappeler à tout le monde ?

— Vends, dit calmement Timmy. Vends la terre et sauve la maison. Vous seriez plus heureux tous deux, et moi aussi.

— Non ! cria Sonny. Non, non, non et non !

Il montra le poing à Timmy.

— Espèce de foutu petit saint ! hurla-t-il. Qu'est-ce qui te prend ? Tu rentres à la maison pour me traiter de menteur ?

— Je ne t'ai pas traité de menteur.

— Si. Tu as dit que la terre n'était pas à toi.

— Mais elle n'est pas à moi...

— Si, elle l'est ! Chaque sillon, chaque pierre. Tout est à toi. Et si tu me laisses encore tomber, je te la ferai *bouffer* ! Je te ferai bouffer toute cette foutue terre

— Sonny, intervint Estelle, tu ne sais pas ce que tu dis.

— Je ne sais pas ce que je dis ? C'est bien, venant de toi ! C'est merveilleux, venant d'où cela vient ! Hein, Tim ? C'est gratiné. Tu ne trouves pas, petit curé ?

Timmy se leva et dit :

— Excusez-moi.

Il courut à l'étage. Le chien se réveilla et se mit à

aboyer. Estelle entendit Timmy vomir dans la salle de bains, au-dessus de leurs têtes.

D'un mouvement du bras, Sonny balaya la table, projetant assiettes, verres et couverts sur le sol carrelé. Le bruit de la vaisselle se brisant parut lui procurer une bouffée de plaisir. Il alla en titubant jusqu'à la petite porte et disparut dans la nuit. Estelle se couvrit le visage de ses mains, toujours logées dans les manches du cardigan.

Le lendemain matin, assez tard, Sonny arriva comme un pénitent à la porte de la chambre de Timmy. Ses mains tremblaient. Il se disait qu'il était prêt à faire n'importe quoi pour que son fils reste. Il se mettrait à genoux s'il le fallait.

Timmy n'était pas dans sa chambre. Il était à l'église de Swaithey, assis sur l'une des chaises du premier rang et regardant le soleil filtrer à travers le vitrail. Il tentait d'apaiser le cours de ses pensées en se remémorant une prière hébreu. Bien qu'il fût envahi par l'horreur, son visage ne traduisait qu'une intense concentration.

Il n'entendit pas la porte de l'église s'ouvrir, et il fut très surpris d'entendre quelqu'un prononcer son nom. Il détourna son regard des vitraux et vit Pearl Simmonds debout à côté de lui, tenant à la main un arrosoir.

Elle lui souriait. Ses bras et ses jambes semblaient brunis par le soleil. Elle portait une robe d'un bleu un peu passé. Le plaisir et le soulagement qu'il éprouva en la découvrant à côté de lui étaient au-delà de tout ce qu'il pouvait décrire.

— Tim, lui dit-elle en souriant. Tu parais si différent. Beaucoup plus vieux.

— Je *suis* plus vieux, précisa-t-il. Tu es superbe, Pearl.

Il se leva, entoura Pearl de ses bras et l'embrassa sur la joue. L'odeur de ses cheveux lui rappela celle des coquelicots dans les champs de son enfance — et de l'enfance de Mary. Il s'apercevait soudain que Pearl était exceptionnelle.

Elle posa son arrosoir, prit la main de Timmy et la regarda. Elle se dit qu'il n'avait jamais eu une belle écriture.

Et elle sourit.

Mary :

Vingt ans et six mois après les deux minutes de silence, j'entrai en clinique.

Trois incisions en triangle furent pratiquées près de l'extrémité de mes seins, et tout le tissu mammaire qui restait en moi fut extrait par ces ouvertures. L'opération s'appelait une mastectomie bilatérale. Les incisions furent recousues et ma poitrine, maintenant nette et plate, fut emprisonnée dans des bandages d'un blanc éclatant.

Le chirurgien m'avait dit avant l'opération :

— Avec le temps, les cicatrices seront à peine visibles, mais les plaies mettront quelques mois à se guérir.

J'étais étendue sur le dos, avec une cage en fil de fer autour du torse pour m'éviter la pression du drap. A l'intérieur de cette cage, je ne ressentis d'abord rien d'autre qu'une épouvantable douleur. J'avais l'impression d'être tombée de ma fenêtre dans la cour et de m'être brisée en deux. Je ne pouvais imaginer qui était venu à mon secours, mais je me souvenais que quand une personne tombe, il y a habituellement, par chance, une autre personne pour la ramasser.

Puis, avec le temps, la douleur diminua.

Deux visages surgirent de part et d'autre de la cage, l'un bronzé et l'autre avec des taches de rousseur.

— Mart, demanda Rob, comment vas-tu ?

— Mart, dit Tony, nous t'avons apporté une pastèque de Safeway's.

— Je ne sais pas si je peux parler, fis-je.

Si contente que je fusse de les voir, je ne pus les garder longtemps dans mon champ de vision. Je tentai de leur présenter mes excuses pour les laisser ainsi disparaître.

Quand je m'éveillai de nouveau, il faisait complètement noir, si l'on exceptait une petite lueur violette quelque part, et c'était le retour de la douleur qui m'avait réveillée. Je me rappelais comment, dans le passé, j'avais imaginé que la douleur était mon alliée. J'avais imaginé que, si je souffrais suffisamment, je deviendrais un homme, mon propre corps aidant.

Il faisait horriblement chaud dans la cage. Je tentai de la déplacer, mais soulever le bras représentait un effort incommensurable et faisait circuler en moi une nouvelle vague de douleur. Je renonçai et appelai, mais personne ne m'entendit.

Je me dis que, là, Mary se mettrait à pleurer, mais que moi, je m'y refusais. J'attendrais.

En attendant, j'eus un cauchemar. Je rêvais de la péniche déserte que j'avais vue près de Twickenham, avec, autour, les familles de canards sous leur abri de fil de fer. Dans mon rêve, ma péniche rompait ses amarres et partait à la dérive, au fil du courant. Une brise faisait flotter son pavillon britannique. Elle tirait derrière elle les abris des canards, mais ceux-ci n'arrivaient pas à nager assez vite pour suivre. Ils allaient être écrasés par les fils de fer et noyés. A cette pensée, je me mis à crier et à pleurer.

Une infirmière arriva et demanda

— Tout va bien, Martin ?

— Non, dis-je. Non.

Quand je m'éveillai encore une fois, il faisait jour et je ne ressentais presque plus de douleur.

Les infirmières ont de beaux bras tout frais. Elles les passent autour de vous et vous soulèvent gracieusement, comme si vous ne pesiez rien. Elles vous assoient sur un bassin. Elles vous essuient le visage. Elles font tout avec le sourire. Je leur dis :

— Ma très grande amie, Pearl, veut être infirmière, mais chez un dentiste.

Et elles me disent :

— Voici une tasse de thé, ma chérie. Buvez-la doucement.

J'aimerais passer le reste de ma vie dans les bras frais et doux d'une infirmière.

Quand Rob et Tony sont revenus me voir, j'étais assise dans mon lit. Ils m'apportaient un exemplaire du *New Statesman* [1] et un sac de cerises.

— Cela fait combien de jours que je suis ici ? demandai-je.

— Quatre mille deux cent trente-six, affirma Tony. On est en 1984.

— Trois, Mart, rectifia Rob. C'est ta résurrection, vieux.

Ils restèrent assis là, à me sourire. Quelques semaines plus tard, notre trio devait se disloquer. Tony se mariait et retournait à Sydney. Un emploi l'attendait au *Sydney Morning Herald*. Sa queue de cheval appartenait dorénavant au passé. Rob disait que lui et moi allions continuer à faire flotter l'étendard de *Liberty,* mais je me demandais combien de temps celui-ci flotterait après le départ de Tony. Georgia m'avait un jour hurlé que tout le monde, sur cette terre, était remplaçable, mais je savais que, comme beaucoup de ce qu'elle disait, ce n'était pas vrai.

La future femme de Tony avait des cheveux tout frisés, avec des mèches en tire-bouchon, et s'appelait Bella. Rob et moi avions tenté de bien l'aimer, mais quand nous avions compris qu'elle allait nous prendre Tony, nous avions mis un terme à nos efforts et commencé à bouder. Le père de Bella était l'un des

1. Hebdomadaire de la gauche intellectuelle britannique. *(N.d.T.)*

rédacteurs en chef du *Sydney Morning Herald*. Nous ne pardonnâmes jamais ni au père ni à la fille. J'en avais des remords, mais pas Rob. Il disait :

— En Afrique du Sud, personne ne pardonne jamais rien à personne, *jamais*. Et cela a toujours été ainsi.

J'avais faim et je commençai à manger les cerises. Je mettais les noyaux en tas sur la table de nuit.

— Raconte-nous un peu, Mart, demanda Tony. C'est mieux sans nénés ?

— Ce sera mieux, dis-je.

— Qu'est-ce que cela veut dire « ce sera » ? fit Tony. Et maintenant ?

— Maintenant, répondis-je, rien. Juste la douleur, puis plus de douleur, puis de nouveau la douleur, et ainsi de suite. Mais bientôt...

Tony soupira.

— Avec toi, dit-il, c'est toujours « bientôt », « plus tard » ou « l'année prochaine ». Quand cela va-t-il être « aujourd'hui » ?

J'arrêtai un moment de manger des cerises, puis je lui dis :

— Je ne sais pas. Je saurai, le moment venu.

Walter Loomis est venu me voir. Il avait beaucoup maigri et ses cheveux étaient longs et ébouriffés. Il paraissait presque mourant, mais il affirma qu'il ne l'était aucunement, que, bien au contraire, il était à moins d'une semaine de commencer sa vie.

Il resta longtemps assis à mon chevet. Il mangea trois oranges et tous les biscuits qu'on m'avait apportés sur une soucoupe avec mon thé. A l'exception du chapeau, il était toujours vêtu en cowboy. Il sentait la sueur et la suie.

Je lui demandai comment il s'était procuré assez d'argent pour aller jusqu'à Nashville.

— Vous vous souvenez de Gilbert Blakey ? me demanda-t-il.

— Oui, fis-je. Personne n'oublie son premier dentiste.

Il se mit à rire et précisa :

— C'est un rire jaune, Martin. Pas un vrai.

Puis il me parla de sa liaison avec Gilbert. Il me dit qu'elle avait été provoquée par la mort de deux hommes d'Etat, John Kennedy et Anthony Eden. Il évoqua les roues à rayons de la voiture de Gilbert et la façon dont celui-ci s'était lassé de lui sans raison apparente.

Puis il dit :

— J'ai décidé récemment que Gilbert me devait quelque chose, alors je suis allé le voir.

— C'était courageux de votre part, Walter, fis-je. Moi, je ne peux supporter de me retourner vers le passé.

— Vous devriez voir où il travaille, maintenant, poursuivit-il. Il a des peintures à l'huile et des numéros du *Tatler* dans sa salle d'attente. Son assistante m'a dit : « Vous n'êtes pas inscrit dans le carnet de rendez-vous, Mr Loomis. » Et je lui ai répondu : « Si. J'y suis depuis 1963. » J'ai refusé de partir. J'ai dit que je resterais là à lire des magazines jusqu'à ce que la Troisième Guerre mondiale éclate ou que Mr Blakey accepte de me voir — et cela dans l'ordre qui se présenterait. J'ai ajouté que j'étais habitué à me passer de manger.

Tout au long de son histoire, Walter conservait son sourire absent. J'essayais de deviner si les gens de Nashville allaient adopter Walter Loomis ou rire de lui à s'en fendre les côtes.

— Continuez, Walter, lui dis-je.

— Eh bien, fit-il, vers six heures, alors que le dernier patient était parti et que j'avais lu tous les *Country Life* et *Harpers' Bazaar*, Gilbert est entré. Il avait une allure bizarre. Ses cheveux semblaient teints, et il paraissait beaucoup plus vieux. Sa voix, aussi, avait changé. Il avait pris un accent très affecté. Je lui ai expliqué mon intention d'aller à Nashville. Et il m'a dit, avec son nouvel accent : « Pourquoi diable veux-tu aller *là-bas* ? » Alors j'ai tenté de lui expliquer que je voulais vivre avant qu'il ne soit trop tard, et que, jusque-là, je n'avais pas encore vécu. J'ai commencé à le menacer. Je lui ai dit que j'allais raconter à tous ses clients très chics qui il était et ce qu'il faisait. Il a eu soudain l'air épuisé, Martin. J'allais lui dire : « C'est l'affaire de Suez, ne bousille pas tout », mais je n'arrivais pas à me rappeler exactement ce qui s'était passé à Suez, et ce qui avait été bousillé. Je ne voulais pas qu'il me coince là-dessus. Il est beaucoup plus intelligent que moi.

Walter obtint l'argent qu'il demandait. Cent cinquante livres, ce n'était pas beaucoup pour Gilbert Blakey, avec son élégante clientèle de Chelsea, et je devinais que voir Walter quitter l'Angleterre était tout ce qu'il avait souhaité depuis des années et des années.

Walter avait pris son billet. L'idée de prendre l'avion lui faisait peur, me dit-il, mais il espérait que quelqu'un s'occuperait de lui, lui dirait où étaient les toilettes et comment changer à New York. Il partait dans quatre jours. Il avait écrit à Pete et à Grace pour leur dire qu'il s'en allait, mais seul Pete avait répondu. Les membres de l'Association de Country Music de Latchmere lui avaient offert un vieux plan de Nashville et lui avaient appris les premières lignes de la Déclaration d'indépendance. A ce sujet, il me dit :

— J'aurais voulu savoir il y a des années que la recherche du bonheur était un droit. A Swaithey, ce n'en était pas un, n'est-ce pas ?

— Non, fis-je. C'était un tort.

En se levant pour prendre congé, Walter parcourut des yeux ma chambre de clinique. Je crus qu'il cherchait encore quelque chose à manger, mais il me dit qu'il avait pris l'habitude de regarder ainsi les endroits qu'il quittait. C'était sa façon de dire adieu à des petits morceaux d'Angleterre.

— Je voudrais, me dit-il, vous souhaiter bonne chance dans votre nouvelle vie.

— Merci, Walter, lui répondis-je.

— Je ne pense pas que nous nous reverrons ?

— Non, fis-je. Mais envoyez-moi une carte postale. Dites-moi comment cela se passe pour vous à Music City.

Il sourit.

Je le revis, à l'abattoir des Loomis, souriant aux anges.

— Rien que ce mot d'abattoir me fait frémir, dit-il.

Puis il partit. Il ne restait que son odeur. Une infirmière indienne survint et ouvrit la fenêtre.

J'avais informé Pearl de mon opération. Elle ne parut ni choquée ni attristée. Elle m'écrivit pour me dire :

« Quand tu sortiras de la clinique, je viendrai prendre soin de toi pendant une semaine. Tu prendras le lit et je dormirai par terre. A mon école, nous avons des cours de secourisme et de réanimation. Je suis la personne idéale pour t'aider. »

Je rentrai chez moi en taxi. Je me sentais faible. Dès que je tentais de soulever quelque chose, la douleur revenait. Je me représentais toutes les autres opérations qui m'attendaient dans l'avenir, et les souffrances que j'aurais encore à subir. Et il y avait une question que j'osais à peine formuler : pourquoi n'avais-je pu tout simplement accepter d'être Mary Ward ?

La réponse était : parce que je ne pouvais pas. Parce que je n'étais pas Mary Ward. Et personne — ni Harker, ni Sterns, ni moi — ne pouvait aller plus avant dans les explications. Nous n'avions que des théories. Cela demeurait l'un des millions de mystères existant en ce monde.

Quand j'arrivai dans ma chambre, Pearl était là. Elle portait une blouse blanche avec une ceinture. Elle avait mis quelques bleuets dans un vase.

— C'est le Service d'Urgence numéro 10, proclama-t-elle.

Je l'embrassai sur les cheveux. Si je n'avais pas tant souffert, je pense que je lui aurais passé un bras autour de la taille et que nous serions restées là, joue contre joue, comme des danseurs, en laissant le temps s'écouler.

— Comment te sens-tu, Martin ? me demanda-t-elle.

C'était la toute première fois qu'elle m'appelait Martin.

— Je suis heureuse que tu sois là, lui dis-je. Je n'ai plus aucune force.

Elle avait fait un ménage complet dans ma chambre. Elle avait aligné toutes mes bouteilles d'encre et mis mes dessins en piles bien ordonnées. Mon petit fourneau étincelait.

Je m'assis sur le lit. Une sueur glacée commença à me couler sur le crâne.

Je laissai Pearl me déshabiller. J'étais trop faible pour être pudique. Elle plia mes vêtements et les posa sur une chaise. Puis elle m'aida à enfiler mon pyjama et je me mis au lit. Je ne tardai pas à rêver.

Je rêvai de Pearl. Nous étions toutes deux étendues sur un radeau fait de rondins. La mer, au-dessous de nous, était calme et bleue, mais, à distance, nous pouvions voir une tempête venir vers nous.

Je portais un gilet de sauvetage, et Pearl n'avait rien. Je retirai mon gilet de sauvetage et le mis à Pearl, car je savais qu'elle n'avait toujours pas appris à nager. Je la berçai dans mes bras et caressai le creux de son dos. Je savais que toute ma vie n'avait servi qu'à préparer ce moment où je ferais traverser la tempête sans encombre à ce radeau. Puis Pearl s'installait à côté de moi et, touchant doucement mes lèvres du bout de ses doigts, me disait : « Tout va bien, Martin. C'est fini. »

Je m'éveillai et vis les bleuets. Je n'arrivais pas à bouger la tête ou les yeux pour distinguer ce qu'il y avait au-delà.

— Pearl, es-tu là ? demandai-je.

Personne ne répondit.

La douleur, dans ma poitrine, était atroce. Je me

rendis compte que je ne savais plus quel jour on était. On était peut-être le jour où Walter Loomis devait partir pour Nashville et ne plus jamais revenir. Pour oublier un peu la douleur, je m'efforçai de me rappeler les noms des arbres du Tennessee en commençant par l'hickory.

Un long moment me parut s'écouler avant que Pearl revienne. Je pouvais entendre, dans la cour, la vie continuer, mais la mienne me paraissait suspendue jusqu'au retour de Pearl.

Elle arriva enfin, portant un sac de provisions.

— J'espère que tu aimes la soupe Mulligatawny, dit-elle. Edward dit que cela lui rappelle l'Inde.

Elle mit son tablier blanc et s'installa devant le fourneau pour faire chauffer la soupe. Elle souriait en regardant la casserole. J'aurais voulu qu'elle se retourne pour me sourire, à moi, mais elle ne le fit pas. C'est alors que je devinai qu'elle avait un secret.

Ce secret, c'était la tempête que j'avais vue à l'horizon dans mon beau rêve. Je me dressai dans mon lit et regardai tout autour de moi, cherchant un gilet de sauvetage et n'en trouvant pas.

Les gens pensent à la nuit comme à un temps où rien n'arrive si la mort n'y survient pas. Ils disent : « Bonne nuit, à demain matin. »

Je savais, moi, que quelque chose allait arriver cette nuit-là. Je savais que ce qui allait arriver, c'était que Pearl allait me dire son secret, mais je ne savais pas quel était ce secret ni l'effet qu'il allait produire sur moi.

Nous mangeâmes la soupe Mulligatawny avec du pain et du beurre. Je pris quelques comprimés, et la douleur s'éloigna, mais je savais qu'elle était encore là, en moi, attendant patiemment. Nous essayâmes de jouer à quelques jeux, mais je n'arrivais pas à me concentrer. Mon esprit était ailleurs. Il se portait sur la nuit, qui arrivait tout doucement.

Pearl m'aida à me lever pour faire ma toilette. Elle tira mes couvertures avant d'enfiler sa chemise de nuit blanche, et nous nous couchâmes, moi dans le lit et Pearl sur les coussins disposés sur le sol. Je ne dis pas : « Bonne nuit, Pearl, à demain matin. » J'attendais, osant à peine respirer.

Quand il vint enfin, ce secret, il prit la forme d'un rat. Il bondit dans la chambre, me terrorisant. J'eus un tel sursaut que je sentis les agrafes de ma poitrine se déchirer.

Je cherchai, à tâtons, une arme. Je saisis tout ce qui me tombait sous la main : mon livre, ma lampe, mes oreillers, le vase de fleurs. Je les lançai, un à un, sur le rat. Et je me mis à hurler. Plus fort que tous les gens qui criaient la nuit dans la cour. Plus fort que le jour où Sonny avait arraché mes bandages.

Et le mot que je hurlais était NON !

QUATRIÈME PARTIE

CHAPITRE XVI

1973

Dans le Sud

A l'automne 73, Walter Loomis arriva dans la ville qu'on appelait Music City, aux Etats-Unis.

L'automne, avait dit Pete, c'était la saison du rêve.

Pourtant, Walter ne rêvait pas. Il avait fait ressemeler ses bottes. Et le sol du Tennessee était bien là, sous ses pieds. Mais il se sentait presque assommé par la luminosité de l'air. Il avait du mal à regarder le ciel.

Un car l'avait conduit de l'aéroport jusqu'au centre de Nashville. Le car était étrange ; il donnait l'impression de circuler sur l'eau plutôt que sur la terre. Walter était le seul Blanc à bord, avec le chauffeur. Les voyageurs noirs s'agitaient sans cesse. Ils mettaient des choses dans leurs valises pour les ressortir aussitôt après. Ils parlaient à voix basse, comme des gens se plaignant du prix du pain. L'un d'entre eux sifflait.

Le car s'arrêta plusieurs fois en chemin. Quelques-uns des voyageurs noirs descendirent pour se diriger vers des rangées de petites maisons basses. Elles étaient faites de planches et chacune d'elles avait une petite véranda, un fauteuil à bascule et un jardin plein de vieille ferraille, comme si la vieille ferraille était ce qui poussait le long de la route, à la place des fleurs. Walter devait découvrir que les Américains n'avaient pas pour la terre le même culte que les Anglais.

On était au début de l'après-midi. En Angleterre, la journée était déjà finie, et le silence nocturne était retombé sur Swaithey. Walter imagina les vents du Suffolk secouant le bus de Pete, et, dans la maison, Grace dormant sans bouger dans sa chemise de nuit en tissu synthétique. La distance lui parut soudain énorme.

Il était très fatigué, mais il ne pouvait se permettre d'en tenir compte. Il avait tout un programme devant lui. Ce programme avait été établi pour lui par les membres de l'Association de Country Music de Latchmere. Un seul d'entre eux avait séjourné à Nashville, mais tous les autres avaient tellement lu et entendu sur l'endroit, en avaient tant rêvé, qu'ils croyaient le connaître comme le fond de leurs poches. Ils avaient dit à Walter :

— Voilà ce que tu fais quand tu arrives, mon lapin. Premièrement, tu achètes un journal local et tu te trouves une chambre. Il y a des endroits qu'on appelle des pensions de famille, tenus par des couples ou par des veuves, où toutes les chambres sont bon marché.

« Deuxièmement, tu vas à Lower Broadway, qu'on appelle Lower Broad. C'est la rue où se trouvent tous les petits bars et les honky-tonks, et les gens sont gentils avec ceux qui veulent chanter, car ceux qui veulent chanter représentent à peu près la moitié de la population et ils savent donc ce dont tu as besoin.

« Troisièmement, présente-toi à tous ceux que tu rencontres. Tu dis : « Salut, je m'appelle Walter Loomis, je viens d'Angleterre et j'espère avoir ma chance ici, à Nashville. » N'oublie pas de dire « ici, à Nashville » et pas simplement « à Nashville », parce que là-bas, tout le monde aime ajouter « ici », pour bien insister, mon canard. C'est un peu comme si tu étais au Paradis ; tu veillerais à bien préciser « ici, au Paradis ». Tu vois ce que je veux dire, Walter ?

Il voyait. Il se sentait dans une sorte de paradis à cause de la lumière extraordinaire qui baignait toute chose et des couleurs éclatantes des arbres. Quand le car arriva au terminus, il alla s'installer sur un banc avec sa guitare et sa valise, et il resta là un moment à cligner des yeux. Il se disait qu'il allait suivre le programme prescrit, mais qu'il fallait d'abord que sa vue puisse s'acclimater.

Il trouva une chambre dans une vaste maison de Greenwood Avenue. On la désignait par son numéro, le 767. Les propriétaires s'appelaient Mr et Mrs Pike. Au bout d'un mois, alors que l'automne avait pris fin, Mrs Pike lui dit :

— Je pense que vous avez remarqué, Walter, que nous sommes très protocolaires, dans le Sud, mais Mr Pike et moi avons appris à vous apprécier, cher, et nous serions heureux que vous nous appeliez par nos prénoms, Audrey et Bill C.

— Oh ! fit Walter. Vous êtes sûre ?

— Certainement. Nous en avons parlé.

— Audrey et Bill C.

— C'est cela.

— Que veut dire le C., Mrs Pike ?

— Audrey, Walter, s'il vous plaît.

— Ah oui, Audrey.

— Eh bien, C. veut dire Clement, cher. William Clement Pike. Mais tous ces noms n'ont jamais vraiment convenu à Mr Pike. Il a toujours été Bill C. depuis son plus jeune âge.

La chambre de Walter se trouvait au rez-de-chaussée à l'arrière de la maison. Elle donnait sur un potager où Audrey Pike cultivait des melons d'eau et des petits pois. Au fond se dressaient trois châtaigniers. Walter avait pris l'habitude de s'installer à une petite table devant sa fenêtre pour composer mentalement des chansons et contempler les châtaigniers. Parfois, il voyait s'y poser des oiseaux écarlates. La première fois qu'il en aperçut un, il le crut échappé d'un parc d'attractions.

— Pas du tout, cher ! s'exclamait en riant Audrey Pike. C'est un cardinal. On peut en voir presque partout. Vous n'avez qu'à ouvrir l'œil, Walter.

Il ouvrait l'œil. Et pas seulement pour apercevoir des cardinaux. Il observait tout ce qui bougeait, tout ce qui pouvait exister. Il savait que sa vie avait commencé, des années trop tard, certes, mais qu'elle avait au moins commencé avant d'avoir fini. Alors, il lui fallait enregistrer le plus de choses possible. Il se couchait tard et se levait tôt. Il ne pouvait se permettre de perdre trop de temps.

Bill C. était couvreur de son état. Sa saison préférée était l'hiver, où tempêtes et ouragans arrachaient les toits des maisons.

— On peut bien gagner sa vie avec les toits, à Nashville, fils, disait-il à Walter. Nous n'avons pas réellement besoin de louer des chambres. Mais Ma'me Pike aime cela. Elle est fière de la qualité de nos chambres, et, comme le Seigneur ne nous a pas donné d'enfants, elle apprécie la compagnie. Et avec toi, Walter, elle est encore plus heureuse, puisque tu viens d'Angleterre. Elle n'a jamais mis les pieds en Angleterre, mais toutes ces histoires de Jeeves, cela la fait mourir de rire. Et elle voudrait t'aider autant qu'elle le peut.

— C'est extrêmement gentil, disait Walter.

— A Nashville, tu vois, expliquait Bill C., presque tout se fait de bouche à oreille. C'est une grande petite ville, vois-tu.

Audrey trouva à Walter un travail dans le voisinage, consistant à enlever au râteau les feuilles mortes. Il ne travaillait que le matin. Quand il avait ratissé et brûlé toutes les feuilles, les femmes du voisinage lui trouvaient d'autres tâches. Il coupait du bois, réparait des clôtures, nettoyait des garages. Les femmes lui apportaient du café et des tranches de gâteau à l'ananas. Certaines conservaient toute la journée leurs bigoudis. Les plus âgées, avec leurs vieilles mains ridées et leurs caoutchoucs aux pieds, semblaient indestructibles.

En décembre, il neigeait parfois la nuit, légèrement, en couches fines comme de la poussière. Les matinées, ensuite, étaient éblouissantes, avec un ciel d'un bleu intense, et Walter, qui ne s'était pas encore habitué à cette luminosité, avait, en commençant son travail, les yeux qui se mettaient à pleurer. Durant les journées de ce genre, il n'arrivait même plus à imaginer Swaithey. C'était comme si un brouillard d'hiver s'était abattu sur le village du Suffolk et l'avait englouti. Cependant, de temps à autres, alors qu'il arrachait des mauvaises herbes, rafistolait des tuyaux d'arrosage ou, simplement buvait, debout dans la neige, son café trop sucré, l'image de son père, Ernie, portant sa veste blanche et son canotier de boucher et souriant à s'en faire éclater le visage, venait le visiter.

Il en fit part à Pete dans la première lettre qu'il ait, de sa vie, envoyée par courrier aérien :

« De temps à autre, je vois, par l'esprit, Papa. Il semble très heureux. Je me souviens lui avoir vu cette mine quand j'étais petit garçon. »

Du fantôme d'Arthur Loomis, il n'y avait plus le moindre signe.

Parlant des ambitions de Walter, Audrey avait dit :

— Nous sommes, bien sûr, avec vous, Walter. Mais n'oubliez pas qu'on peut mourir d'un rêve...

Bill C., lui, n'avait pas parlé de mourir. Il avait parlé d'une personne appelée Fay May.

— Ecoute, Walter, avait-il dit. Je connais Fay May. J'ai refait son toit pour presque rien, sauf la nourriture. Tu peux aller la voir et lui dire que tu es un ami à moi. Ensuite, tu traînes dans la maison, tu écoutes, tu parles avec les gens et tu vois si quelque chose se présente. Elle ne chasse personne.

C'était un petit bar un peu sinistre, avec des nappes en papier huilé sur les tables, et de la sciure sur le plancher. Une inscription au néon annonçait « Fay May's Lounge ». Les murs étaient recouverts de milliers de photos dédicacées de vedettes de la country, mortes pour la moitié au moins. Il y avait une affiche annonçant le dernier concert de Hank Williams, celui qu'il ne put donner pour cause de décès. Il annonçait à ses admirateurs qu'il allait venir chanter pour eux « si le Bon Dieu le permettait et si la rivière ne débordait pas ». Un tableau noir suspendu au-dessus du bar faisait état de dix marques de bière différentes. Il était surmonté d'un drapeau confédéré usé jusqu'à la corde. L'endroit sentait la bière renversée et la fumée de cigare. Fay May elle-même se tenait derrière le bar, souriante.

Elle avait de robustes bras bien charnus et des cheveux teints en châtain rassemblés au-dessus de sa tête. Walter estima qu'elle pouvait avoir à peu près le même âge que Grace, mais Grace vieillissait en se surveillant de près, alors que Fay May semblait indifférente au passage des ans. Walter s'assit sur un tabouret au bar.

Il n'avait jamais entendu parler d'aucune des dix bières proposées. Il en choisit une au hasard. Fay May ouvrit la bouteille et la posa devant lui avec un grand verre épais.

— Voilà, monsieur, dit-elle. Et bienvenue au Lounge.

Walter décida d'attendre un peu avant de parler de Bill C. Pike. Il regarda autour de lui. Il était deux heures et demie de l'après-midi. Il vit, le long du bar, une rangée d'hommes fumant, mâchant de la gomme et se passant de l'un à l'autre une bouteille de Jack Daniels. Ils parlaient à voix basse. L'un d'eux portait sur la tête, comme un pirate, un foulard à pois. Les autres étaient vêtus comme des gardiens de vaches. Ils ne semblaient plus de la première jeunesse, et ils avaient, autour des yeux, des cernes de tristesse faisant douter que leur jeunesse eût été, un jour, première.

Le plus proche de Walter, qui paraissait plus jeune que les autres, se tourna vers lui, le regarda et lui demanda :

— Touriste ? Canada ?

Walter secoua la tête. Il ne portait pas sa veste de daim à franges ni son stetson, mais un caban écossais doublé de mouton appartenant à Bill C.

— Alaska ? poursuivit l'homme. Je suis allé une fois en Alaska. Failli crever.

— Anglais, dit Walter.

Un sourire un peu figé apparut sur le visage de l'homme. Il secoua la tête de droite à gauche.

— L'Angleterre ! fit-il. Vous voulez dire que l'Angleterre existe toujours ?

— Oui, dit Walter. Elle existe toujours.

L'homme frappa de la main sa cuisse maigre.

— Eh bien, s'exclama-t-il, je veux bien être pendu !

Walter ne savait que dire. Une partie de lui-même était tentée de faire savoir que pour lui aussi l'Angleterre — ou la seule partie de l'Angleterre qu'il sentait vraiment sienne, Swaithey — avait disparu à l'horizon. En fin de compte, il ne dit rien. Il se borna à sourire.

— Une autre bière ? proposa l'homme.

La bière qu'il buvait ne plaisait pas à Walter, mais il se rappela l'un des membres de l'Association de Latchmore lui disant :

— Accepte l'hospitalité toutes les fois qu'on te l'offre. Les gens du Sud aiment donner. C'est leur passe-temps favori. Nous, nous faisons du thé. Eux, ils se font des amis. Sauf si tu es noir.

— D'accord, fit donc Walter. Merci.

— Et, à propos, reprit l'homme, pas d'offense, j'espère ? Je m'amuse facilement. Presque tout ce qui se passe sous ce soleil me fait rire. Je suis fabriqué comme cela.

— C'est une bonne façon d'être fabriqué, remarqua Walter.

— Peux pas le dire. Mais permettez-moi de me présenter : Bentwater Bliss. Né en Illinois en 1920. Nommé d'après ma ville d'origine : Bentwater. Toujours vivant — tout juste. Toujours solvable. Toujours chantant.

Bentwater tendit la main qui avait été posée jusque-là sur la bouteille de Jack Daniels, et Walter la serra.

— Mon nom est Walter, dit-il. Walter Loomis. Et j'espère...

— Bienvenue à Nashville, Walter. Et qu'est-ce que vous faites dans la vie ?

Walter se racla la gorge.

— J'étais dans la viande, fit-il.

— Dans la viande ? Eh bien, en voilà une coïncidence ! La viande, ça me connaît ! J'ai travaillé dans un abattoir depuis l'âge de douze ans jusqu'à celui de trente-deux ans. Je m'appelais Bentwater LeQuaide à ce moment-là, et, quand je suis arrivé à Nashville, j'ai changé de nom. J'ai choisi « Bliss », parce que cela correspondait au sentiment que j'ai éprouvé à la minute où je me suis assis ici, chez Fay, et où quelqu'un s'est mis à chanter [1]. Je ne plaisante pas.

Il laissa libre cours au rire qu'il refrénait depuis qu'il avait été fait mention de l'Angleterre. Quand il fut un peu calmé, il appela Fay May et commanda une bière pour Walter.

— C'est Walter, dit-il à Fay, qui vient d'Angleterre. Et il était dans la viande, comme moi autrefois. Tu t'occupes de lui pendant que je vais chanter, okay ?

— Okay, Bent, répondit Fay.

Elle sourit à Walter et lui serra la main.

— Bienvenue au Lounge, dit-elle de nouveau.

— Merci, fit Walter.

Fay cligna de l'œil en direction de Bentwater, qui descendait de son tabouret de bar, et dit à Walter :

— Vous n'êtes pas obligé d'écouter Bent chanter Si vous n'en avez pas envie. Il chante comme un porc qu'on ébouillante.

— Et comment ça se fait que je gagne ma vie, alors ? demanda Bentwater.

1. « Bliss » signifie « Félicité ». *(N.d.T.)*

— Dieu seul le sait ! fit Fay May. Tu as de la veine qu'il y ait des braves gens.

Walter avait remarqué, dans un coin du bar, une chaise et un microphone. Bentwater s'empara d'une guitare et s'assit sur la chaise. Il toussa un peu et accorda la guitare. Dans le Lounge, les conversations et les rires cessèrent subitement, comme si l'on avait tourné un bouton. Les buveurs alignés devant le bar remplirent silencieusement leurs verres. Walter remarqua, sur une petite table près de la chaise de Bentwater, un bocal à demi plein de billets d'un dollar. Appuyé au bocal, il y avait une petite pancarte : « Les chanteurs ont besoin de vivre. Merci. »

Bentwater avait un ongle long et pointu dont il se servait comme d'un médiator. Sa voix était haute et un peu nasillarde. Il commença par une chanson des Louvin Brothers, *If only I could win your love*. Par la fenêtre, derrière lui, on pouvait voir le jour commencer à baisser. Puis il interpréta une chanson qu'il avait écrite lui-même. Elle appartenait à cette sorte de complaintes rustiques qui arrachaient régulièrement des larmes à Pete Loomis. Le silence le plus complet régnait dans le bar, tandis que Bentwater chantait :

Si tu me demandes où sont ma fortune et mon [espoir,
Ils sont sous les eaux noires de la rivière
Et au-dessus de moi, dans le ciel sombre du [soir...

Walter revint au 767 et dit à Audrey et à Bill C., qui jouaient aux cartes devant le poêle à bois, qu'il avait rencontré Bentwater Bliss.

— Oh, Ciel ! fit Audrey. Dis-lui, Bill C.

— Celui-là, déclara Bill C., ça fait une paie qu'il traîne par ici.

Les Pike jouaient depuis tant d'années ensemble qu'ils étaient parfaitement capables d'engager une conversation en règle sans interrompre leur partie.

Bill C. précisa à Walter que Bentwater était arrivé à Nashville en 1959 à bord d'un camion de viande volé. Il avait repeint le camion en rouge, l'avait garé près de la rivière et y avait vécu pendant un an. Puis il avait dû vendre le camion pour vivre et avait couché à la belle étoile.

— Maintenant, ajouta-t-il, il s'est mis en règle et on le laisse chanter en concert deux ou trois fois par an. Il avait une bonne voix quand il est arrivé, mais il l'a pratiquement bousillée à force de boire.

— N'allez pas traîner avec Bentwater, Walter, intervint Audrey. Il va vous faire boire.

— Il m'a dit qu'il me présenterait à quelques personnes, fit Walter.

— C'est vrai, hein, Bill C., reconnut Audrey. Il connaît presque tout le monde chez les musiciens.

— Il les *connaît,* oui, dit Bill C. Mais cela ne l'avance pas à grand-chose. Ils savent qu'on ne peut pas se fier à lui. Il est à peu près aussi sûr qu'un courant d'air.

Walter gagna sa chambre et s'assit à sa table, devant la fenêtre. Il faisait nuit noire. Il ne distinguait même pas les châtaigniers. Tout était si tranquille qu'il se dit qu'il commençait peut-être à neiger.

Il gardait en mémoire son après-midi. Bentwater et lui avaient descendu Lower Broad vers la rivière, passant devant les bars, les magasins de vêtements et les boutiques de prêteurs sur gage. Arrivés à la rivière, ils avaient vu un bateau plein de touristes accoster au-dessous d'eux, et Bentwater avait alors dit :

— Les fondateurs de Nashville sont arrivés en deux groupes. L'un est venu par la terre et l'autre a remonté sur des centaines de kilomètres la rivière Cumberland, en luttant constamment contre le courant. Et c'est comme cela que ça se passe dans le monde de la musique, Walter. Tout homme qui débute a le courant contre lui, et le courant, ce sont tous les types qui sont déjà arrivés, qui ne veulent pas de toi, qui te volent tes chansons, qui te démolissent d'une manière ou d'une autre.

— Je savais que ça n'allait pas être facile, fit Walter.

— Non seulement ce n'est pas facile, camarade, rétorqua Bentwater, mais c'est même sacrément dur. Et puis il y a une autre chose.

Walter pouvait sentir des effluves de sel monter de la rivière, comme si l'on s'était trouvé au bord de la mer. Il se dit que, décidément, tout était différent de ce qu'on pouvait trouver ailleurs.

— Quelle autre chose ? demanda-t-il.

Bentwater se tourna vers lui et lui serra le bras.

— Eh bien, dit-il, la chose en question est que toi, Walter, tu es ici un innocent, non ? Tu ne reconnaîtrais pas la Cinquième Avenue du Cinquième Commandement, pas vrai ? Tu es un garçon de la campagne, mais tu ne viens pas de la bonne campagne. En résumé, tu connais d-e-d à propos de toutes ces choses.

Walter leva les yeux vers le ciel, qui passait au mauve.

— Qu'est-ce que cela veut dire, d-e-d ? demanda-t-il.

Bentwater éclata d'un rire qui dégénéra rapidement en une toux asthmatique.

— Doodle-ei-dip ! fit-il. En d'autres termes, rien. Que dalle. Tu vois ce que je veux dire ?

Pendant quelques bonnes minutes, Walter se sentit bête. Puis, comme les touristes quittaient le bateau et que, derrière eux, s'allumaient les lumières de Lower Broadway, un détail extraordinaire lui revint en mémoire.

— Il y a des années, raconta-t-il à Bentwater, je suis allé à une foire et je me suis fait lire les lignes de la main. Par une femme nommée Cleo. Elle avait des dents en plastique et des lunettes avec des paillettes sur la monture. Je l'ai très bien connue jusqu'à sa mort. Elle disait : « Je vois une rivière. » Elle était catégorique là-dessus. Elle disait qu'une rivière ferait à coup sûr partie de mon avenir. J'avais toujours pensé que ce serait une rivière d'Angleterre, qu'on appelle l'Alde, mais je me trompais. La rivière, c'est celle-ci. La Cumberland. Et Cleo disait que tout, dans ma vie, me conduirait là.

Bentwater, qui avait écouté attentivement, se frotta les yeux des deux mains, comme un homme brusquement épuisé.

— Possible, dit-il. Possible mais pas certain. Moi, je n'ai jamais cru que j'avais ma vie inscrite au creux de ma main. Ma vie, elle est au-dedans de moi, attendant. Elle n'est nulle part ailleurs.

Walter avait apprécié cette remarque. Il y repensait en regardant par la fenêtre, dans sa chambre du 767. Bentwater Bliss avait cinquante-trois ans, mais il se sentait toujours au fond du cœur un avenir grandiose attendant son heure.

Mary :

Je retournai voir Sterns. Il était en deuil de son axolotl, qui était mort de façon tout à fait inattendue. Il s'appelait Ken, et Sterns me dit :

— On ne devrait jamais donner de nom aux créatures qui nous entourent. C'est le nom qui nous brise le cœur.

Je lui parlai de ma pintade, Marguerite, qu'on avait emportée dans un sac.

— Vous auriez pu envisager de la remplacer, déclara-t-il, et vous pourriez encore l'envisager.

Et il ajouta :

— Les tritons sont d'agréables compagnons.

J'étais contente de me trouver dans l'obscurité, avec, comme seul bruit autour de moi, le chuintement des aquariums. Je restai un moment assise, sans rien dire. Mes plaies me faisaient mal et une sorte de marée noire m'emplissait la tête.

— Bien, fit Sterns. Vous avez quelque chose à me dire. Qu'est-ce que c'est ?

— Je voudrais mourir, affirmai-je.

Sterns se leva et arpenta un moment la pièce, le visage détourné. Puis il se rassit et me dit :

— Continuez.

Je ne voulais rien dire de plus. J'aurais voulu simplement rester assise là, sans bouger.

Sterns attendit. Il est capable de rester si totalement immobile qu'on ne peut même pas le voir respirer. A cet égard, il est un peu comme Ken.

Je finis par proclamer à haute voix :

— Toute ma vie a été absurde.

Les gens passent leur temps à dire des choses de ce genre à Sterns. C'est ce en quoi consiste son travail : à entendre affirmer l'absurdité de toute chose. Il y est si habitué qu'il n'a même plus l'air surpris. Il se contente de regarder les poissons, d'observer leurs couleurs et leurs gracieuses évolutions, en hochant la tête.

Il finit par m'obliger à parler en se levant et en sortant de la pièce, où il me laissa seule. Dès qu'il fut parti, je me sentis perdue et abandonnée. J'avais l'impression de me trouver au fond d'un gouffre, hors de la portée de toute créature humaine. J'imaginais Sterns quittant la maison et descendant tranquillement Ladbroke Grove. Je voulais l'appeler, mais mon impression d'isolement était si intense que je savais qu'il ne m'entendrait pas.

Il ne m'avait pas abandonnée. Il s'était juste rendu aux toilettes.

Quand il revint, il s'assit à l'extrémité de la pièce et se moucha dans un morceau de papier toilette couleur abricot.

— Pourquoi voudriez-vous mourir ? demanda-t-il.

Je lui parlai de Pearl.

Je lui racontai ce qui était arrivé.

— Je savais qu'elle avait un secret, lui dis-je, mais je ne savais ce que c'était. Le secret, c'était Timmy. Mon frère. Il m'avait tout pris quand j'étais une fille. Tout. Sauf Pearl.

Puis je lui dis tout ce que je ressentais à l'égard de Pearl, ma précieuse chose. Je lui dis combien je voulais la protéger de la noyade.

Je lui dis que j'avais toujours tout adoré en elle, y compris sa façon de ronfler et son ambition de devenir assistante dentaire.

— Dans l'avenir que je m'étais imaginé, poursuivis-je, elle devait être là. En tant que Martin, j'allais pouvoir l'aimer comme il convenait et la protéger des autres hommes. Et elle allait m'aimer, elle aussi. C'est ce que j'avais toujours prévu.

— Et maintenant ? demanda Sterns.

— Il n'y a plus de maintenant, dis-je. Je ne la reverrai plus jamais. Non plus que sa famille, qui a été si gentille avec moi. Jamais. Je ne pourrai plus jamais la voir, et je ne veux plus jamais la voir. Jamais. Parce qu'elle est fiancée à Timmy. C'était cela, son secret. Timmy va rentrer dans les ordres. Il va être vicaire quelque part, et Pearl sera sa femme. Elle ne va même pas être assistante dentaire. Elle va gâcher sa vie.

Ayant commencé à parler, je ne pouvais plus m'arrêter. Je ne cessais de me rappeler d'autres choses : Montgolfier et l'univers, les poissons tropicaux, la définition de la transillumination.

Et je vis que toutes ces choses avaient été les moments lumineux de ma vie ; ma vie était comme la pièce où je me trouvais à ce moment, et ces moments passés avec Pearl étaient les aquariums venant éclairer cette sombre étendue. Je dis alors :

— Si je vois les choses ainsi, ce n'est pas surprenant que j'aie fait ce que j'ai fait.

Après avoir quitté Sterns, je trouvai atroce la lumière du jour.

J'avais l'impression qu'elle me blessait physiquement. Je me dis que j'allais aller en un endroit où la lumière pourrait, à elle seule, me tuer.

C'était une journée de mars où l'on pouvait déjà sentir les effluves du printemps.

J'allais à pied jusqu'à la Serpentine, où je trouvai le préposé aux bateaux qui m'avait appelée « mon garçon » pour la première fois.

— J'aimerais louer un bateau, s'il vous plaît, lui dis-je.

Le vent brutalisait l'ensemble du paysage. Les arbres semblaient effarés. On avait l'impression qu'ils auraient aimé fuir.

Mon bateau ne cessait de s'agiter. Les cygnes passaient, en me regardant curieusement. Ils semblaient, eux, avoir une destination bien précise en tête.

Etendue au fond du bateau, je scrutais le ciel. A l'infini, il semblait vide, avec seulement quelques particules de bleu dans un espace sans relief. Puis je vis une forme blanche flotter, à des kilomètres au-dessus de moi. Je songeai que c'était peut-être une mouette, ou bien Livia, tournant et tournant dans son planeur, à la recherche d'une chose dont elle ne soit pas déjà lasse. Tournant, tournant et ne la trouvant pas. Ne trouvant rien.

Je ne m'étais jamais lassée de Pearl. Je ne m'en serais jamais lassée. J'aimais tout en elle, même son écriture arrondie et ses souliers de toile blanche. Chaque poil de son corps. Son effarement devant les poissons tropicaux. Sa terreur de l'eau. Tout. Et je savais d'instinct que le fait, pour une personne, de tout aimer d'une autre, jusqu'au moindre petit détail, n'est pas aussi rare qu'on pourrait le croire. Ce qui est rare, c'est que cela apporte le bonheur. Ce que cela apporte, c'est l'épuisement.

Je ne m'en étais pas aperçue jusqu'à la révélation du secret de Pearl. Je m'étais abusée en me disant qu'un jour, devenue Martin, je prendrais Pearl dans mes bras et l'y garderais. Je l'avais toujours cru sans le formuler une seule fois. Je voyais, comme raison sociale de mon avenir : « Martin et Pearl, estb, vers 1976. »

Il n'était donc pas surprenant — en tout cas pas

pour moi — que lorsqu'elle m'avait parlé de Timmy, je lui aie jeté une lampe, puis un livre, le vase de fleurs et tous mes oreillers de malade. Puis j'avais jeté sur elle une chose plus terrible encore : moi-même.

La lampe avait fait tomber Pearl à terre. Puis le vase lui était arrivé sur la tête, se brisant en mille fragments, tandis que l'eau se répandait dans ses cheveux.

Elle tenta de se relever. Elle répétait : « Non, Martin ! Non ! », mais je lui intimai l'ordre de se taire. Je lui dis que je ne voulais plus jamais rien entendre d'elle, si ce n'étaient des mots d'amour pour moi.

Je me mis à genoux sur elle. Usant de toute ma force, je saisis ses fins poignets et les lui maintins derrière la tête, au milieu du verre brisé.

Je pouvais sentir mes plaies en triangle se rouvrir et commencer à saigner dans mes bandages, mais je disais que les bouches étaient des plaies pires encore, qu'elles pouvaient s'ouvrir sur des paroles plus douloureuses que toutes les hémorragies.

Ma bouche s'ouvrit et se posa sur celle de Pearl. Elle tenta de m'échapper en détournant la tête, mais ma bouche suivait la sienne. Ma tête était terriblement lourde, pleine de désirs refrénés.

Je l'embrassai. Je mis ma langue dans sa bouche et aspirai toute la douceur qui était en elle. Je m'enivrai de cette douceur. Et je posai ma poitrine douloureuse sur ses seins. Mon sang, traversant la gaze, venait la tacher.

Elle pleurait, le visage brûlant de chagrin. Et, progressivement, je sentis son ardente douleur se communiquer à moi. J'avais été un moment ivre de la douceur de Pearl, et, le suivant, je me retrouvais lourde, inerte, dévorée de honte.

Je cessai de l'embrasser. J'étais à genoux entre ses jambes. Elle sanglotait. Elle mit les mains sur son visage, me soustrayant à sa vue.

— Pearl, dis-je, je suis désolée. Je suis *désolée*. Pardonne-moi. Tu es ma précieuse chose...

Elle se releva et commença à entasser ses affaires dans sa valise. Il faisait nuit. Je tentai de la dissuader de partir, d'aller où que ce soit, mais elle ne me prêta aucune attention. Elle répétait :

— Je ne suis pas une *chose*. Je ne suis pas une *chose*. Je ne suis pas une *chose*.

Chose. Personne. Bien-aimée. Ce qui importait, c'était qu'elle me fût précieuse. Ce ne sont pas les noms que l'on donne qui font l'amour. C'est tout l'ensemble.

Et maintenant, elle est partie. Allongée au fond de mon bateau, j'implore l'univers de s'abattre sur moi et de m'écraser. Mais il n'y a aucun signe de l'univers. Il est ailleurs.

Ma vie se découpe heure par heure : une heure avec Sterns, une heure ici, sur l'eau. Mon bateau porte le numéro un. Quand mon heure est écoulée, le préposé m'appelle à l'aide d'un mégaphone :

— Vous, monsieur, dans le numéro un, revenez.

Je ne voulais pas que l'été arrive. Ou l'automne. J'essayais de ralentir le temps. En été ou en automne — je ne savais pas au juste — mon frère allait épouser Pearl. J'aurais voulu être morte d'ici là.

Installée dans le bureau de *Liberty*, je dessinais des rizières et des buffles au pâturage avec des bombes au napalm prêtes à leur tomber dessus. Je me plaçais secrètement dans chaque dessin.

Tony était parti. Rob était amoureux d'une fille nommée Electre. Je lui dis :

— J'ai l'impression que nous sommes tous dans une tragédie grecque.

— Mart, fit-il, accroche-toi à ce qui te reste.

Zorba était fermé. Je ne savais pas où tous étaient partis, Nico, Ari et les autres. J'étais arrivée là un soir, et le restaurant avait disparu, ne laissant derrière lui qu'une devanture recouverte d'affichettes annonçant des manifestations pacifistes et des concerts de rock. Je restai près de dix minutes à contempler cela, puis je rentrai chez moi, mangeai une tartine de confiture et repensai à Irene. Je dis le lendemain à Rob :

— Tu sais, il ne me reste pas grand-chose à quoi m'accrocher.

J'entrepris de compter les choses qui me restaient. L'une d'elles était Cord. Je ne lui avais pas écrit depuis longtemps. J'avais été trop lâche pour lui dire ce que j'avais fait à ma personne. Je me disais que le fait de me voir avec un embryon de barbe serait pire pour lui que la vue de quelques oies sauvages dessinant une flèche dans le ciel.

Mais maintenant, je voulais voir Cord. Il avait soixante-dix-huit ans. Je voulais m'asseoir dans un fauteuil en face de lui, boire du Wincarnis et parler d'histoire. Pas d'histoire avec un « H » majuscule, mais de la mienne. Je voulais savoir dans tous ses détails la vérité sur la mort de Livia, où, comment et pourquoi elle était partie. J'avais en effet pensé qu'il n'était pas trop tard pour apprendre à piloter un planeur ; j'avais encore la majeure partie de l'argent que m'avait donné Miss McRae.

J'écrivis à Cord une lettre où je me décrivais :

« Je suis plus Martin que la dernière fois que tu m'as vue. Je porte des lunettes à monture d'écaille, comme Ringo Starr. Les poils de mon visage sont vaguement châtains. Ma poitrine est plate mais pleine de cicatrices. La prochaine opération consistera à retirer mon utérus. »

Il me répondit aussitôt, en utilisant sa vieille encre verte.

« Est-ce une sale affaire ou un heureux événement ? demandait-il. C'est tout ce dont je me soucie. Est-ce un bien ou un mal ? »

Je n'envoyai pas de réponse à cette lettre. Je pris le train pour Norwich, où Cord vint me chercher avec sa nouvelle voiture, une Austin Allegro.

— Je la conduis si lentement, me dit-il, que je l'ai appelée Andante.

Il ne fit pas de commentaires sur mon apparence. Je m'étais attendue à ce qu'il s'évanouisse en me voyant, ou à ce qu'il se sauve à toutes jambes, comme si j'avais été un tronçon d'autoroute venu ravager les prairies de Gresham Tears. Tout ce qu'il dit fut :

— Martin Ward, je présume.

Durant le trajet en voiture, il me demanda :

— Est-ce un progrès ? C'est là la question.

Tout en contemplant les haies du Norfolk, je lui répondis :

— Oui. A part que ce n'est pas fini et qu'en fait, cela ne pourra jamais l'être.

— Non, fit-il. Cela paraît logique.

Puis, un peu plus loin, alors que nous traversions la ville de Bungay, il reprit :

— Nous sommes tous quelque chose d'autre à l'intérieur de nous-mêmes. C'est le vieux Varindra qui m'a expliqué cela. Mais il disait que c'était une erreur de penser que cette partie intérieure est complètement formée. Elle ne peut l'être. Rien ne pousse convenablement dans le noir.

Quand nous arrivâmes à Gresham Tears, nous fîmes un repas de bœuf bouilli et de mandarines en conserve. Cord s'était pris de passion pour les mandarines.

— Quand on devient vieux, dit-il, on a besoin de douceurs, Dieu sait pourquoi. Comme disait le dénommé Dylan, la réponse se promène quelque part, mais personne ne la trouve.

Après le dîner, nous nous installâmes près du feu avec nos verres. J'avais apporté quelque chose à Cord. C'était le médaillon en argent de Livia, avec une mèche de ses cheveux à l'intérieur.

— Je l'ai gardé, lui dis-je, pendant toutes mes années d'enfance et d'adolescence. Maintenant, je voudrais que tu l'aies.

Il le posa sur le bras usé de son fauteuil et le regarda.

— Je me souviens de cela, fit-il. Ce ne sont pas les cheveux de Livia, tu sais.

— Oh ! m'exclamai-je. Ma mère m'a toujours dit que c'étaient les cheveux de Livia.

— Non. Ce sont les cheveux de Sophia, la mère de Livia. Ton arrière-grand-mère. Liv a eu ce médaillon quand elle était encore enfant.

— Et ma mère ne le savait pas ? demandai-je.

— Je pense qu'elle avait oublié, dit Cord. Avec le temps, toutes ces choses deviennent confuses.

Je restai silencieuse une minute, à boire et à me réchauffer les pieds. Puis je déclarai :

— Les circonstances de la mort de Livia sont elles aussi devenues confuses avec le temps. Je ne les ai jamais vraiment connues. Je ne sais pas où elle allait, dans son planeur.

— Nulle part, fit Cord.

— Qu'est-ce que tu veux dire par là ?

— Elle n'allait nulle part. Elle décrivait simplement des cercles. Elle a décollé et...

— De quel terrain ? Où ?

— D'un endroit appelé Ashby Cross. Le club de vol à voile d'Ashby Cross. Pas loin d'ici.

— Et puis ?

— Elle effectuait un circuit, c'est tout. En profitant des courants ascendants.

— Et puis ?

— Elle en était à son deuxième tour. Elle a très brusquement perdu de l'altitude. Je ne regardais pas, Dieu merci. Je n'étais pas là. Mais elle a commencé à descendre, et descendre... Les gens du club ont dit qu'elle aurait pu s'en tirer s'il n'y avait pas eu les câbles.

— Quels câbles ?

— Les câbles à haute tension. Electriques. C'est pourquoi j'ai dit aux gens de Mountview de ne pas faire d'électrochocs à ma fille. Une seule suffisait.

— Elle a heurté les câbles électriques ?

— Oui.
— Elle a été *électrocutée* ?
— Oui, mon vieux.
— Pourquoi ne me l'a-t-on jamais dit ?
— Sais pas.
— J'imaginais tout autre chose.
— Vraiment ? Qu'imaginais-tu ?
— Une chose impossible : qu'elle avait simplement plané dans le ciel et disparu.
— Eh bien, fit Cord, voilà le problème. Ce que nous rêvons est toujours supérieur à la réalité, non ?
Nous fîmes une partie de scrabble. Cord plaça le mot « quiétude » sur un triple, en utilisant toutes ses lettres, et marqua cent trente-trois d'un seul coup. Nous continuions à boire. J'avais les lettres y, a, i, x, t, l, l, et j'aurais voulu pouvoir former, par quelque miracle, le mot « axolotl ». Mais Cord me regarda soudain et me dit :
— Puisque tu es ici, Martin, je pense qu'il est temps pour toi d'aller régler tes problèmes avec Estelle.
Je demandai, sans lever les yeux de mon assortiment de lettres :
— Elle est à Mountview ?
— Non, dit Cord.
J'abandonnai « axolotl » et formai « tilly ».
— Qu'est-ce que c'est ? demanda Cord.
— Une lampe, dis-je. Une lampe à gaz.
— Il faut un « e », dit alors Cord. « T-i-l-l-e-y ».
— Pas toujours, affirmai-je. Il y a une autre orthographe. Je ne peux pas voir ma mère, Cord. Ne me le demande pas.
— Quand, alors ?
— Je ne sais pas. Probablement jamais. Tout le monde, à Swaithey, appartient au passé. C'était une autre vie, et elle est terminée.
— Non, ce n'est pas vrai, répliqua Cord. Est n'appartient pas au passé. Elle est assise dans le noir, à regarder la télévision, et elle attend.
— Je ne veux pas en parler, dis-je.

— Elle ne veut pas dire ce qu'elle attend. Peut-être est-ce toi. Peut-être ton pardon.

— Ne me dis pas cela, Cord, implorai-je. Ne dis rien de plus. De la quiétude, s'il te plaît.

Une chose horrible se produisit alors. Cord se mit à pleurer. Il avait exactement la même expression qu'à Mountview, lorsque ma mère s'était essuyé le visage avec ses cheveux.

J'aurais voulu passer mon bras autour de ses épaules, mais je restai là, sans bouger. J'ôtai « tilly » du jeu. Je le laissai pleurer.

— Ecoute, Cord, lui dis-je au bout d'un moment. Dis-lui que je suis morte. Comme cela, elle n'attendra plus.

Je retournai voir Sterns.

Je lui racontai que, dans mes rêves, je faisais défiler en ligne tous ceux que j'avais autrefois aimés, et que je les réduisais en poussière avec un fusil d'assaut. Pearl devenait un millier de particules.

— Pensez à une chose, Martin, me dit Sterns. Il arrive que l'esprit se lasse de son paysage, tant externe qu'interne. Et je crois que le vôtre est beaucoup plus que lassé de l'un comme de l'autre. Je recommanderais que vous quittiez l'Angleterre pendant un certain temps.

— Pour aller où ? demandai-je.

— L'endroit n'a sans doute aucune importance.

— Vous voulez dire des vacances ? Ma vie n'est pas de celles dont on peut s'échapper en partant en vacances.

— Non, fit alors Sterns. Je ne veux pas parler de vacances. Je veux parler d'une longue période ailleurs. Je peux vous faire avoir une hystérectomie dès que vous en ressentirez l'envie, et, aussitôt que vous en serez remise, je pense que vous devriez partir et aller découvrir un autre endroit, une autre parcelle du monde. Tout ce que vous avez connu jusqu'ici, c'est l'Angleterre. Achetez-vous un globe terrestre et regardez-le, Martin. Rappelez-vous combien l'Angleterre est petite, et combien vaste est tout le reste.

Je ne dis rien. Je me sentais abasourdie.

— Eh bien ? demanda Sterns.

— Je ne sais pas, fis-je. Je n'avais jamais pensé à cela.

— Eh bien, pensez-y, maintenant. Vous dites que vous voulez mourir parce qu'il n'y a plus rien à quoi vous teniez en Angleterre. Vous avez vingt-sept ans. Partez et allez découvrir quelque chose de nouveau.

— Le problème, dis-je, c'est l'été. Je ne veux pas le vivre.

Sterns porta une note sur son bloc. Beales écrivait tout ce que l'on disait. Sterns n'écrivait que de temps à autres.

— Vous pouvez subir votre opération pendant l'été, dit-il. Comme vous le savez déjà, la chirurgie suspend le temps.

Ce soir-là, j'empruntai un atlas à Rob, et nous nous retrouvâmes à genoux sur le plancher, le derrière en l'air, à en tourner les pages.

— L'ennui, Mart, me dit-il, c'est que tu ne connais personne nulle part, si ce n'est Tony à Sydney, et il nous a trahis pour sa foutue Bella, avec ses cheveux à la con.

— Connaître des gens n'a aucune importance, affirmai-je.

— Si, cela en a, fit-il. Tu n'as jamais été une exilée. Moi si. Je sais ce qui a de l'importance et ce qui n'en a pas.

Estelle :

Nous avons un mariage à Swaithey. Cela va se passer le 4 juillet, le jour de la fête de l'indépendance américaine. Je trouve cela paradoxal. Mais je suis la seule. Les autres me disent :

— Estelle, tu vois des problèmes partout.

Mais il y a bel et bien des problèmes partout. Il y a un problème pour se lever le matin. Il y a un problème pour se rappeler pourquoi on est en vie.

Les mariages me constipent. J'ai besoin de me contenir, de tout retenir en moi. Mais ce mariage-là est le dernier qui ait quelque importance : celui de Timmy et de Pearl. C'est celui que nous nous rappellerons jusqu'à ce que nous disparaissions.

Je suis allée voir toutes les personnes intéressées pour savoir ce qu'elles pensaient et ce qu'elles espéraient.

Irene passait ses jours et ses nuits à coudre. Elle avait acheté vingt et un mètres de satin blanc chez les demoiselles Cunningham. On eût dit qu'un parachute lui était tombé sur les genoux. Il y avait, dans une boîte, sept cents perles, fausses, bien sûr, mais ressemblant à des vraies.

— Quand je l'ai appelée Pearl, me dit Irene, j'ai imaginé exactement cela : un corselet incrusté de perles.

Je l'ai aidée à terminer la traîne. Pearl est montée sur un tabouret, en culotte et soutien-gorge, tandis qu'Irene ajustait directement sur elle des pans de la robe. De son tabouret, Pearl regardait par la fenêtre les gens qui passaient dans la rue. Elle avait l'air préoccupée et absorbée, comme si elle essayait de résoudre dans sa tête une opération longue et compliquée.

Quand elle fut sortie de la pièce, je demandai à Irene :

— Est-ce ce que tu veux ?

— Est-ce ce que je veux ? répéta-t-elle.

Alors, Billy entra.

— Fais attention, lui dit Irene avant qu'il n'ouvre la porte.

Billy est maintenant un adolescent. Il est gentil et grassouillet, comme Irene. Il contempla un instant les flots de satin, puis il dit :

— Maman, nous allons pêcher, Papa et moi.

— Très bien, dit Irene. Emportez le grand parapluie.

Dehors régnait une chaleur torride. Irene avait oublié jusqu'au temps qu'il faisait. Son esprit était tout entier concentré sur un autre paysage, celui de la robe de mariée de Pearl. C'était tout ce qu'elle pouvait voir. Elle parlait avec des épingles plein la bouche. Elle caressait le satin comme elle eût caressé la peau d'un amant. Elle l'appuyait sur son visage. Elle avait oublié ma question.

— Moi, fit-elle, je n'ai jamais eu de mariage en blanc.

J'invitai Pearl à la ferme. Pour l'occasion, j'avais mis du rouge à lèvres et noué mes cheveux en chignon. J'avais préparé des crêpes au haddock Findus avec des brocoli. Sonny était resté à prendre le frais dans la grange.

— Timmy et toi, dis-je à Pearl, vous me paraissez encore des bébés. Etes-vous prêts pour tout cela ?

— Comment quiconque peut-il savoir qu'il est « prêt » ? demanda-t-elle.

Je pensai à Sonny et à moi, au désir qu'à cette époque nous ressentions à tous les instants.

— Pourrais-tu vivre sans lui ? demandai-je.

— Oui, je le pourrais, répondit Pearl. Mais je ne le veux pas.

— Est-ce qu'il t'a fait l'amour ?

Pearl rougit. Puis elle me lança un regard très froid. Elle pensait que cela ne me regardait pas, et elle avait raison.

— Timmy est un chrétien, rappela-t-elle. Il va être pasteur.

— Je le sais, fis-je.

— Mais nous voulons des enfants, poursuivit Pearl. Nous en voulons tous les deux. Nous en avons parlé. Voilà le moment que j'attends.

Elle était assise en face de moi à la table de cuisine, et le soleil, jouant dans ses cheveux, les faisait étinceler comme du verre brillant.

— Tu es si belle, Pearl, lui dis-je. Tu aurais pu avoir tous les hommes que tu aurais choisis.

— J'en ai assez d'être belle, répliqua-t-elle. On me l'a répété toute ma vie. Tout ce que je veux, maintenant, c'est être moi-même, avec Timmy. Et ensuite être une mère.

— Et ta vieille ambition ? demandai-je.

— Quelle ambition ?

— De devenir assistante dentaire. Je me souviens que, lorsque nous jouions à « Quel est mon métier ? », à Mountview, il y en avait une. Du moins, je crois que c'est ce qu'elle était. Elle s'appelait Anthea. Pour mimer son travail, elle se penchait en avant et regardait attentivement quelque chose. Ce quelque chose était une bouche, mais nous ne l'avons jamais deviné. Cela aurait aussi bien pu être le Grand Canyon du Colorado ou un papillon sur le bord de la fenêtre.

Pearl me regarda fixement. Je préférai ne pas imaginer ce qu'elle pouvait penser.

Au bout d'un moment, elle dit :

— Comme vous le savez, nous allons prendre un logement à Brighton. Je travaillerai chez un dentiste de là-bas jusqu'à ce que Timmy ait fini ses études à Teviotts.

— Et ensuite ? demandai-je.

— Ensuite, nous verrons, fit-elle. Nettoyer la bouche des gens et les aider à rester calmes est un bon entraînement pour la maternité.

— Ce que tu aimais, c'était la biologie.

— Oui, dit Pearl. J'aime encore cela. J'ai dit à Timmy que j'aimerais bien avoir des poissons.

J'ai tenté de savoir à quoi rêvait Timmy. Il m'a répondu :

— A la paix.

Il a grandi depuis son entrée à Teviotts. Il a travaillé si dur que cela lui a allongé les os.

— Tu veux dire la paix de l'esprit ? demandai-je.

— Simplement la paix, dit-il. Je ne croyais pas la

trouver avec une créature humaine. Je pensais qu'elle ne pouvait se trouver que dans les choses abstraites, indéfinissables.

— Et puis ?

— A la minute où j'ai pris Pearl dans mes bras, ce jour-là, j'ai ressenti un calme absolu, parfait.

Je lui souris. Il se confie si rarement à moi. C'est son père qui est venu me dire que Timmy voulait entrer dans les ordres. Tim lui-même n'en avait pas le courage. Nous étions assis devant la télévision. Un film passait, le son mis très bas. Doris Day commença à chanter presque silencieusement sous plusieurs couches de tulle. Sonny était dehors, promenant son chien dans la nuit.

— Es-tu vierge, Tim ? demandai-je.

Il détourna le regard et dit :

— Pourquoi t'intéresses-tu autant à la vie des autres ? Pourquoi ne t'intéresses-tu pas plutôt à la tienne ?

J'ignorai sa remarque. Je reportai les yeux sur la télévision. Rock Hudson survenait à la fin de la petite chanson de Doris et lui tendait une brassée de roses.

— Vous me paraissez tous deux des bébés, Tim, dis-je. Je ne veux pas que vous vous perdiez, c'est tout.

— C'est toi qui es perdue, me répondit-il.

Puis il me laissa regarder seule le reste du film. J'adore les films. Quatre-vingt-dix-neuf pour cent d'entre eux se terminent avec un avenir très bien arrangé.

Sonny essaie de réarranger l'avenir. Il croit le pouvoir.

— Si tu étais à Mountview, lui ai-je dit, on t'expliquerait ce que c'est que l'illusion.

— Je ne suis pas à Mountview, a-t-il répondu. Alors, ferme-la.

Il rêve, tout simplement. Il s'est mis dans la tête que Timmy allait changer d'avis à propos de la ferme. Il croit que, lorsque les études à Teviotts seront terminées, Timmy et Pearl reviendront dans le Suffolk pour reprendre la ferme.

Je me demande où nous irions vivre, Sonny et moi.

Il compte peut-être nous construire un abri antiatomique avec électricité et tout-à-l'égout. Nous dormirions dans des couchettes, moi en haut, et Sonny et Wolf en bas.

— C'est évident, soutient Sonny. Réfléchis un peu. Il voudra une vraie maison pour sa femme. Et c'est ici qu'elle a, elle aussi, ses racines. Elle voudra être près de Swaithey. Réfléchis un peu. C'est la seule conduite logique pour eux.

Je lui rappelle que le monde n'est pas logique. Que c'est là l'obstacle insurmontable qu'on peut trouver sur la route du bonheur humain.

Sonny ne répond pas. Il me regarde, en m'examinant, et il dit :

— Comptes-tu t'occuper un peu de tes cheveux, avant le mariage ? Tu ne peux y aller comme cela.

J'ai fait couper et permanenter mes cheveux. La tête couverte de gros rouleaux, je me disais qu'à ma connaissance Ava Gardner n'avait jamais eu de permanente.

Je paraissais soudain très nette et très vieille. Plus vieille d'une génération que je ne le suis en réalité.

Ce grand jour du 4 juillet, bien avant l'aube, avant qu'Irene ne se soit levée pour repasser une dernière fois la robe, avant que Timmy ne se soit éveillé et n'ait commencé à dire ses prières, j'eus un orgasme.

Rien ni personne ne m'avait touchée, sauf en rêve. Et je n'arrivais pas à me rappeler quand cela m'était arrivé pour la dernière fois. C'était peut-être en 1966, quand j'étais amoureuse de Bobby Moore, le capitaine de l'équipe d'Angleterre.

Un séminariste de Teviotts habitait chez nous. Il s'appelait Julian et il était très grand, avec des mains très blanches. Il me faisait penser à un bambou. Il devait être le garçon d'honneur de Timmy.

Il n'y avait pas de demoiselles d'honneur. C'était Billy, habillé en page, qui portait la traîne en souriant. Pearl était la seule femme participant à la cérémonie. Quand nous entendîmes le bruissement des vingt et un mètres de satin, nous nous retournâmes et nous restâmes tous muets en découvrant la plus belle mariée qu'on ait jamais vue de part et d'autre de l'océan.

Elle était au bras d'Edward, qu'elle regardait en souriant. J'entendis un froissement de taffetas à côté de moi ; Irene cherchait son mouchoir.

Mais tout ne se déroula pas comme prévu.

A mi-chemin dans la nef, Edward s'effondra. Il tomba de côté, en entraînant Pearl avec lui, et se cogna la tête sur un prie-Dieu. Pearl tomba sur lui, le recouvrant presque de sa robe. Elle se mit à hurler. Billy devint très pâle et se couvrit la bouche avec la traîne.

Je restai où j'étais, pétrifiée. Irene, Sonny et Timmy se précipitaient.

La marche nuptiale continua quelques mesures, puis s'interrompit. Mon père, qui se tenait à côté de moi, avec une pivoine blanche à la boutonnière, me saisit le bras et dit :

— Du calme, Est !

Edward fut transporté sous le porche. Pearl pleurait. Le bambou restait près de l'autel, oscillant.

Je m'assis. Je me sentais épuisée. Je me dis que cet orgasme m'avait épuisée avant même que la journée ne commence.

— Est-il mort ? demandai-je à Cord.

— Presque certainement pas, répondit-il.

Le pasteur passa près de nous, la tête haute. C'est un homme orgueilleux et sans grâce. Timmy est toute humilité et douceur comparé à lui. C'est peut-être qu'un seul des deux croit en Jésus.

— Je ferais mieux d'aller voir, dis-je.

Nous trouvâmes Edward vivant, assis sur un banc de pierre.

Irene et Billy avaient les bras passés autour de lui. Pearl était agenouillée à côté de lui, essuyant ses larmes avec son voile. Timmy et Sonny considéraient gravement la scène. Le pasteur se tenait à côté, croisant et décroisant les mains. Devant le porche, le soleil de juillet brillait sur le gazon et sur les vieilles pierres tombales toutes bancales.

Edward s'excusait. Il disait :

— Je ne m'étais évanoui qu'une seule fois auparavant, et c'était sur un terrain de cricket. Une seule fois...

— N'essaie pas de parler, Edward, fit Irene.

— Non. N'essaie pas de parler, papa, dit Billy.

— Ne parle pas, lui demanda Pearl en pleurant.

— C'était la chaleur, fit Edward, désobéissant à toute sa famille. C'est tout. Cela et les nerfs. Je serai tout à fait remis dans un moment, Pearl, et nous y retournerons.

— Non, dit Irene.

Elle caressait les cheveux blancs en désordre d'Edward. Il avait une coupure au front, à l'endroit où il avait heurté le prie-Dieu.

— Il vaudrait mieux que vous restiez tranquille, mon vieux, intervint Cord.

Je ne dis rien. Je me sentais trop fatiguée pour parler. Mais j'étais heureuse qu'Edward soit en vie. C'est l'une des rares personnes ici que tout le monde regretterait.

— Je vais te remplacer, papa, dit Billy. J'ai toujours rêvé de me débarrasser de Pearl.

Nous sourîmes tous.

Pearl se releva. Sa robe aux sept cents petites perles était salie et poussiéreuse.

— Il faut que nous fassions soigner cette coupure, dit Irene.

On reconduisit Edward chez lui en voiture. Irene, Pearl et Billy l'accompagnèrent. Je me sentais triste pour Tim.

Nous restâmes tous assis au frais dans l'église, à attendre. L'organiste nous joua un peu de Bach.

Tim et le bambou, agenouillés côte à côte, priaient.

Je me dis qu'il était heureux que nous fussions en été, sans la menace de voir bientôt tomber la nuit. Je fermai les yeux. J'entendis une voix, près de moi, qui disait : « Mère... »

J'ouvris immédiatement les yeux. Je regardai tout autour de moi. Mais elle n'était pas là, bien sûr. Elle est dans le passé. Ce n'est que très rarement, et à des moments comme celui-ci, où l'on attend que le présent reprenne son cours, qu'elle se glisse dans mon esprit...

Finalement, le présent reprit son cours.

Billy conduisit Pearl à l'autel. La traîne suivait, balayant le sol. Edward était assis au premier banc, avec Irene, un pansement autour de la tête.

Billy Harker avait un sourire éblouissant. Il remit Pearl à mon fils, et le pasteur les déclara mari et femme.

— Ce sont des bébés, dis-je à Cord. Perdus dans les bois.

— Tais-toi, Stelle, fit-il. Donne-leur leur chance.

CHAPITRE XVII

1974

En Terre sainte

Bentwater Bliss habitait dans un camping-car.

— J'ai vendu le moteur depuis longtemps, précisa-t-il à Walter. Mais je continue à l'appeler comme cela.

Il avait sa propre boîte aux lettres, accrochée à un poteau de bois. Il était le numéro 315 du terrain de camping. Celui-ci était situé entre une banque pour automobilistes et un cimetière.

— D'un côté tu encaisses tes sous, disait Bentwater. Et de l'autre tu fermes ton compte.

Le camping-car rappelait à Walter le bus de Pete Loomis. Il trouvait remarquable que deux hommes passionnés de chanson vécussent tous deux dans des véhicules ne pouvant plus bouger. Il décrivit à Bentwater le trolleybus, sans électricité, avec les vaches s'assemblant autour de lui à la tombée du jour. Et Bentwater secoua la tête en disant :

— Cette putain d'Angleterre !

Bentwater avait un projet. Quand il avait entendu Walter chanter, il avait reconnu la qualité, et une idée lui était venue aussitôt : il allait devenir l'agent de Walter. Walter avait la voix et lui, Bentwater, connaissait la ville. Ensemble, ils allaient devenir riches.

Il attendit, écouta et laissa le temps s'écouler. Puis il dit à Walter :

— Ecoute un peu, Walt. Voilà le topo. Nous écrivons des chansons jusqu'à ce que les yeux nous sortent de la tête. Nous embauchons quelques techniciens. Nous enregistrons une bande de démonstration. Et, ensuite, c'est le Vietnam : le bombardement intensif. Nous frappons à toutes les portes sur la Sixième Avenue. Nous arrosons au napalm les compagnies de disques et les stations de radio. Nous réveillons tout Nashville. Et tout ce que je prendrai, ce sera vingt pour cent.

Walter rentra chez lui, au 767. Il pensait maintenant au 767 comme à « chez lui ». Le printemps était là, et les châtaigniers commençaient à avoir des feuilles. Devant la maison, il y avait deux amandiers en boutons. Dans les quelques jours qui venaient, des fleurs allaient brusquement éclore, tout comme Pete l'avait dit. Les fleurs seraient framboise, comme les draps en rayonne de Cleo.

Il dit à Audrey et à Bill C. que Bentwater Bliss allait devenir son agent, et Audrey répliqua aussitôt :

— Il y a des vrais agents à Nashville, cher. On pourrait vous en trouver que vous iriez voir.

— Ils ne me connaissent pas, fit Walter. Ils ne travailleront pas pour moi. Bentwater, lui, le fera.

— Il travaillera pour toi, intervint Bill C., et, ensuite, il te roulera dans la farine. C'est aussi simple que cela.

Walter écrivait régulièrement à Pete. Il s'efforçait de lui tracer un tableau de sa nouvelle vie. Il évoquait son travail, les feux d'herbes de l'automne, les menus bricolages de l'hiver, les semailles du printemps. Il énumérait ce que lui donnaient les femmes pour lesquelles il travaillait : des bocaux de condiments, des tranches de tarte, des melons d'eau, des sucreries faites à la maison, des boîtes de tabac, des chemises à bon marché, un club de golf et une boîte de vieilles fusées de feu d'artifice.

« Dès que je suis arrivé ici, écrivait-il, j'ai senti que j'étais au bon endroit. Et maintenant, avec l'aide de Bentwater, en qui j'ai confiance malgré ce que peut penser Bill C., je crois que je vais pouvoir enfin chanter. Je te dédierai ma première chanson. Je n'ai pas oublié Jimmie Rodgers, le Serre-Freins Chantant, ni les heures où j'écrivais *Oh, Sandra* parce que j'étais amoureux. Si cela tourne bien, c'est à toi que je le devrai. »

Il n'écrivait pas à Grace.

Il pensait à elle. Il était heureux que ses journées fussent sagement terminées à l'heure où les siennes commençaient. Il laissa passer son anniversaire. Quand il serait vraiment devenu chanteur, il lui donnerait des nouvelles. Il lui annoncerait : « Tu as un fils célèbre. »

La première fois qu'il chanta en public, ce fut à un enterrement.

La défunte était une femme de soixante-deux ans nommée Mrs Riveaux. Elle n'était pas enterrée dans un cimetière quelconque, mais sous un magnolia géant dans sa ferme, près de Franklin.

— Elle aimait cette terre, expliqua Bentwater, et elle aimait la musique du pays. C'était une vraie femme du Tennessee. Elle savait même danser.

Son mari était un juge à qui Bentwater devait la vie. C'était pourquoi Bent et Walter allaient chanter aux obsèques de sa femme ; le juge n'oubliait jamais les gens qu'il avait sauvés. Il savait qu'une personne ayant eu besoin d'être sauvée une fois pouvait nécessiter d'autres sauvetages périodiques.

— Comment t'a-t-il sauvé, Bent ? demanda Walter.

Ils étaient dans le camping-car, en train de boire de la bière. Le petit réfrigérateur électrique vibrait dangereusement.

— Il m'a sauvé en me faisant travailler pour lui à la ferme, répondit Bentwater. J'avais comparu devant lui pour vagabondage. Je dormais sur un tas de sable. Je faisais les poubelles. Je volais du tabac. Il aurait pu m'envoyer en taule, mais il ne l'a pas fait. Il m'a fait venir à la ferme et travailler pour le gîte et le couvert. Je dormais dans ce qui avait été autrefois une cabane d'esclaves. Je crois que mon matelas était encore imprégné des fluides corporels des esclaves, car il avait une odeur humaine. Mais c'était mieux que le sable.

« Et Ma'ame Riveaux, elle était gentille avec moi. Elle me donnait des vêtements. Je ne savais pas à qui ils avaient appartenu. Elle me donnait du savon et les journaux de la veille. Et je chantais pour elle et pour le juge. En été. Nous nous installions sous le porche, sans autre lumière que celle des lumignons antimoustiques, et nous chantions.

— Combien de temps es-tu resté là ? demanda Walter.

— Oh, peut-être un an. Jusqu'au moment où j'en ai eu marre de regarder le ciel. Je ne suis pas fabriqué pour vivre dans une ferme.

— Moi non plus, remarqua Walter.

— Je veux dire que c'est très bien pendant un moment, mais ensuite on s'en lasse.

— Oui. On s'en lasse.

— Entre-temps, j'avais fait la connaissance de Fay May. Elle m'a donné ma chance au Lounge, en me laissant chanter pour un peu d'argent. Je me suis acheté une vieille bagnole et j'ai habité dedans. Je l'avais garée près du tas de sable, pour bien voir où je vivais avant. Je ne suis pas Nietzsche ou Wittgenstein, Walter, mais il y a une chose que je pense, c'est que si tu ne te souviens pas d'où tu es sorti, tu peux très bien y retourner sans même savoir où tu te retrouves, et là, tu es vraiment dans la merde. Tu tournes en rond et c'est la fin de tout.

Les Riveaux étaient baptistes. La cérémonie se déroulait dans une petite église blanche isolée au milieu des terres de la famille.

Walter écrivit à Pete :

« Autour de l'église, il y avait un jardin — des pelouses et des massifs de fleurs — et j'ai dit à Bent : "Mon oncle a été jardinier d'une église à Memphis", et il a fait : "Sans blague, Walt ?"

« Le cercueil de Mrs Riveaux était en ébène. Elle devait être grande car il m'a paru immense. Il y avait une tonne de fleurs.

« J'avais dû m'acheter un complet pour l'enterrement, en même temps qu'une cravate de cuir noir. Bentwater avait des bottes en lézard, mais les miennes étaient toutes simples.

« Le pasteur parla de la grande bonté de Mrs Riveaux. Il dit que le juge et elle aimaient toutes les créatures vivantes, y compris les nègres, les pauvres et les cochons dans les champs. Il représentait Mrs Riveaux comme une sorte de Jésus féminin. Il déclara enfin que la ferme Riveaux était une enclave de beauté dans un monde dévasté.

« Bent me présenta comme son nouveau partenaire. Il n'était pas question de parler d'agent ou d'impresario devant une congrégation assemblée. Il dit que j'étais venu du Suffolk, en Angleterre, jusque dans le Tennessee par amour du chant.

« Je jouais de la guitare et Bent de la mandoline. Nous conduisions les cantiques. L'assistance chantait très fort, comme si tous avaient appartenu à l'Armée du Salut.

« Puis nous chantâmes deux chansons composées par Bent, et que Mrs Riveaux appréciait tout particulièrement. Nous avions mis au point quelques très jolies harmonies, ct je pouvais voir pas mal de gens pleurer dans l'assistance. Les titres des chansons de Bent étaient *L'Oiseau dans le ciel* et *Dans mon jardin, il y a une rivière qui coule jusqu'au Paradis*.

« Nous n'assistâmes pas à l'inhumation. Ce fut une cérémonie privée, sous un magnolia. Avant notre départ, le juge vint vers moi et me serra la main en me disant : "Bienvenue au Tennessee. Je vais dire des prières pour votre réussite dans la carrière que vous avez choisie." Le mot de "carrière" me sembla un peu bizarre, mais je suppose que chacun emploie son propre vocabulaire. »

Au moment des obsèques de Mrs Riveaux, le répertoire de Walter pour la bande de démonstration était presque complet. Il avait économisé jusqu'au moindre cent de ses gages d'homme à tout faire pour le jour où Bent et lui pourraient engager des musiciens d'accompagnement, louer un studio et graver la bande. Il se représentait ce jour-là sous la forme d'un gros morceau de rocher. Il se trouvait dans une caverne — une caverne confortable, où il faisait chaud en hiver — et le rocher en bloquait la sortie. Comme il ne s'ajustait pas exactement à celle-ci, on pouvait distinguer de la lumière tout autour, et on pouvait entendre des orages au-dehors.

Il parla de son rocher à Audrey Pike, qui lui dit :

— Tout ce que je souhaiterais, Walter, ce serait que vous ne placiez pas votre confiance en Bentwater Bliss.

Il lui fallait ne pas tenir compte de cette mise en garde. Personne n'avait fait confiance à Pete Loomis, sauf lui. Et Bentwater était devenu son mentor et son guide. Sans lui et sans toutes les heures passées avec lui dans le camping-car, il aurait perdu pied depuis longtemps. Il se serait résigné à passer sa vie à ratisser des feuilles.

Et puis Bentwater fut à l'origine d'un autre événement. Un vendredi après-midi, Walter se retrouva avec lui derrière la scène du Ryman Auditorium, au milieu des câbles, des poulies et des sacs de sable faisant monter et descendre les décors derrière le rideau bleu et or fatigué.

Bentwater devait faire une apparition unique dans le spectacle ce soir-là, et il était venu répéter. Il évoqua pour Walter les origines du Ryman.

— C'est une terre sainte, Walt, dit-il. A plus d'un titre. Cela a d'abord été un temple où venaient prêcher tous les évangélistes de passage. Maintenant, c'est La Mecque de la country music. C'est là que se font les vedettes : Roy Acuff, Loretta Lynn, Patsy Cline, Bill Monroe, Hank Snow, Hank Williams, Minnie Pearl, Johnny Cash... tous ceux que tu peux imaginer. Elvis a chanté sur cette scène en 54. La température, ici, peut monter jusqu'à 40 degrés. L'air est sacré. Tu le sens ? Et ce sont les derniers jours. Ensuite, tout va se transporter dans une nouvelle salle de concert appelée Opryland.

Walter contempla les affiches publicitaires sur les murs, les sièges de bois dur et les vitraux de la verrière, au-dessus de lui. Il s'apprêtait à dire qu'il sentait bel et bien le caractère sacré de l'endroit, quand une fille mince, portant un chandail, une jupe étriquée et des souliers à talons hauts, vint prendre Bentwater par le bras en lui disant :

— Salut Bent. Comment va ?

Bentwater embrassa la fille. Elle portait un rouge à lèvres très sombre. Son visage était long et pâle. Walter la regarda et trouva qu'elle avait l'air fatiguée, qu'elle semblait avoir besoin de quelqu'un.

— Je racontais à Walter l'histoire de cet endroit, dit Bentwater. Walter vient d'Angleterre.

— Eh bien, ça alors ! s'exclama la fille.

Walter tendit la main, et la fille la secoua légèrement, en la serrant à peine.

— Voilà Skippy Jean Maguire, dit Bentwater. Elle chante en accompagnement à l'Opry depuis quelques années déjà. Tu peux chanter tout ce que tu voudras, Walter, et Skippy Jean trouvera les harmonies. Et elle a tout appris à l'oreille. Elle ne sait pas lire une note de musique !

— C'est vrai, confirma Skippy Jean. Les partitions, pour moi, c'est du japonais. Vous êtes chanteur, alors, Walter ?

— J'essaie, fit Walter. Je pense que je vais y arriver.

— Il *est* chanteur, affirma Bentwater. Il a chanté avec moi à l'enterrement de Ma'ame Riveaux, et nous avons fait pleurer toute l'église. Et maintenant nous allons enregistrer une bande de démonstration. Tu as devant toi une future vedette, Skippy Jean.

— Vrai ? dit-elle.

— Bent va être mon agent, intervint Walter.

Skippy Jean envoya à Bentwater un petit coup de poing dans l'estomac.

— Doux Jésus ! fit-elle. Vous voulez dire que vous lui faites confiance ?

— Oui, assura Walter.

— Sacré bon sang ! rétorqua-t-elle. Moi, je ne me fierais pas à Bentwater Bliss plus loin que je peux cracher. Vous feriez mieux d'avoir quelqu'un pour veiller sur vous, chéri. Sinon vous allez finir sous les ponts.

Walter sortit un paquet de chewing-gum de sa poche et en offrit une tablette à Skippy Jean.

— Vous pourriez veiller sur moi si ça vous tente, lui dit-il.

Elle le regarda, Bentwater le regarda. Ce qu'il venait de dire avait sonné comme une déclaration. Il aurait dû se sentir gêné, mais tel n'était pas le cas. Skippy Jean prit la tablette de chewing-gum.

Il la regarda toute la soirée.

Ils étaient trois chanteurs d'accompagnement — deux femmes et un homme. Assis sur de hauts tabourets, près des microphones, ils attendaient le moment d'intervenir. Et, à ces moments-là, ils chantaient comme ils respiraient, comme si le chant leur était naturel, jusque dans leur sommeil. Ils rapprochaient leurs têtes. Walter ne cessait de se dire qu'il aurait bien aimé rapprocher ainsi sa tête de celle de Skippy Jean.

Bentwater chanta *L'Oiseau dans le ciel.* Skippy Jean et les autres lui fournirent un accompagnement plus harmonieux et plus suave que celui réalisé par Walter à l'enterrement.

A la fin de la soirée, très tard, tous allèrent en groupe chez Fay May. Walter s'assit à côté de Skippy Jean. Elle fumait cigarette sur cigarette. Il respirait son parfum et sa fumée.

Ses passions désespérées du passé lui revinrent en

mémoire, mais il se dit que ce passé-là était maintenant très loin de lui. Il avait rompu avec lui en venant en Amérique. Il n'y avait plus, à l'horizon, qu'un point ne cessant de diminuer et qui ne tarderait pas à disparaître complètement de sa vue et de son esprit.

Il lui offrit à boire. Elle tenait son verre à deux mains, comme une enfant.

— Etes-vous mariée à quelqu'un ? lui demanda-t-il.

Elle ne répondit pas à la question. Elle posa son verre et lui sourit. L'un de ses faux cils se détachait au coin d'un œil.

— La façon dont tu parles, Walter, lui dit-elle, ça m'hypnotise complètement.

Près de la rivière

Timmy obtint son diplôme de Teviotts. Et il put sentir aussitôt l'hébreu, qu'il avait eu tant de mal à apprendre, quitter son esprit. Il se fit mal à la tête à tenter de le rattraper. Puis il renonça.

Il se demanda et il demanda à Pearl où allaient les connaissances perdues. Restaient-elles en suspension dans l'air, comme un essaim de mouches, attendant d'être redécouvertes ?

— Tim, lui dit Pearl, ta tête est pleine de choses invérifiables. C'est heureux que mon domaine à moi soit la biologie, non ?

La vue de Timmy en habit ecclésiastique émut David Tate. Il posa les mains sur la tête du jeune homme et dit une bénédiction. En son for intérieur, il priait Dieu de protéger Timothy du Mal.

La paroisse de Timmy était située dans le Shropshire, non loin de la frontière galloise. Pearl et Timmy allaient vivre dans une petite maison au toit d'ardoises, avec un jardin plein de choux. Il y avait deux chambres à coucher, une pour eux et une pour le bébé que Pearl attendait pour l'hiver. Les noms qu'ils avaient retenus étaient soit David soit Sophie.

L'église s'appelait St. Swithin. Elle partageait une vallée avec deux élevages de moutons, deux cents maisons et une piscine municipale. Quand Timmy vit cette piscine, au pied des collines herbeuses, il se dit que l'angle à 90° était devenu un angle à 180°. La ligne horizontale était la terre et le dôme parfait était le ciel.

Ils vinrent quelques jours à Swaithey, pour prendre congé. Ils n'habitaient pas à la ferme. Pearl aimait à se serrer confortablement contre Irene pour parler du bébé. Billy s'agenouillait aux pieds de sa sœur et posait sa tête contre son abdomen, cherchant à percevoir les signes de vie. Edward était allé chercher au grenier le berceau qu'il avait fabriqué pour Billy et l'avait donné à Timmy. Tout le monde, dans la maison, se sentait heureux et paisible.

Timmy et Pearl allèrent passer une journée à la ferme.

— *Une* journée, remarqua Sonny. Une seule foutue journée.

Ils s'installèrent dans la salle de séjour, avec le son de la télévision baissé. La permanente d'Estelle commençait à disparaître. Elle avait la moitié des cheveux raides et la moitié des cheveux frisés. Jamais Ava Gardner n'avait ressemblé à cela.

C'était l'époque de la moisson, mais il n'y avait pas de moisson. Dans quatre champs, il y avait des betteraves, et dans tout le reste des chardons et des mauvaises herbes.

— C'est toujours à toi, dit Sonny à Timmy. Tu as négligé la terre et elle est retombée en friche, mais elle est toujours à toi. Tu pourrais vivre ici avec Pearl et le bébé. Vous prendriez notre ancienne chambre. Nous vous ficherions la paix. Tu pourrais prendre la direction de la ferme...

— Non, fit Timmy.

— C'est ta dernière chance, insista Sonny.

— Tu sais bien que nous ne pouvons pas, dit Timmy.

— Comment cela ? Explique-toi un peu.

— Nous allons dans le Shropshire. Tout est arrangé.

— Je te dis que c'est ta dernière chance. C'est de la bonne terre, en dessous. Il y a moins de pierres que du temps de mon père. Cela a été la terre des Ward depuis avant la guerre de 14.

— N'insiste pas, Sonny, dit Estelle...

— Je n'insiste pas. Je lui dis simplement que c'est sa dernière chance.

— Le déjeuner est prêt, fit alors Estelle.

Ils passèrent dans la cuisine. Le chien se coucha sous la table, posant sa tête sur les chaussures blanches de Pearl.

Estelle avait fait cuire un poulet congelé, acheté tout apprêté, dans un sac en plastique, au rayon de surgelés de Grace Loomis. Estelle savait que ce poulet n'avait aucun goût. Mais elle préférait les choses sans aucun goût à celles ayant les saveurs d'autrefois.

— Il n'y a peut-être pas encore de comptoirs de surgelés dans le Shropshire, dit-elle, mais je pense que cela viendra avec le temps.

— Vous savez, intervint Pearl, le Shropshire est un très joli comté.

— Oui, fit Estelle, mais c'est à l'autre bout de l'Angleterre. Quand verrai-je mon petit-fils ?

— Je ne sais pas, dit Timmy.

— Aussi souvent que possible, déclara Pearl.

— Qu'est-ce que cela veut dire ? demanda Estelle.

— Cela veut dire aussi souvent que nous le pourrons, intervint Timmy. Nous ne pouvons pas être plus précis que cela.

— Rien n'est précis, reprit Estelle. Vous ne pouvez être précis que là-dessus : rien.

Un silence se fit. Pearl se dit que cela avait toujours été comme cela, dans cette maison. Cela avait toujours dû être comme cela, pour Timmy et pour Mary. Il y avait toujours dû avoir ce silence insupportable. Tout ce qu'ils pouvaient faire, c'était partir...

Timmy et Pearl s'en allèrent peu après le déjeuner. Ils avaient pris la voiture d'Edward.

Estelle les embrassa tous deux et leur dit :

— Veillez bien l'un sur l'autre, c'est le principal.

Sonny était silencieux. Il se contenta de les regarder avec un signe de tête. Puis, comme ils montaient en voiture, il lança :

— La chambre où je couche irait très bien pour le bébé.

Ils ne l'entendirent pas. Ils agitèrent la main et sourirent tandis que la voiture démarrait.

Estelle se refusa à se rappeler la date de l'événement qui suivit.

— Je ne peux pas être précise, déclara-t-elle. Personne ne le peut.

C'était après le départ de Timmy et de Pearl pour le Shropshire. Estelle regardait du tennis à la télévision quand cela se produisit. Elle aurait pu situer la date d'après le tournoi de Wimbledon, mais elle s'y refusa. Elle avait dit à Sonny avant qu'il sorte :

— Les joueurs américains ne renoncent jamais. Ils ne sont pas comme nous. Je peux te dire que Billie Jean ne va pas baisser les bras.

Sonny partit en direction de la rivière. Le chien, Wolf, était avec lui. Sonny avait pris son plus petit fusil de chasse, un calibre vingt à un coup qui lui servait à tirer des lapins. Après avoir été décimés par l'homme, les lapins étaient revenus. L'homme croyait toujours prendre de l'avance sur la nature, mais, toujours et toujours, celle-ci revenait à la charge et l'emportait.

C'était une journée humide et sans soleil. Les nuages formaient un lourd tapis entre le ciel et la terre.

Sonny ne savait pas, tout d'abord, pourquoi il avait choisi la rivière, mais quand il y arriva, il le sut. Sa mémoire était dans la rivière. Sa résolution aussi.

Il s'accroupit. La position était inconfortable à l'âge de cinquante-six ans. Il aurait voulu trouver une pierre pour pouvoir s'asseoir. Après être resté un moment accroupi, il se laissa tomber sur les genoux.

Il était à l'endroit où, autrefois, son père avait créé une plantation de saules. Cela rapportait de l'argent, à l'époque. On plantait des tiges de saule dans le sol en s'arrangeant pour que leur pied soit constamment arrosé. Ensuite, les tiges prenaient racine et devenaient de petits arbres dont jaillissait bientôt un faisceau de nouvelles tiges. On les grattait et on les vendait pour faire des toits ou des paniers. C'était « de l'argent qui ne coûtait rien ».

Tout, dans la vie du père de Sonny, était arrivé tard, sauf sa mort, qui avait été prématurée. Il était déjà vieux quand Sonny était petit garçon : un vieil homme, qui plantait ses saules près de la rivière, et disait en riant : « De l'argent qui ne coûte rien. » Mais ce n'était pas vrai. Des équipes entières de gamins, dont Sonny faisait partie, devaient écorcer et gratter les tiges de saule avec des espèces de ciseaux émoussés. Ils s'accroupissaient dans le champ à côté d'un amas de tige qui leur montait plus haut que la tête. Leur travail semblait ne jamais devoir finir. Et le père de Sonny se tenait à côté d'eux, le dos tourné, fier et joyeux. Il n'avait jamais compris combien leur travail était pénible. « De l'argent qui ne coûte rien. »

Qu'est-ce que j'attends ? se demandait Sonny. Qu'est-ce que j'ai attendu pendant tout ce temps ? Que quelqu'un me dise : « Tu as travaillé dur à écorcer les tiges de saule, voilà ta récompense et ton repos » ? Que quelqu'un me dise : « Tu as échappé à la mort sur le Rhin pour cultiver ta terre, et maintenant, tu peux te coucher et dormir en paix » ?

Il était totalement immobile, l'oreille tendue. Du temps de son père, du temps de sa mère, on parlait de la musique de la rivière. Sa mère venait d'une famille d'artisans. Ils fabriquaient des manèges de chevaux de bois. Ils entendaient de la musique là où il n'y en avait pas. Ils oubliaient que l'eau et le ciel sont durs et impitoyables. C'étaient des imbéciles.

Sonny ne savait plus depuis combien de temps il était là, agenouillé. Il sentait ses genoux absorbés par la terre. Il se dit qu'il ferait mieux d'agir avant que ses genoux ne prennent racine, comme des tiges de saule.

Il introduisit une cartouche dans son fusil et referma l'arme d'un coup sec.

Il tâtonna autour de lui, à la recherche d'un morceau de bois ou d'une brindille pour lancer au chien. Il trouva quelque chose. Un morceau de ferraille rouillé qui avait dû être l'anse d'un vieux seau.

Wolf, à côté de lui, se grattait le flanc. Sonny siffla. Les oreilles du chien se dressèrent.

— Apporte ! fit Sonny, en lançant la vieille anse de seau dans la rivière.

Le chien courut après l'objet. Au bord de l'eau, il hésita, comme l'avait prévu Sonny. Wolf n'adorait pas la rivière.

Sonny leva son arme. Il avait toujours aimé ce fusil pour sa légèreté et sa précision. Il visa la tête de Wolf, juste au-dessus du collier de cuir. Il fit feu et le chien s'effondra, moitié sur la berge et moitié dans la rivière. La force du courant allait, de toute manière, finir par l'entraîner.

Sonny pouvait s'entendre soupirer, murmurer et gémir tout seul, comme un demeuré. Dans le silence de la campagne, la détonation avait été assourdissante.

Ses mains tremblaient. Il savait qu'il lui fallait maintenant se dépêcher. S'il ne se dépêchait pas, il ne pourrait plus rien faire.

Il rechargea le fusil, en enfonça le canon dans son oreille abîmée et pressa la détente.

Ce fut Pete Loomis qui trouva le corps de Sonny.

Il était descendu à la rivière afin de cueillir du cresson pour Estelle. Celle-ci ne sortait presque plus de chez elle, sinon, de temps à autre, pour aller boire et danser avec Pete.

Pete revint à son bus. Il se versa un grand verre de whisky, qu'il avala d'un trait.

Il prit une couverture, retourna à la rivière et recouvrit le corps de Sonny.

Puis, en marchant très lentement, comme s'il cherchait ses pas, il se rendit à la ferme. En approchant de la maison, il pouvait entendre des applaudissements provenant de la télévision.

Il entra dans le salon. Estelle était à genoux devant le téléviseur et souriait. Dès qu'elle vit Pete, elle dit :

— Billie Jean a gagné ! Elle avait un set et demi de retard, mais elle n'a pas baissé les bras. Nous devrions être un peu plus comme les Américains.

— Oui, fit Pete.

Puis il alla s'asseoir lourdement auprès d'elle, sur le plancher, et il lui prit la main.

CHAPITRE XVIII

1975

Martin :

Chaque matin, quand je m'éveille, j'ai oublié où je suis. Il me faut regarder les meubles pour finir par me souvenir.

Si je suis ici, c'est parce que Rob en a eu l'idée.

— Mart, a-t-il dit, je viens juste de penser à quelqu'un que tu connais dans un pays lointain : ce garçon qui est parti pour le Tennessee.

— Walter ?

— Oui. Va là-bas. Il aura sûrement besoin d'un coup de main, maintenant. Et le sud des Etats-Unis se considère toujours comme un pays à lui tout seul. C'est l'un des derniers endroits imaginaires restant sur cette planète.

Je venais de subir l'hystérectomie, et, sur mon lit d'hôpital, je m'interrogeais. Sterns est venu me voir. Je lui ai demandé :

— Est-ce que le Tennessee serait un endroit approprié ?

— N'importe quel endroit est approprié, m'a-t-il répondu. Ce qui importe, c'est de quitter l'Angleterre. Utilisez l'argent que vous avez reçu de Miss McRae.

Mon adresse est 767, Greenwood Avenue, Nashville TN 37212. J'occupe l'ancienne chambre de

Walter. Celui-ci vit maintenant dans un appartement du centre-ville et porte un blouson incrusté de strass, mais cela, c'est une autre histoire...

Audrey et Bill C. Pike pensent que je suis un homme ordinaire, pas un homme imaginaire. Leur bonne à tout faire noire, Lois, nettoie ma chambre. Je n'ai plus rien qui ait appartenu à Mary. Mes sous-vêtements viennent de chez Burton. Je porte une écharpe de soie bien pliée à l'intérieur de mes slips bleus. Je possède sept de ces foulards. La sensation de la soie sur le bas-ventre donne une impression de grand raffinement.

Bill C. m'a trouvé un travail dans un supermarché. J'emballe des denrées alimentaires pour les clients dans de grands sacs en papier brun et je les porte jusqu'à leurs voitures. Certaines de ces voitures sont roses avec un volant blanc.

J'ai un très maigre salaire. Je vis surtout grâce aux aliments gratuits et aux pourboires. On est en janvier. Les voitures glissent et dérapent sur l'aire de stationnement. Quand la pluie tombe, elle se transforme en verglas. Parfois, les clients ont les doigts trop gelés pour me donner un pourboire. Mais je suis toujours poli. Je porte une toque de fourrure russe avec des rabats protégeant mes oreilles. Je touche ma toque en une sorte de salut. Les gens, ici, aiment que les choses se passent de façon protocolaire. Ils aiment que chacun connaisse sa place et y reste.

Je rapporte les denrées alimentaires à Audrey, et elle les utilise pour faire une cuisine très particulière : de la soupe aux haricots noirs, du pain de maïs et de la viande avec une sauce aux huîtres. Et elle me dit :

— Il m'arrive, Martin, d'imaginer que je cuisine pour les garçons que je n'ai jamais eus. Je suis complètement folle par moments.

Elle n'est pas folle du tout. Elle coud tout à fait normalement. Elle ne caresse pas la machine à coudre. Ses cheveux sont bruns et bien coiffés. C'est le genre de femme que tout le monde aimerait avoir pour mère. Même Lois l'adore. Elle lui apporte les dessins de dinosaures que ses enfants ont faits à l'école, et Audrey lui dit :

— Que c'est charmant, Lois, et que c'est gentil !

Elle colle les dessins sur le côté du réfrigérateur pour que Bill C. et moi puissions les admirer.

Quant à moi, j'ai cessé de dessiner. J'ai pris si longtemps le Vietnam pour sujet que je ne me souviens plus comment dessiner autre chose. Et la guerre du Vietnam est finie. Un pays peut devenir si las de quelque chose qu'il veut le vouer totalement à l'oubli. Je comprends cela.

La deuxième chose dont je me souviens quand j'ai, au réveil, regardé le mobilier autour de moi, c'est que mon père n'est plus en vie.

Alors, je me lève. Je prends une douche. Je commence ma journée. Je tends l'oreille pour capter les menus bruits de la vie : Lois arrivant, Bill C. chantant dans son bain, Audrey allumant la radio dans la cuisine. Je tire les rideaux, regarde au-dehors et sens une sorte de bonheur m'envahir.

Quand la nouvelle est arrivée, j'en ai mémorisé les termes. Je les ai enfermés à tout jamais dans mon esprit. J'ai senti quelque chose bouger en moi.

C'était Cord qui écrivait. La lettre était à l'encre verte, sans taches de Wincarnis. Les mots que je mémorisai étaient les suivants :

« Il semble que ce n'ait pas été un accident. Il a d'abord abattu le chien. Puis il s'est fait sauter la cervelle. »

« Il s'est fait sauter la cervelle. » C'est maintenant gravé à jamais dans ma mémoire.

Je prends un bus pour aller travailler. C'est presque toujours le même chauffeur. Il me dit : « 'Jour, monsieur. 'Ment va aujourd'hui ? » Et tous les matins sans faute, je me sens touché et je réponds : « Très bien. »

Au supermarché, les gens sont moins chaleureux. Il y fait froid. Les caissières portent des mitaines.

Elles ne considèrent pas les emballeurs comme faisant partie de leur monde. Pour elles, nous sommes invisibles. Elles bavardent entre elles, discutant des programmes de télévision, des produits pour affermir les ongles et de l'engeance masculine. Elles nous ignorent.

Cela m'est égal. Je ne suis pas en quête d'amis ni de confidences. Je m'efforce simplement d'exister. Je vis les heures une à une. Mon esprit est en repos. Je n'attends plus de voir passer le temps.

La seule personne dont j'aie fait la connaissance au supermarché s'appelle Les Chesney. Il est chargé de veiller à l'hygiène dans le magasin. Son travail consiste à s'y promener en recherchant les cafards et en inspectant les ongles du personnel. Tout le monde le déteste sauf moi. Il est en droit de faire renvoyer une employée du rayon de boucherie si elle travaille sans un filet sur les cheveux. Il a des mains grassouillettes et un problème de poids. On l'appelle généralement « Les Ches ». Je ne sais pourquoi je l'aime bien, si ce n'est que, lorsque j'ai entendu ce diminutif, je me suis rappelé les paroles de Sterns sur le pouvoir émotionnel des noms.

Parfois, après le travail, nous allons ensemble dans un bar boire de la bière mexicaine. Il me dit alors :

— Autrefois, Martin, je jouais au hockey sur glace. Puis je me suis bousillé le tibia gauche et tout a été fini.

Je lui dis :

— Je suis désolé, Les.

Il me dit :

— En ce temps-là, j'avais une femme et des meubles en vrai cuir. J'étais mince.

Je dis :

— Le passé, c'est un autre pays. Le passé, c'est l'Atlantide.

Il dit :

— Excuse-moi, Mart, mais l'Atlantide, c'était une ville, pas un pays.

Je ne discute pas. Je dis :

— Cela n'a pas d'importance. L'important, c'est que ce n'est plus là.

— Je ne sais pas, dit-il alors. Je ne veux pas jeter l'éponge. De temps en temps, je fais des régimes de choc. J'écris à mon ex. Il m'arrive même de rêver de meubles.

— Je ne crois pas que ce soit sage, Les.

— Pourquoi pas ? J'avais une belle vie, en ce temps-là. Je savais qui j'étais. Cela ne t'arrive pas de vouloir retrouver ton passé ?

— Non, dis-je. Jamais.

Les a de tout petits yeux très enfoncés. Il a du mal à vous regarder bien en face.

— Je crois, dit-il, que c'est parce que tu viens d'Angleterre. Tu as tellement de passé autour de toi que tu as peur d'en ajouter. Pas vrai ?

Je souris et je dis :

— C'est une façon de voir les choses.

Puis j'offre une autre bière à Les, et il dit :

— Tu es un chic type, Martin. Tu es comme les gens étaient autrefois.

Puis je rentre faire honneur à la cuisine d'Audrey, De tout ce qu'elle prépare, il y a une seule chose que je ne puis supporter, ce sont les légumes verts. Ils ont un goût de pourriture. Tout ce que nous mangeons est mort, mais les légumes verts sont la seule chose à laquelle je trouve ce goût. Je m'en excuse auprès d'Audrey et elle me dit :

— Pas besoin de vous excuser. Nous avons tous nos goûts et nos dégoûts. Walter, lui, il *adorait* mes légumes verts. Pas vrai, Bill C. ? Tu te souviens ?

Ce qu'adorait Walter, c'était la chambre. Il m'avait écrit pour me la décrire, avec sa vue sur le potager et les châtaigniers. Il m'avait parlé des oiseaux écarlates.

Puis il n'avait plus écrit, et j'avais cru que le moment des déconvenues était arrivé pour lui. Mais j'avais tort. Il était simplement trop occupé pour écrire. Il était trop occupé à écrire des chansons dans le camping-car de Bentwater, à tomber amoureux et à économiser pour son blouson incrusté de strass. Il faisait le tour des marchands de voitures d'occasion, caressant de la main les Chevrolet. Le temps que j'arrive au 767, il avait quitté la maison et s'était installé dans la Première Avenue avec Skippy Jean Maguire.

Lorsque je vis cet homme grand et élancé, vêtu de strass et de peau de serpent, je ne le reconnus pas. Ses cheveux grisonnaient. Il vint m'ouvrir en sifflant. Derrière lui, dans la salle de séjour, je vis une fille très mince, en robe moulante, qui fumait tranquillement, allongée sur le sol.

— Walter ? fis-je.

Il me regarda, bouche bée. Ainsi, la bouche ouverte, il ressemblait plus à l'homme que j'avais connu.

— Seigneur, dit-il. Mary ?

— Martin, rectifiai-je.

Il se retourna et appela la fille :

— Sky ! Viens un peu voir ! Nous avons un visiteur du vieux pays.

Il l'appelle « Sky ». Lorsqu'ils sont ensemble, c'est-à-dire presque tout le temps, ses grandes mains sont sur elle, caressant tout ce qui est à sa portée — son oreille, son cou, ses cheveux, son pied. Elle s'appuie contre lui, souriante. Elle repose son corps sur le sien. Parfois, elle semble prête à sombrer, contre lui, dans un admirable sommeil.

Elle m'a raconté comment ils s'étaient rencontrés.

— C'était, m'a-t-elle dit, chez Fay May. Après un concert du vendredi soir, avant qu'on les fasse à Opryland. Ç'a été l'amour au premier regard, hein, Walter ?

— Oui, fit Walter. Je t'avais regardée toute la soirée.

— Oh, c'est vrai ! dit-elle. Il me regardait. Alors, on ne peut pas vraiment dire « au premier regard », puisque lui m'a regardée avant que je le regarde. Okay ?

— Et ensuite ? demandai-je.

— Eh bien, fit Sky. Tu as déjà été amoureux, Martin ?

— Oui, fis-je.

— Alors tu sais ce que c'est, okay ? Je n'ai pas besoin de te faire un dessin. Mais je vais quand même te raconter. Nous étions en train de boire et tout le reste, et voilà que Walter vient s'asseoir près de moi, et la première chose qu'il me dit, ou presque, c'est : « Etes-vous mariée à quelqu'un ? » Je n'ai pas répondu. Je n'ai dit ni oui ni non. Je lui ai dit qu'il avait une voix comme je n'en avais jamais entendue, sauf dans les films, quand il y a un officier de marine ou un espion anglais. Je lui ai dit que cela m'hypnotisait complètement. C'est le mot que j'ai employé : « hypnotiser ». Et ça y était, hein, Walter ? Juste à ce moment, ç'a été le commencement de tout.

Je vais les voir le dimanche. Sky prépare des crevettes grises au beurre, que nous mangeons avec du pain et de la bière. C'est délicieux. Parfois, Bentwater Bliss est là aussi. Quand j'ai fait sa connaissance, il m'a dit :

— J'arrête de chanter, Martin. Je suis trop vieux pour cela. Je suis un agent, maintenant, et, je puis te le dire, ce que font Walter et Sky ensemble, c'est ce que j'ai entendu de mieux de toute ma vie. Cela commence à marcher pour eux, ici, à Nashville.

Walter et Sky opèrent en effet en duettistes. Le premier nom imaginé par Walter avait été « Earth et Sky [1] », mais Bentwater lui avait dit :

— Tu ne peux pas faire cela, Walt. A moins que tu veuilles que le monde entier croie que tu t'appelles Earth.

— Cela m'est égal, avait répondu Walter.

— Alors, tu ferais bien de commencer à changer

1. « La terre et le Ciel ».

d'avis, lui avait dit Bentwater. Tu ne peux pas t'appeler Earth.

Sur quoi ils choisirent : « Swaithey et Sky ».

Je ne dis rien.

Walter me regarda. Il savait ce que je pensais.

— C'est seulement un nom, Martin, dit-il. Et cela commence par un S.

Quand le printemps vint et que je pus contempler les arbres en fleurs sur la Vingt-et-Unième Avenue, je me trouvai saisi d'une aspiration que je ne parvenais pas à définir.

Puis, alors que je traversais l'aire de stationnement du supermarché, j'y parvins soudain. J'avais envie d'être hors de la ville. J'avais envie d'entendre une rivière ou de goûter un grand silence. Tout simplement.

Lorsque le week-end arriva, je demandai à Audrey :

— Est-ce que le Tennessee est un bel Etat ?

— Un bel Etat ? fit-elle. Laissez-moi vous dire, Martin, que c'est l'un des plus merveilleux Etats de l'Union. Vous n'avez qu'à prendre un car allant vers le sud, dans la direction de Franklin, et vous verrez.

Je pris un car du style Greyhound. Il y avait, à bord, une radio jouant le genre de chansons qui constituaient la raison de vivre de Walter avant qu'il rencontre Skippy Jean Maguire.

Je pris un billet pour Franklin, mais je demandai au conducteur de me prévenir lorsque nous serions au milieu de nulle part et de m'y laisser.

— D'accord, dit-il, mais quel genre de nulle part voulez-vous, monsieur. Des champs ? Des bois ? Un parc ? Il vaut mieux que je sache.

— Des champs, fis-je.

— N'allez pas vous suicider, non ?

— Non.

— D'accord, dit-il de nouveau. Compris. Je vois l'endroit.

L'endroit était une vallée. De part et d'autre de la route, il y avait des peupliers, au-delà des peupliers des champs de maïs vert et, encore au-delà, des prairies en pente ascendante. Un sentier courait le long des champs de maïs. Au bord du sentier, une poule solitaire picorait au pied d'un peuplier.

Je pris le sentier et la poule me suivit. Je pouvais la voir courir pour essayer de me rattraper. Elle devait penser que je la conduirais à son poulailler.

Je portais les bottes en gros cuir que Walter m'avait aidé à choisir. Dans ces bottes, je me sens grand et je peux crâner un peu.

Je remontai le sentier avec ma compagne la poule. C'était une Rhode Island Red. Je l'avais reconnue à sa tête écarlate.

En haut du champ de maïs, le chemin tournait vers la gauche. Je m'arrêtai. La poule, elle, prit le tournant et se mit à courir plus vite. J'entendis un chien aboyer et devinai que le chemin devait conduire à une ferme.

Je commençai à gravir la pente herbeuse, plus haut que le champ de maïs. Je pouvais maintenant distinguer la maison, à quelque distance, abritée par des arbres. C'était la seule de la vallée, et son occupant devait être le propriétaire de toutes les terres alentour. Il vivait dans un véritable paradis, mais il devait très mal capter les émissions de télévision.

Je m'assis dans l'herbe, allumai une cigarette et regardai autour de moi, m'imprégnant de la beauté de l'endroit. Je me dis que, durant l'été, il y aurait sûrement du travail dans les fermes, à récolter les fruits. C'est le genre de besogne qui vous fortifie.

Je contemplai le toit de la maison.

Quelque temps après cette lettre capitale, dont le contenu restait enfermé à l'intérieur de moi-même, Cord m'avait écrit pour me donner d'autres nouvelles.

« La ferme n'existe plus, me disait-il. La maison est allée à des gens de Londres, qui la démolissent pour reconstruire autre chose. L'hypothèque a été purgée.

« C'est Grace Loomis qui a acheté la terre. Elle y élève des dindes. Elle fait construire une usine de traitement de viande, et a toute une armada de camions qui vont livrer dans les supermarchés un peu partout.

« Ta mère est ici, à Gresham Tears, avec moi. Difficile de dire qui prend soin de l'autre. Le fait est, Martin, que je deviens terriblement vieux. »

Je me laissais aller à penser à ma mère quelquefois. Maintenant que mon père était mort. Maintenant qu'elle était avec Cord. Maintenant que Timmy et Pearl étaient très loin.

Là, dans cette vallée, en fumant une Marlboro, je l'imaginais assise au coin du feu, ou dehors, près du porche, aidant Cord à tailler les rosiers.

Dans mon imagination, elle est jeune. Ses cheveux sont toujours longs et noirs et retombent en épais bandeaux autour de son visage.

CHAPITRE XIX

1976

Martin :

Walter et Sky essaient de se marier, ou, plutôt, ils essaient de localiser le premier mari de Sky de façon qu'elle puisse divorcer et épouser Walter. De ce premier mari elle me dit :

— Il a toujours été comme une anguille, Martin. Il passait son temps à s'esbigner.

Maintenant, il s'est esbigné dans l'inconnu. Il travaillait dans la batellerie, et il est probablement sur un fleuve ou une rivière, mais ils ne savent pas lequel. Ils écrivent à toutes les compagnies de navigation fluviale du Sud. Il y a plus de cours d'eau aux Etats-Unis que sur n'importe quel autre continent connu.

Le bonheur fait engraisser Walter. Il ne peut plus fermer son blouson incrusté de strass, mais il s'en moque. « Swaithey et Sky » ont obtenu un contrat d'une compagnie de disques appelée STM. Je n'en avais jamais entendu parler. Ce n'est pas exactement Decca. J'ai demandé à Walter ce que voulait dire STM.

— Oh ! a-t-il fait. Je n'en sais rien.

— Ce que cela veut dire n'a aucune importance, est intervenue Sky. C'est comme NAM 650, la station de radio. Elle a été lancée par une compagnie d'assurances dont le slogan était « Nous Assurons des Millions ». Alors, les gens de la compagnie ont décidé que la radio s'appellerait N.A.M. Maintenant, plus personne ne se souvient de « Nous Assurons des Millions ». NAM est devenu une sorte de mot. Tu vois ce que je veux dire ?

— Oui, fis-je. Mais cela a quand même voulu dire quelque chose au départ.

Sky me considère comme un être particulièrement pointilleux, qui a toujours besoin de tout se faire expliquer.

— STM, poursuit-elle, cela pourrait être n'importe quoi. Sandwich Thon Mayonnaise ou même Sans Ton Maillot. Cela n'a aucune importance. Ce qui a de l'importance, c'est qu'ils nous aient signé un contrat.

Bentwater s'est fait teindre les cheveux, a réduit sa consommation de whisky et a fait désinfecter son camping-car.

— Nous y sommes, maintenant, Mart, me dit-il. Le succès. Nous défonçons la porte. Et ce n'est pas le moment de mollir.

Je raconte à Audrey et à Bill C. ce qui se passe. Ils n'ont jamais entendu parler des Disques STM. Et Bill C. précise :

— Dis à Walter de faire gaffe. Les vautours ne deviennent pas des colombes du jour au lendemain.

Mais Walter ne prête aucune attention à ce qu'on peut lui dire. La seule chose qui le déprime, c'est de penser à Pete.

Pete lui a dit dans une lettre que son bus était maintenant entouré sur trois côtés d'une clôture de fil de fer. Derrière cette clôture, il y a des dindes et des dindons. Plus d'un millier. Et Pete est assailli par leurs gloussements incessants et par la puanteur qu'ils dégagent.

« Je deviens fou, écrit-il. Si le bus pouvait encore démarrer, je prendrais la route. »

— Qu'est-ce que je peux faire ? me demande Walter.

— Je n'en sais rien.

— Il faut que je fasse quelque chose, mais je ne vois pas quoi. Je dois la vie à Pete.

Je lui dis que je vais y réfléchir. En ajoutant :

— Là où je suis maintenant, j'ai tout le temps de réfléchir.

Là où je suis maintenant, c'est la ferme du juge Riveaux.

On y trouve essentiellement trois choses : des cochons, des fruits et des oiseaux. Les oiseaux sont de toutes sortes : paons, pintades, dindons, faisans, poulets, oies et colombes. Ils courent et volettent un peu partout. Les paons vivent sur le toit de la maison et entrent parfois dans la cuisine. Voir constamment se promener tous ces oiseaux était ce qu'adorait la défunte Mrs Riveaux.

C'est Bentwater Bliss qui m'a trouvé cet emploi. Je lui avais dit que je souhaitais quitter le supermarché et aller travailler dans la campagne, à cueillir des fruits ou des haricots. Il m'a dit aussitôt :

— Je vais appeler le juge. Il cherche quelqu'un. Ma'ame Riveaux, elle tenait la ferme toute seule, avec juste le vieux Jeremiah Hill pour l'aider. Le juge a pensé qu'il pourrait en faire autant. Mais il n'y arrive pas. Il en est tout vexé, mais il n'y arrive pas.

Bent m'a conduit là-bas en voiture. La maison, toute blanche, est en bois, avec un toit de bardeaux. Il y a quatre gros poêles à bois pour la chauffer. Il n'y a pas de véritable jardin, tout comme il n'y en avait pas à Swaithey. La ferme commence à la porte de la cuisine. Il y a des étables pour abriter les cochons en hiver, et, immédiatement à côté des étables, la maison basse en brique où Jeremiah Hill vit avec sa famille. Au-delà des champs de haricots, il y a une petite rivière, où est amarré un vieux canoë, et, de l'autre côté de la rivière, un bois plein de hêtres, de châtaigniers, de noyers et de chênes verts.

Le juge Riveaux parle si doucement qu'on entend à

peine ce qu'il dit. On se demande comment il faisait au tribunal.

Quand j'arrivai avec Bent, Beulah, la femme de Jeremiah, avait préparé du thé et un gâteau à l'ananas. Jeremiah et Beulah sont noirs. Ils ont des jumelles âgées de sept ans, Lettie et Glorie — diminutifs de Violette et Gloria. Jeremiah a cinquante-cinq ans et Beulah trente et un. Il a eu, dans le passé, une autre femme, qu'il a quittée sur la pointe des pieds.

— Vous êtes né dans une ferme, n'est-ce pas, Martin ? me dit le juge.

— Oui, répondis-je. Dans le Suffolk, en Angleterre. C'est un sol rocailleux. Mon premier souvenir, c'est d'avoir ramassé des pierres.

— Dans presque tout le Tennessee, nous avons de l'argile rouge. De la bonne terre bien riche. On peut faire pousser presque tout dans la terre du Tennessee. Mais ma femme, elle avait un don pour cela, et moi, je ne l'ai pas. C'est vraiment un don. On l'a ou on ne l'a pas.

— Nous avions des poules et des pintades, dis-je soudain. J'avais une pintade à moi, que j'avais appelée Marguerite.

— Vraiment ? Mrs Riveaux, elle pensait que les oiseaux, c'était ce qu'il y avait de plus beau au monde. Pas vrai, Bent ?

— Si, monsieur, dit Bentwater.

— Prenez les paons, par exemple. Quand ils se mettent à crier, je trouve le bruit épouvantable. Mais ma femme, cela ne la dérangeait même pas. Vous avez déjà entendu cela, Martin ?

— Non, dis-je.

— Eh bien, vous l'entendrez si vous venez travailler ici. Vous êtes costaud ? Vous ne le paraissez pas. Mais ma femme non plus. Et elle l'était. Elle était capable d'immobiliser un cochon au sol.

— Je suis plus fort qu'il n'y paraît, affirmai-je. Et je ne me fatigue pas facilement.

Le juge sourit. Il laissait tomber des miettes de gâteau partout sur sa chemise.

— Bentwater a travaillé pour moi autrefois, dit-il. Pas vrai, Bent ? Lui, il se fatiguait assez vite. Il pouvait dormir n'importe où. Il lui suffisait de s'allonger à même le sol, et il était déjà en train de rêver. Pas vrai ?

J'ai quitté le 767. C'était l'été. De ma fenêtre, je pouvais voir les melons et les petits pois dans le jardin. Les châtaigniers jetaient une ombre noire sur le sol.

Bill C. et Audrey m'avaient préparé un repas d'adieu : des crevettes à la créole.

— Nous connaissons le juge Riveaux, me dirent-ils. C'est un brave homme. Il traite bien son monde.

J'allais dire au revoir à Les Ches.

— Bon Dieu, Martin, fit-il. Tu es le copain qui m'a supporté le plus longtemps.

Je n'habite pas dans la maison du juge. J'habite dans ce qu'il appelle « l'atelier ». C'est une grange que les Riveaux avaient fait transformer en une habitation séparée pour leur fille, Suzanne, qui voulait devenir artiste. Puis elle était partie. Elle avait épousé un assureur en Floride. Maintenant, elle a trois enfants et elle vit à Boca Raton. Elle ne peint plus jamais et elle ne revient jamais à la ferme.

Certaines de ses affaires sont encore là. Il y a un album plein de photographies. Il y a des livres sur Klimt, sur Picasso et sur Edward Hopper. Il y a une pile de disques et une lettre d'amour d'un garçon nommé Irwin. Il y a une photo de Mrs Riveaux quand elle était jeune. Le lit est vaste, avec une lourde couette qui retombe jusqu'au plancher.

Le soir, les cafards sortent et entament un ballet classique au clair de lune.

Je me lève à six heures. Je mets ma combinaison de travail et mes bottes. Il n'y a pas de plan de travail dans cette ferme. Je descends jusqu'à la maison de Jeremiah, et il me dit : « Okay. Qu'est-ce qu'on va faire ce matin ? Biner les haricots ? » ou bien :

« Qu'est-ce qu'on va bien pouvoir faire ? P't-être réparer la clôture ? Ou quoi ? »

Quelquefois, Beulah me crie de sa cuisine :

— Entrez M'sieu Martin. Venez prendre un café. Rien ne presse, ce matin.

Alors, je pénètre dans leur maison, qui est toujours sombre, été comme hiver. Lettie et Glorie sont assises côte à côte, en train de boire leur lait, avec leur déjeuner tout emballé sur la table, pour l'école. Un matin je leur ai demandé :

— Est-ce qu'on vous parle de l'univers, à l'école ?

— Non, a dit Lettie.

— Ben, on n'en sait rien, a dit Glorie.

— Je savais raconter des histoires sur l'univers — sur les étoiles, vous savez. Je pourrais vous en dire une, de temps en temps.

— Maman nous raconte des histoires, a répondu Lettie.

— Elle nous raconte de vraies histoires, a insisté Glorie.

— C'est très bien, ai-je alors dit. Les miennes ne sont pas vraies.

Pendant que nous buvons notre café, Jeremiah décide de ce que nous allons faire. En hiver, il reste assez longtemps devant le poêle à bois à décider.

Puis, nous sortons et nous nous mettons au travail, qu'il s'agisse de creuser un fossé, de couper du bois, de brûler des rames de haricots ou de nettoyer les étables à porcs. Mrs Riveaux et lui avaient l'habitude de travailler ensemble. Ils faisaient tout conjointement, sauf ce qui exigeait l'usage du tracteur. Et c'est ainsi que Jeremiah aime à travailler avec moi. Il prétend qu'il ne peut pas se concentrer s'il ne parle pas.

— Ma'ame Riveaux, me dit-il, au moment où elle est morte, elle connaissait ma vie tout entière. Je la lui avais racontée en un million de petits morceaux. Elle connaissait ma vie mieux que moi.

Maintenant, c'est à moi qu'il la raconte.

— Le problème avec moi, M'sieu Martin, me dit-il,

c'est que je n'arrive pas à être content de ce que j'ai. C'est plus fort que moi. Beulah, elle me dit tout le temps : « Regarde un peu la vie que tu mènes, Jeremiah Hill, et pense à celle de tes ancêtres, qui étaient esclaves là-bas, en Géorgie. » Elle dit : « Pense un peu à cela, et tu verras si tu n'as pas des raisons d'être heureux. » Et elle voit juste. J'ai des raisons. Une des raisons que j'ai, pour commencer, c'est elle. Et puis il y a Lettie et Glorie. Et Ma'ame Riveaux, Ma'ame Juge, elle m'a toujours bien traité. Alors, j'ai des raisons. Ça, je le sais. Et, de temps en temps, cela me vient comme ça, comme une brise en août, un petit souffle de bonheur. Vous voyez ? Mais cela ne dure pas. Je ne sais pas pourquoi. J'ai toujours été comme cela, toute ma vie. Un petit souffle. Je le sens juste comme ça, sur ma figure. Et puis il s'en va.

Nous sommes en train de nettoyer un fossé, pas loin de la rivière. La journée est très chaude, mais, tout au fond du fossé, nous sommes au frais. Je lui demande :

— Pendant tous ces moments où vous n'êtes pas heureux, Jeremiah, est-ce que vous êtes *malheureux ?*

Il s'arrête pour réfléchir, s'essuyant le visage avec la manche de sa combinaison de travail.

— Malheureux ? répète-t-il. Non. Ce n'est pas cela. Pas cela du tout. C'est juste que je pense qu'il doit y avoir quelque chose de plus. Plus ça va et plus je crois que quelque chose *d'autre* doit venir pour que je sois heureux.

Certains soirs, je dîne avec le juge Riveaux. Il ne sait pas cuisiner. C'est Beulah qui lui prépare tous ses repas, et ils lui sont apportés par Lettie et Glorie. Mais il adore découper. Il est très heureux lorsque Beulah fait rôtir un poulet ou cuire un jambon. Il prend tout son temps pour affûter le couteau.

Il ne parle pas beaucoup. Son regard bienveillant reste fixé sur son assiette. Un soir, il me dit :

— Je ne suis jamais allé en Angleterre. Ma femme

et son amie Kathleen, elles y allaient souvent. Pour voir du Shakespeare. On peut voir du Shakespeare à Nashville. Je pense qu'on peut même voir du Shakespeare en Alaska. Mais cela ne suffisait pas à Mrs Riveaux ; elle aimait qu'une chose fût authentique.

Puis il poursuivit :

— Elle était très anglophile. Nous avons des placards pleins de marmelade d'orange de chez Cooper. Lorsque je prie, je lui dis que vous êtes ici et je la sens qui sourit.

— Je suis vraiment désolé, dis-je, de ne pas avoir eu l'occasion de la connaître.

— Oui, fit le juge.

Il changea alors de sujet et me demanda :

— Parlez-moi un peu de cette ferme en Angleterre. Elle existe toujours, je suppose ?

— Elle a été vendue, répondis-je. Lorsque mon père est mort. La terre est toujours là. Mais cela fait longtemps que je l'ai quittée.

— Je suppose que vous ne vous en souvenez pas ?

— Si, fis-je. Je m'en souviens.

Visiblement, le juge ne tenait pas à ce que la conversation revienne sur Mrs Riveaux. Il devait regretter d'avoir abordé le sujet. Alors, pour lui éviter toute peine supplémentaire, j'entrepris de lui décrire Elm Farm tout au long d'une promenade imaginaire où je retrouvais successivement la cour où Marguerite venait picorer, la grange où j'avais essayé de transformer les lames de tondeuses en épées, le champ où se trouvaient les poulaillers et où Timmy jetait le grain en l'air, les pins d'Ecosse et le pneu servant de balançoire, la rivière et son cresson...

Le juge avait posé ses mains sur sa serviette repliée.

— Il y avait près de la maison, continuai-je, un bon hectare de bois. Je m'y suis perdu quand j'étais enfant. La nuit tombait et je n'arrivais plus à retrouver mon chemin. Je me suis accroché à un arbre et j'ai attendu. On a fini par me retrouver. Mais, contrairement à la plupart des gens, je n'aime ni les bois ni les arbres. Ce que j'aime, ici, c'est le silence et c'est le ciel.

Au-dehors, l'obscurité tombait. Une obscurité d'été, mauve et suave.

— Continuez, me dit le juge.

— Il n'y a plus rien à dire, fis-je.

Sterns me relance. Il m'écrit :

« Il est temps de revenir. Il est temps de reprendre votre vie. »

Il pense que je devrais avoir recours à ce qu'il appelle la « chirurgie de reconstruction ». Il estime que je suis l'un des rares transsexuels dans le sens femelle-mâle pour qui l'acquisition d'un pénis est d'importance capitale.

Ce pénis serait fait de chair véritable, ma chair, transférée et modelée.

Une longueur de chair serait levée sur mon abdomen. D'opération en opération, on la dirigerait vers le bas, jusqu'à ce qu'elle vienne pendre à l'endroit approprié. On y ferait passer l'urètre. Puis une baguette synthétique comme celles qu'on insère dans le pénis des hommes impuissants y serait introduite.

Avec cela, je pourrais faire l'amour à une femme. Elle ne verrait aucune différence. Absolument aucune.

Sterns pense que je ne serai jamais heureux tant que je ne serai pas capable de faire cela. Il pense que c'est ce dont je rêve en permanence.

Je n'en rêve pas. Je ne rêve de rien. Les jours s'écoulent. Martin les vit. Il travaille dans la chaleur. Il boit les citronnades confectionnées par Beulah. Il écoute le récit de la vie de Jeremiah. Il caresse le cou des paons. Il dort paisiblement dans son grand lit. Je suis lui, il est moi, et c'est tout. C'est suffisant.

La femme que je voulais, c'était Pearl. Je voulais être son univers. Pour elle, je me serais refabriqué aussi souvent et aussi totalement qu'elle l'aurait désiré. Elle aurait continué à m'inventer jusqu'à ce que la mort nous sépare.

Cela, Sterns le sait. On pourrait penser que, le sachant, il aurait une meilleure compréhension de mes rêves de tous les jours. Mais il est loin de moi. Il est dans le noir, avec ses poissons pour compagnons. Il n'a jamais vu le soleil sur la rivière. Il n'a jamais entendu chanter Walter Loomis.

Je lui écris que je n'ai nul désir de rentrer en Angleterre.

« Il faudrait, lui dis-je, que quelque chose ou quelqu'un me *rappelle* pour m'amener à abandonner l'existence que j'ai maintenant. L'idée d'autres opérations chirurgicales ne me tente nullement. »

Je lui rappelle — et me rappelle à moi-même — que j'ai trente ans.

Et, en travaillant dans les champs, je dis à Jeremiah :

— L'âge n'est pas la seule chose qui nous gagne sournoisement. Parfois, c'est le bonheur.

Walter s'est acheté une voiture. C'est une Chevrolet d'occasion bleue avec des coussins en cuir un peu raccommodés.

Il aime à baisser la capote et à conduire dans le soleil, le coude à la portière. Sky est installée à côté de lui, un foulard noué sur les cheveux. A l'automne, ils vont partir ensemble à la recherche du mari de Sky.

— Nous voulons être mariés avant les froids, disent-ils.

Leur disque est sorti. La maison STM a organisé une petite soirée dansante en leur honneur. Je pensais qu'il allait s'agir d'un longue-durée, avec toutes les chansons composées par Walter depuis la nuit des temps, mais c'est un tout petit disque. Et on ne l'entend pas souvent où que ce soit. Personne ne semble démoralisé pour autant. Walter, Skippy Jean et Bentwater disent tous :

— Ce n'est qu'un début. Un orteil trempé dans le lac.

Le lac dont ils rêvent est celui où se trouve également, coincée entre deux pierres, l'épée Excalibur.

Ils vivent de ce que gagnent Sky comme chanteuse d'accompagnement et Walter comme homme à tout faire. Le dernier cadeau qu'il ait reçu de ses employeuses occasionnelles a été une batte de baseball.

Parfois, il chante chez Fay May, au bon cœur de la clientèle. Il a gagné ainsi plus de deux cents dollars, mais il m'a dit :

— Je les envoie à Pete. Je lui ai dit de les mettre de côté pour acheter un moteur pour son bus. Ensuite, il pourra s'en aller et s'installer quelque part où il pourra faire venir l'électricité par une portière.

Un dimanche, Walter, Sky et moi sommes allés en voiture jusqu'à Opryland. Sky m'avait expliqué :

— Ce n'est pas seulement une salle de concert, c'est tout un complexe. Quand ce sera fini, cela ressemblera à un village. On pourra y vivre sans en bouger, en ayant tout ce dont on a besoin.

Opryland a la plus grande aire de stationnement du monde.

La Chevrolet était le seul véhicule à s'y trouver ce jour-là. Assis dans la voiture, nous contemplions toute cette immensité autour de nous.

Bentwater était avec nous. Il ne semble pas trahir Walter le moins du monde. Parfois, ce que tout le monde prédit ne se produit pas.

Mais, là, quelque chose d'autre se produisit. Quelque chose de superbe.

Sky avait apporté ses patins à roulettes. Elle nous avait dit qu'elle possédait ces patins depuis l'âge de treize ans et n'en avait jamais changé. Elle les mit, remonta sa jupe, dénoua son foulard et descendit de la Chevrolet. Elle s'éloigna de quelques mètres, se retourna et nous sourit.

— Vas-y, dit Walter. Montre-nous ce que tu sais faire.

Et elle commença à patiner. Ses jambes étaient si minces que les patins paraissaient énormes. Je m'attendais à la voir tomber et se faire très mal. Mais elle ne tomba pas. Elle leva les bras, comme une danseuse, et se mit à glisser harmonieusement. Elle décrivait des cercles et faisait des figures, ses cheveux volant autour de son visage. Elle était gracieuse comme une hirondelle. Nous restions absolument immobiles, sous le soleil qui nous brûlait la nuque, à la regarder.

Une fille sur des patins à roulettes au centre d'un parking vide, qui eût pu croire que ce serait aussi prodigieux ?

— Bon Dieu ! fit simplement Bent.

Walter n'entendait rien, ne voyait rien, à part Sky. Il descendit lentement de la voiture et marcha vers elle. Il retira son blouson et le laissa tomber au sol. Puis il tendit les bras.

Nos esprits sont comme des femmes dans un magasin de brocante, furetant, cherchant et déplaçant tout.

Le mien passe son temps à toucher et à faire bouger un morceau du passé.

Estelle. Ma mère. Est.

Parfois — la plupart du temps — elle est à Gresham Tears, avec Cord. Parfois, elle est à Mountview. Elle n'est jamais avec Timmy et Pearl. Parfois, elle se promène, seule, dans un paysage que je ne reconnais pas.

Partout où je la vois, elle est belle. Sa peau est blanche et nette et elle arbore son merveilleux sourire d'autrefois.

Parfois, elle est à une fenêtre. Ce pourrait être une fenêtre de Gresham Tears, mais ce n'est pas sûr. Tout ce que je puis voir, c'est que la fenêtre est à demi ouverte et que le soleil tombe sur ma mère qui est là, à attendre.

CHAPITRE XX

1980

Estelle :

Une nouvelle décennie.

Mais.

Ces temps-ci, il faut mettre « mais » après toute chose. « Je suis vivante. Mais. »

Trop de choses me sont arrivées. Tout cela s'est tellement bousculé dans mon esprit que j'ai dû aller chercher un peu de repos ici, à Mountview.

Mais.

Mountview ferme.

C'est ce qu'on nous dit. On ajoute : « C'est la nouvelle politique du gouvernement. »

Je n'ai jamais prêté attention à ce que faisaient les gouvernements. J'aurais dû.

Cela va devenir un hôtel. Il y aura une piscine en sous-sol. Je leur ai dit :

— C'est parfait. Je vais rester et devenir pensionnaire de l'hôtel. Je m'achèterai un maillot de bain.

Ils m'ont dit :

— Arrêtez de tout prendre à la plaisanterie, Estelle. Concentrez-vous sur votre état.

— Autrefois, ai-je fait remarquer, faire une plaisanterie était considéré ici comme indiquant qu'on était en voie de guérison.

Ils m'ont dit :

— Maintenant, le personnel est mieux formé.

Ce nouveau personnel mieux formé estime qu'on peut vous guérir en vous posant des questions. J'ai mon interrogatrice personnelle. Elle s'appelle Linda. Elle est assez jeune pour être ma fille. Je vais dans ce qu'on appelle la salle d'entretiens, je m'installe en face de Linda, et elle m'interroge. A mon entrée, elle sourit et demande à chaque fois :

— Très bien, Estelle. Où en étions-nous ?

Où nous en étions ?

Je ne sais pas.

C'est précisément pour cela que je suis venue ici. Pour essayer de me rappeler où j'en étais dans ma vie.

Mais Linda est pressée. Elle a six semaines pour me guérir. Ensuite, nous devrons tous partir d'ici avec nos bagages.

— Il y a, dis-je à Linda, une simple chose dont le gouvernement n'a pas tenu compte : c'est qu'on ne peut pas mimer le métier de danseur de claquettes.

Ce qui m'obstruait l'esprit, c'étaient ces morts.

Celle de Sonny. J'oublie quand.

Il y avait eu ensuite une période de répit où je vivais avec Cord à Gresham Tears. Il me disait :

— Tu ne cuisines plus, Est ? Tu as oublié ?

Alors, j'ai recommencé à faire les plats d'autrefois : des ragoûts de queue de bœuf, des pâtés en croûte et des gâteaux aux fruits. Et Cord et moi avons commencé à reprendre goût à l'existence et à engraisser. Le matin, je l'entendais siffler dans sa chambre. Dans l'après-midi, nous allions nous promener.

— C'est bon de te voir de nouveau ainsi, me disait-il.

J'avais entrepris de collectionner les fleurs des champs et nous passions certaines soirées à confectionner des cartes de vœux.

Puis les autres malheurs sont arrivés.

Pete Loomis est mort dans un hôpital d'Ipswich. Personne n'était venu le voir, sauf moi. Le cancer qu'il avait eu au nez était réapparu dans les poumons. Il m'a dit que c'était la faute des dindons.

— Si j'étais plus jeune, affirmait-il, je ferais un procès.

— Ecoute, Pete, lui disais-je, quand tu sortiras d'ici, viens habiter avec Cord et moi. Là, on est tranquille.

Il n'est jamais sorti de l'hôpital.

Nous l'avons enterré au cimetière de Swaithey.

Grace Loomis m'a dit :

— S'il y a jamais eu une vie gâchée, Estelle, c'est bien celle-là.

— Votre fils ne serait pas d'accord, lui ai-je répondu, avant de la planter là.

Walter avait envoyé une grande gerbe d'œillets en forme de guitare. Pete m'a légué son phonographe à remontoir et sa collection de disques.

Le trolleybus a été enlevé par les services municipaux sur la demande de Grace. Elle prétendait qu'il représentait un risque sanitaire.

Un jour, Cord me déclara :

— Il y a quelque chose que je voudrais te dire avant de m'en aller, Stelle.

— De t'en aller où ? demandai-je.

Fais un peu attention, dit Cord. Ecoute, pour une fois.

— J'écoute, répondis-je. C'est tout ce que je fais : écouter pour essayer de découvrir la signification de toutes choses.

Nous étions installés dans des transatlantiques, dans le jardin.

Nous devenions si gras que les chaises longues craquaient.

— Tu te souviens de Mary ? me demanda Cord.

— C'est de l'histoire ancienne, dis-je. C'est devenu de l'histoire il y a des années et des années.

— Entendu, fit-il. C'est de l'histoire. Mais autant que tu l'apprennes correctement. Nous t'avons tous protégée — Irene, Pearl, Timmy, moi — mais il est temps que tu saches.

Et il m'a raconté l'histoire de Martin.

Quand il eut fini, je dus aller chercher quelque chose de sucré pour me réconforter un peu. J'ouvris un paquet de biscuits Cadbury au chocolat et à l'orange. Je l'emportai dans le jardin et le plaçai sous ma chaise longue, à l'ombre.

Je ne disais rien. Cord n'était pas comme Linda. Il ne vous faisait pas parler quand vous ne le vouliez pas.

Je restai un long moment ainsi, à manger des biscuits. Puis je demandai :

— Est-ce nous qui avons provoqué cela ? Sonny et moi ?

Cord secoua la tête.

— Tu sais mieux que personne, dit-il, que certaines choses ne semblent pas, finalement, avoir été provoquées, avoir une cause précise.

Elles *sont*, et c'est tout.

Où en étais-je ?

Où en étions-nous ?

— Vous parliez de la mort de votre père, assura Linda.

— Vraiment ?

— Oui, dit-elle.

— Eh bien, fis-je, je ne veux pas en parler.

Et c'est vrai. Cette disparition a été la plus triste de toutes.

— La situation est supportable, dis-je à Linda, quand certaines choses sont dans le passé. Mais quand presque tout est dans le passé, le présent devient trop solitaire.

— Très bien, fit-elle. Parlons du présent. Qui se trouve dans le présent ?

— Moi, dis-je. Mais pas pour longtemps. La maison ferme. On ne veut pas me laisser acheter un maillot de bain...

— Estelle, intervint Linda, nous ne parlons pas de cela.

— Et pourquoi pas ? lui demandai-je. Nous devrions. Où vais-je aller en partant d'ici ?

— C'est ce que je vous demande. Qui avez-vous ? Qui fait encore partie de votre vie ?

— Je ne sais pas. Je n'en ai aucune idée. Je ne vois personne.

— Timmy ? suggéra-t-elle.

— Tim ?

— Oui.

— Eh bien, fis-je, maintenant, dans cette partie de ma vie, il est dans le Shropshire. Mais je peux difficilement aller là-bas.

— Et pourquoi pas ? demanda-t-elle.

Je me demandais vraiment comment quelqu'un avait pu imaginer un jour que cette sorte d'interrogatoire ferait du bien à qui que ce fût. Ma mère, elle, disait toujours : « Essaie de ne pas interroger les gens, Estelle. C'est très impoli, ma chérie. »

— Et pourquoi pas ? répéta Linda.

— Eh bien, dis-je, le Shropshire est très loin du Suffolk. Mais ce n'est pas là l'important. L'important, c'est que naguère, ici, on nous laissait tout simplement *exister.* Nous regardions des matches de football à la télévision. Nous jouions à des jeux de société. Nous nous promenions dans le jardin.

— On n'est plus « naguère », fit alors Linda.

— Je sais, dis-je. Mais *quand* sommes-nous au juste ? Dans quel genre d'époque ?

Elle parut un moment perplexe, comme certains participants des débats télévisés. Puis elle déclara :

— C'est une nouvelle décennie.

Je suis en train d'essayer de me rappeler tout ce qu'il y a de nouveau.

Il va y avoir un nouveau président des Etats-Unis. Il a été marié autrefois à Jane Wyman, amie d'Ava Gardner.

Il y a un nouvel assassin dans le Yorkshire, du côté de Leeds.

Il y a eu un nouveau tremblement de terre en Algérie.

Nous avons un nouveau lauréat de la médaille d'or aux Jeux olympiques. C'est un nageur, plus jeune que Timmy.

La Chine a donné un nouveau panda au Japon. Son nom est Wong-Wong. On nous dit que les pandas contribuent à améliorer les relations entre les pays. Les enfants japonais chantent une chanson de bienvenue :

Oh, Wong-Wong, nous t'attendions depuis long-
[temps.
Jouons donc ensemble aimablement...

Au fait, les chansons japonaises ont-elles besoin de rimer ?

A ma séance suivante avec Linda, je lui demande :

— Qu'il y a-t-il d'autre de nouveau ?

Et elle me répond :

— Il va y avoir un nouveau timbre-poste pour les quatre-vingts ans de la Reine Mère.

— Je me rappelle la mort de son mari. Le roi George VI. Le jour de ses obsèques, nous étions dans un champ de pommes de terre, à essayer de faire silence.

— Oui, fait Linda. Parlez-moi un peu de cela. Qui était là ?

— Eh bien, nous étions tous les quatre. Sonny et moi. Timmy et...

— Et qui ?

— Et Martin, dis-je.

— Vous n'en avez jamais parlé. Qui est Martin ?

— Mon autre enfant, dis-je. Il vit en Amérique. Il ne fait plus partie de ma vie. Je ne l'ai pas vu depuis vingt ans.

— Pourquoi ? demande Linda.

— Seigneur Vous nous fatiguez avec toutes ces questions.

— Quand vous aurez répondu à celle-là, vous pourrez partir.

— Je ne *connais pas* la réponse, dis-je.

— Alors, il faut que nous la trouvions, n'est-ce pas, Estelle ?

Quand un interrogateur dit « nous », cela signifie évidemment « vous ».

Je me lève de ma chaise et vais m'étendre sur le plancher.

Linda m'ordonne de me relever. Elle affirme que je suis l'une des personnes les plus difficiles qu'elle ait jamais rencontrées.

Quand elle parle de « rencontrer », cela veut évidemment dire « interroger ».

Elle en assez de moi.

J'en ai assez de tout.

Mais elle me laisse regagner ma chambre. C'est la chambre que j'ai toujours eue ici, et je m'y suis attachée.

Elle est comme un compartiment de chemin de fer. Quand je m'y trouve, mon esprit tente toujours de partir en voyage.

Ce n'est pas encore l'heure du dîner. Je pense que je vais descendre regarder le nouveau tremblement de terre à la télévision. Mais, maintenant que je me trouve seule dans ma chambre, je commence à souhaiter être de nouveau avec Linda.

Je lui ai menti quand je lui ai dit qu'après la mort de mon père je passais mon temps à regarder par la fenêtre, et que tout ce que je pouvais y voir, c'était le jardin. J'ai vu Mary dans le jardin. Et, quand la nuit a commencé à tomber, elle était encore là. Elle regardait vers moi. Elle lançait une balle de tennis vers la vitre.

J'aimerais dire cela à Linda.

Il *faut* que je le lui dise.

J'enfile le corridor en courant. Je déteste courir. Je n'ai jamais aimé cela.

Je bouscule un homme dans l'escalier. Je me précipite vers la salle d'entretiens en criant le nom de

Linda. J'ouvre la porte. Il y a là une autre femme, en train d'être interrogée. Je lance :

— Linda, il y a quelque chose que je dois vous dire !

— Vous avez eu votre heure, Estelle, répond-elle.

— Je sais. Mais il faut que je vous dise cela. Je vous en prie !

— Non, réplique-t-elle. C'est l'heure de Marjorie. Je vous verrai demain.

Demain, c'était le mot dont je me servais constamment.

Je me disais :

— Demain, je vais faire quelque chose à propos de Mary.

J'ai cinquante-cinq ans.

Je suis assise à ma table, dans ma chambre.

Nous sommes en septembre, et la nuit commence déjà à tomber.

Devant moi, il y a l'une des cartes de vœux que nous confectionnions avec Cord. Nous n'en avons jamais envoyé à personne. Je les ai apportées ici, pour les distribuer à tous les sherpas et à tous les contrôleurs aériens de la maison.

Ma carte est ornée de fleurs des champs, de luzerne et d'herbe.

Il est plus facile d'écrire mentalement que de le faire réellement. Mentalement, on peut toujours modifier son message. Il peut subir une infinité de révisions invisibles. Il peut être métaphorique ou fantastique. Il peut parler du cœur de l'oignon, ou de l'explosion dans le ciel. Il peut être poétique ou ironique. Il peut parler de recherches dans le bois à la lueur d'une torche, d'un tour de prestidigitation par un après-midi d'été...

Mais une fois qu'il est matériellement là, écrit à l'encre verte, il semble un peu maladroit, un peu pathétique. L'acte d'écriture l'a changé. Ce n'est plus vraiment ce que l'on voulait dire. Ce n'est même plus un message.

Je le regarde.

Je le lis et le relis jusqu'à ce que les mots perdent toute signification :

« Cher Martin,

« Je te prie de me pardonner. J'espère que tu le pourras.

« Ta mère,

« Estelle. »

Il commence à faire si noir que je puis à peine distinguer les lettres, mais je continue à les regarder.

Au moins, l'écriture est parfaitement régulière.

C'est déjà quelque chose.

Cela ne semble pas avoir été écrit par une folle, mais simplement par une femme sans imagination.

Table

Première partie

Deuxième partie

Troisième partie

Quatrième partie

Le Livre de Poche Biblio

Extrait du catalogue

Sherwood ANDERSON
Pauvre Blanc
Guillaume APOLLINAIRE
L'Hérésiarque et Cie
Miguel Angel ASTURIAS
Le Pape vert
Djuna BARNES
La Passion
Andrei BIELY
La Colombe d'argent
Adolfo BIOY CASARES
Journal de la guerre au cochon
Karen BLIXEN
Sept contes gothiques
Mikhail BOULGAKOV
La Garde blanche
Le Maître et Marguerite
J'ai tué
Les Œufs fatidiques
Récits d'un jeune médecin
Ivan BOUNINE
Les Allées sombres
André BRETON
Anthologie de l'humour noir
Arcane 17
Erskine CALDWELL
Les Braves Gens du Tennessee
Italo CALVINO
Le Vicomte pourfendu
Elias CANETTI
Histoire d'une jeunesse (1905-1921) - *La langue sauvée*
Histoire d'une vie (1921-1931) - *Le flambeau dans l'oreille*
Histoire d'une vie (1931-1937) - *Jeux de regard*
Les Voix de Marrakech
Raymond CARVER
Les Vitamines du bonheur
Parlez-moi d'amour
Tais-toi, je t'en prie
Camillo José CELA
Le Joli Crime du carabinier
Blaise CENDRARS
Rhum
Varlam CHALAMOV
La Nuit
Quai de l'enfer
Jacques CHARDONNE
Les Destinées sentimentales
L'Amour c'est beaucoup plus que l'amour
Jerome CHARYN
Frog
Bruce CHATWIN
Le Chant des pistes
Hugo CLAUS
Honte
Carlo COCCIOLI
Le Ciel et la Terre
Le Caillou blanc
La Ville et le Sang
Jean COCTEAU
La Difficulté d'être
Clair-obscur
Cyril CONNOLLY
Le Tombeau de Palinure
Ce qu'il faut faire pour ne plus être écrivain
100 Livres clés de la littérature moderne
Joseph CONRAD
Sextuor
Joseph CONRAD
et Ford MADOX FORD
L'Aventure
René CREVEL
La Mort difficile
Mon corps et moi
Alfred DÖBLIN
Le Tigre bleu
L'Empoisonnement
Lawrence DURRELL
Cefalù
Vénus et la mer
L'Ile de Prospero
Citrons acides
La Papesse Jeanne
Friedrich DÜRRENMATT
La Panne
La Visite de la vieille dame
La Mission
Grec cherche Grecque
La Promesse
Shûsaku ENDÔ
Douleurs exquises

J.G. FARRELL
Le Siège de Krishnapur
John FOWLES
La Tour d'ébène
Paula FOX
Pauvre Georges !
Personnages désespérés
Jean GIONO
Mort d'un personnage
Le Serpent d'étoiles
Triomphe de la vie
Les Vraies Richesses
Jean GIRAUDOUX
Combat avec l'ange
Choix des élues
Les Aventures de Jérôme Bardini
Les Cinq Tentations de La Fontaine
Vassili GROSSMAN
Tout passe
Knut HAMSUN
La Faim
Esclaves de l'amour
Mystères
Victoria
Sous l'étoile d'automne
Un vagabond joue en sourdine
Auguste le marin
La Ville de Segelfoss
Hermann HESSE
Rosshalde
L'Enfance d'un magicien
Le Dernier Été de Klingsor
Peter Camenzind
Le Poète chinois
Souvenirs d'un Européen
Le Voyage d'Orient
La Conversion de Casanova
Les Frères du soleil
Knulp
Bohumil HRABAL
Moi qui ai servi le roi d'Angleterre
Les Palabreurs
Tendre Barbare
Yasushi INOUÉ
Le Fusil de chasse
Le Faussaire
Henry JAMES
Roderick Hudson
La Coupe d'or
Le Tour d'écrou
La Muse tragique
Ernst JÜNGER
Orages d'acier
Jardins et routes
(Journal I, 1939-1940)
Premier journal parisien
(Journal II, 1941-1943)
Second journal parisien
(Journal III, 1943-1945)
La Cabane dans la vigne
(Journal IV, 1945-1948)
Héliopolis
Abeilles de verre
Ismail KADARÉ
Avril brisé
Qui a ramené Doruntine ?
Le Général de l'armée morte
Invitation à un concert officiel
La Niche de la honte
L'Année noire
Le Palais des rêves
Clair de lune
Le Printemps albanais
Franz KAFKA
Journal
Yasunari KAWABATA
Les Belles Endormies
Pays de neige
La Danseuse d'Izu
Le Lac
Kyôto
Le Grondement de la montagne
Le Maître ou le tournoi de go
Chronique d'Asakusa
Les Servantes d'auberge
L'Adolescent
Tristesse et Beauté
Abé KÔBÔ
La Femme des sables
Le Plan déchiqueté
Mort anonyme
Andrzeij KUSNIEWICZ
L'État d'apesanteur
Pär LAGERKVIST
Barabbas
LAO SHE
Le Pousse-pousse
Un fils tombé du ciel
D.H. LAWRENCE
Le Serpent à plumes
Primo LEVI
Lilith
Le Fabricant de miroirs
Le Système périodique
Sinclair LEWIS
Babbitt
LUXUN
Histoire d'AQ : Véridique
biographie

Carson McCULLERS
Le cœur est un chasseur solitaire
Reflets dans un œil d'or
La Ballade du café triste
L'Horloge sans aiguilles
Frankie Addams
Le Cœur hypothéqué
Naguib MAHFOUZ
Impasse des deux palais
Le Palais du désir
Le Jardin du passé
Klaus MANN
La Danse pieuse
Thomas MANN
Le Docteur Faustus
Les Buddenbrook
Les Confessions du chevalier d'industrie Félix Krull
Déception
Katherine MANSFIELD
La Journée de Mr. Reginald Peacock
Somerset MAUGHAM
Mrs Craddock
Henry MILLER
Un diable au paradis
Le Colosse de Maroussi
Max et les phagocytes
Paul MORAND
La Route des Indes
Bains de mer
East India and Company
Vladimir NABOKOV
Ada ou l'ardeur
Anaïs NIN
Journal 1 - *1931-1934*
Journal 2 - *1934-1939*
Journal 3 - *1939-1944*
Journal 4 - *1944-1947*
Joyce Carol OATES
Le Pays des merveilles
Amours profanes
Edna O'BRIEN
Un cœur fanatique
Une rose dans le cœur
Les Victimes de la paix
PA KIN
Famille
Mervyn PEAKE
Titus d'Enfer
Leo PERUTZ
La Neige de saint Pierre
La Troisième Balle
La Nuit sous le pont de pierre
Turlupin
Le Maître du jugement dernier
Où roules-tu, petite pomme ?
Le Marquis de Bolibar
Luigi PIRANDELLO
La Dernière Séquence
Feu Mathias Pascal
Ezra POUND
Les Cantos
Augusto ROA BASTOS
Moi, le Suprême
Joseph ROTH
Le Poids de la grâce
Raymond ROUSSEL
Impressions d'Afrique
Salman RUSHDIE
Les Enfants de minuit
Arthur SCHNITZLER
Vienne au crépuscule
Une jeunesse viennoise
Le Lieutenant Gustel
Thérèse
Les Dernières Cartes
Mademoiselle Else
Leonardo SCIASCIA
Œil de chèvre
La Sorcière et le Capitaine
Monsieur le Député
Petites Chroniques
Le Chevalier et la Mort
Portes ouvertes
Isaac Bashevis SINGER
Shosha
Le Domaine
André SINIAVSKI
Bonne nuit !
Muriel SPARK
Le Banquet
Les Belles Années de Mademoiselle Brodie
Une serre sur l'East River
George STEINER
Le Transport de A. H.
Andrzej SZCZYPIORSKI
La Jolie Madame Seidenman
Milos TSERNIANSKI
Migrations
Maria TSVÉTAEVA
Le Diable et autres récits
Tarjei VESAAS
Le Germe
Alexandre VIALATTE
La Dame du Job
La Maison du joueur de flûte

Ernst WEISS
L'Aristocrate

Franz WERFEL
Le Passé ressuscité
Une écriture bleu pâle

Thornton WILDER
Le Pont du roi Saint-Louis
Mr. North

Virginia WOOLF
Orlando
Les Vagues
Mrs. Dalloway
La Promenade au phare
La Chambre de Jacob
Entre les actes
Flush
Instants de vie

Composition réalisée par JOUVE

IMPRIMÉ EN FRANCE PAR BRODARD ET TAUPIN
Usine de La Flèche (Sarthe).
LIBRAIRIE GÉNÉRALE FRANÇAISE - 43, quai de Grenelle - 75015 Paris.
ISBN : 2 - 253 - 13923 - 8

31/3923/5